# Collection Intercultures

## Collection fondée par Laurier Turgeon et dirigée par Laurier Turgeon et Pierre Ouellet

Cette collection réunit des études interdisciplinaires qui traitent des dynamiques interculturelles et des phénomènes de métissage passés et présents, d'ici et d'ailleurs. Elle accueille une large gamme de thèmes : les frontières culturelles, les médiations culturelles, la communication et la consommation interculturelle, les conflits interculturels et les transferts culturels.

Les travaux sur la mondialisation tendent à expliquer l'expansion des économies et des cultures occidentales depuis un lieu central, l'Europe, vers les autres parties du monde. Cette approche centriste présente généralement les différences culturelles comme un obstacle à l'idéal de l'universalisme qui veut que le monde devienne un seul et même lieu.

Les ouvrages de cette collection présentent le monde comme un lieu de contacts et d'échanges entre des groupes différents plutôt que comme un ensemble cohérent et unifié qui s'étend depuis un pôle central. Au lieu de définir les cultures comme des ensembles homogènes et fermés qui contribuent à construire des catégorisations ethnoculturelles, ils les étudient comme des entités ouvertes, interactives et mobiles dans le temps et dans l'espace. L'accent est mis sur le syncrétisme pour expliquer l'émergence de nouvelles formes culturelles.

# DE LA BRETAGNE AUX PLAINES DE L'OUEST CANADIEN

## Lettres d'un défricheur franco-albertain, Alexandre Mahé (1880-1968)

**Dans la même collection**

*Les entre-lieux de la culture*, sous la direction de Laurier Turgeon, PUL et L'Harmattan, 1998.

Louise Côté, *En garde ! Les représentations de la tuberculose au Québec dans la première moitié du XX*[e] *siècle*, PUL, 2000.

Georges E. Sioui, *Pour une histoire amérindienne de l'Amérique*, PUL et L'Harmattan, 2001 (publié antérieurement sous le titre *Pour une autohistoire amérindienne*).

Tristan Landry, *La valeur de la vie humaine en Russie, 1836-1936. Construction d'une esthétique politique de fin du monde*, PUL et L'Harmattan, 2001.

Shenwen Li, *Stratégies missionnaires des jésuites français en Nouvelle-France et en Chine au XVII*[e] *siècle*, PUL et L'Harmattan, 2001.

Khadiyatoulah Fall, Daniel Simeoni et Doumbé Bétoté Akwa, *Variations de la perception catégorielle. Enjeux énonciatifs et interculturels*, PUL, 2002.

Laurier Turgeon (dir.), *Regards croisés sur le métissage*, PUL, 2002.

Pierre Ouellet, Simon Harel, Jocelyne Lupien et Alexis Nouss (dir.), *Identités narratives, mémoires et perceptions*, PUL, 2002.

Raluca Muresan, *Les Tsiganes « au marteau ». Transactions identitaires chez les Chaudronniers de Sarulesti, Roumanie,* PUL, 2003.

Johanne Villeneuve, *Le sens de l'intrigue. La narrativité, le jeu et l'invention du diable* (à paraître).

Juliette Marthe Champagne

# DE LA BRETAGNE AUX PLAINES DE L'OUEST CANADIEN

## Lettres d'un défricheur franco-albertain, Alexandre Mahé (1880-1968)

CELAT

LES PRESSES DE L'UNIVERSITÉ LAVAL
2003

*Les Presses de l'Université Laval reçoivent chaque année de la Société de développement des entreprises culturelles du Québec une aide financière pour l'ensemble de leur programme de publication.*

*Nous reconnaissons l'aide financière du gouvernement du Canada par l'entremise du Programme d'aide au développement de l'industrie de l'édition pour nos activités d'édition.*

Conception et mise en pages : Diane Mathieu
Graphisme de la couverture : Chantal Santerre
Illustration de la couverture : Danek Mozdzenski, *Crépuscule d'hiver sur la ferme Mahé*.
Photographie : William Pinckney


Dépôt légal 4e trimestre 2003
ISBN 2-7637-7924-7



Distribution de livres UNIVERS
845, rue Marie-Victorin
Saint-Nicholas (Québec)
Canada G7A 3S8
Tél. (418) 831-7474 ou 1 800 859-7474
Téléc. (418) 831-4021
http://www.ulaval.ca/pul

*À ma mère*

# Remerciements

Cet ouvrage a été publié grâce à une subvention de la Fédération canadienne des sciences humaines et sociales, dont les fonds proviennent du Conseil de recherches en sciences humaines du Canada. Ce travail n'aurait pu être fait sans l'aide de mes informateurs, à qui je suis extrêmement reconnaissante, en particulier ma mère, Germaine (Mahé) Champagne, et mon oncle, René Mahé, qui est décédé le 9 septembre 2001. Je tiens à remercier tous les gens de la paroisse Saint-Vincent, les anciens résidents qui ont bien voulu m'aider dans mes recherches de même que les Sœurs de l'Assomption de la Sainte-Vierge pour leur soutien financier, l'accès à leurs archives à Nicolet, leur accueil et, surtout, les témoignages des anciennes enseignantes qui ont travaillé à Saint-Vincent. Plusieurs autres organismes m'ont aidée financièrement : l'Association canadienne-française de l'Alberta (ACFA), la régionale de l'ACFA de Saint-Paul, le Comité des bourses de l'Université Laval, l'*Alberta Heritage Scholarship Fund* pour la bourse Roger-Mahé ainsi que l'*Alberta Historical Resources* pour le *Roger Soderstrom Scholarship in Historical Preservation*. Grand merci à mon directeur, le professeur Laurier Turgeon, de l'Université Laval, pour son encouragement dans ce long projet et à mon codirecteur, le professeur Gratien Allaire, de l'Université Laurentienne, de qui, au cours de ce travail, j'ai reçu d'excellents conseils. J'ai apprécié l'appui du professeur Denys Delâge durant ce projet, celui du CELAT ainsi que celui de l'Institut de recherche de la Faculté Saint-Jean de l'Université de l'Alberta, dont les professeurs Claude Couture, François McMahon et Yvette Mahé, cette dernière pour ses conseils concernant les écoles albertaines, tout comme Gilles Cadrin qui m'a prêté un travail de session préparé par ses étudiants il y a quelques années. Merci à Ron Whistance-Smith, ancien conservateur de la *William Wonders Map Collection* de l'Université de l'Alberta, pour ses copies des cartes détaillées de la Bretagne. Le frère Jean Laprotte des

Frères de l'instruction chrétienne de Montréal a été très aimable de me fournir des renseignements des archives privées de cette communauté et de me faire découvrir un travail sur les méthodes pédagogiques des frères de Ploërmel. Merci aussi à la congrégation des Oblats de Marie-Immaculée pour l'accès à leurs fonds entreposés aux Archives provinciales de l'Alberta à Edmonton, aux archives du Glenbow Institute de Calgary pour l'usage des fonds Étienne Michaud et Auguste Bernard et aux comités du livre historique de Saint-Paul et de Saint-Vincent pour la permission de reproduire de leurs photos. Mes sincères remerciements à tous ceux qui ont lu et corrigé mon manuscrit, en particulier Maïte Cuyollaà et Anne-Hélène Kerbiriou, à ma famille et à mes bons amis en Alberta qui m'ont hébergée, prêté leurs véhicules et aidée financièrement afin que je puisse effectuer mes recherches en Alberta tout en poursuivant mes études à l'Université Laval. Enfin, je suis reconnaissante à mon mari Yves Le Guével qui, avec patience et enthousiasme, m'a accompagnée dans ce projet. À tous les autres qui m'ont soutenue et encouragée en cours de route, sans oublier le personnel de soutien au Département d'histoire et au CELAT de l'Université Laval, merci.

# Introduction

Entre 1931 et 1963, *La Survivance*, qui est depuis 1929 l'unique journal de langue française en Alberta, publie une cinquantaine de lettres, d'articles et de poèmes signés « Isidore Cassemottes », qui paraissent presque toutes sous la rubrique de la « Tribune libre »; il est le seul lecteur à contribuer autant à cet hebdomadaire. L'usage du nom de plume est alors une pratique répandue. Vers 1930, les Canadiens français qui habitent l'Alberta sont en grande majorité des cultivateurs, et c'est d'emblée qu'ils comprennent le sens d'Isidore Cassemottes, terme qui, aujourd'hui, semble passablement farfelu. « Isidore » rappelle le saint patron des cultivateurs à qui, sans doute, ils adressent de nombreuses et ferventes prières pour le succès de leurs récoltes. Le nom « Cassemottes » précède la découverte de l'« or noir » de l'Alberta et il réfère au grand défrichement que doivent faire les centaines de milliers de colons qui cherchent la fortune dans les « blés d'or » sur les Plaines de l'Amérique du Nord. Ces colons, dans la langue de la majorité anglophone, se reconnaissent comme des *golddiggers* à leur façon, car en faisant le long et pénible travail de défrichage du sol vierge des Prairies, ils se désignent prosaïquement comme des *sodbusters*. « Cassemottes » est l'équivalent à point et bien français de ce terme, et l'homme qui signe de ce nom d'emprunt est Alexandre Mahé, un fermier de la paroisse de Saint-Vincent, sa plume toujours prête à défendre la cause de la survivance canadienne-française en Alberta.

Né en 1880, dans l'Ouest de la France, pourvu d'un bon bagage intellectuel et ayant acquis une solide expérience de travail dans des plantations africaines, Alexandre Mahé émigre au Canada au printemps 1909 et s'installe sur un *homestead*[1] du Nord-Est de l'Alberta. Tout en apprenant à manier la hache, à tenir les manchons d'une charrue et à toucher les bœufs, il ouvre un petit magasin et s'active dans la promotion de la communauté de Saint-Vincent, où il élit domicile.

---

1. Il n'y a pas de terme français équivalent au mot *homestead* pour désigner les concessions données aux colons. Il est utilisé tel quel, tout comme celui de *homesteader* l'est pour le colon.

Entre 1918 et 1930, Alexandre Mahé est correspondant bénévole de la paroisse Saint-Vincent aux journaux albertains de langue française ainsi que secrétaire du cercle local de l'Association canadienne-française de l'Alberta (ACFA). Ensuite, on trouve de ses lettres dans *Le Travailleur*, un journal hebdomadaire franco-américain de Worcester (Massachusetts), où il signe « Un Vieux Colon ». La rédaction de ce journal publie une longue série de ses lettres exposant la situation difficile des Canadiens français catholiques en Alberta entre 1920 et 1935. Il écrit aussi de temps à autre dans *La Survivance*. En plus de cette correspondance, à ses heures, il taquine la muse et laisse derrière lui divers brouillons et essais, mais il n'a jamais réussi à publier ailleurs que dans les journaux; ses manuscrits de romans semblent avoir été perdus. Malgré tout, nous avons récupéré quelque 130 lettres, articles et poèmes qu'il a rédigés jusqu'à la fin de ses jours, en 1968. Leur fil conducteur est largement la survivance des Canadiens français en Alberta et les liens qu'ils ont tous avec la culture française; sans cesse, dans ses lettres, il rallie ses compatriotes d'adoption et il fait tout ce qu'il peut pour encourager la lecture et l'utilisation du français dans cette province.

L'histoire et l'engagement d'Alexandre Mahé nous sont connus depuis toujours, car cet individu était notre grand-père maternel. Mais si nous savions que notre aïeul aimait écrire et que ses écrits avaient paru dans les journaux, leur ampleur et leur importance nous échappaient. Des quelques textes que nous connaissions, seulement les plus narratifs nous paraissaient propices à une histoire de sa vie ou à un récit de famille. C'est en constatant la masse de documents issus de sa plume fertile et en ayant été amenée, par ailleurs, à constater la rareté des écrits provenant de Canadiens français du milieu rural de l'Ouest, et la difficulté de leur interprétation, qu'il nous a paru qu'une étude de ses idées et de sa vie pourrait s'intégrer dans le cadre de l'histoire sociale[2]. La somme de son travail forme un éloquent témoignage de l'existence d'un pionnier français d'une paroisse de l'Ouest ainsi que de la mentalité des Franco-Albertains en milieu rural, de 1909 jusqu'au début des années 1960. Alexandre Mahé a laissé un gage précieux de l'évolution de cette société, groupe méconnu, dont certains aspects risquent d'être oubliés. Si son parcours individuel n'est pas forcément représentatif des espoirs de tous les colons francophones – un homme lettré, tandis que la majorité de ses confrères dans l'aventure de la colonisation ne le sont pas –, ses écrits nous donnent un meilleur aperçu de ce qu'ils pensaient dans leur situation

---

2. Bernard Wilhelm, « L'état premier de la littérature française de l'Ouest : les récits de pionniers », *Écriture et politique*, Gratien Allaire, Gilles Cadrin et Paul Dubé (dir.), Centre d'études franco-canadiennes de l'Ouest (CEFCO), 7, 1989, Edmonton, Faculté Saint-Jean, p. 259-264.

de minoritaires dans la jeune province albertaine. Mieux encore, ils nous aident à comprendre la diaspora canadienne-française de l'Ouest d'une perspective rurale, et du peuple, à une époque où la majorité des migrants et des immigrants s'installaient sur des terres et non dans des villes.

# Chapitre I

## UN HOMME ORDINAIRE DANS UNE HISTOIRE MÉCONNUE

### Mémoire vive et sources « au ras du sol »

L'engagement et l'enracinement de l'historien dans son sujet ne sont pas incompatibles avec la production de l'histoire et même si la « connaissance intime » peut être un risque, Antoine Prost pense qu'elle peut aussi être un « atout irremplaçable », citant à cet effet Henri-I. Marrou[1]. Le vécu de l'historien est un élément subjectif inévitable pour tout travail en histoire qui nécessite une recherche intérieure, ce que Marrou appelle « la psychanalyse existentielle[2] ». Nous admettons volontiers qu'initialement, l'idée d'aborder un sujet si intime nous a semblé difficile, mais nous sommes d'accord qu'il est possible de demeurer objective, tout en étant engagée, et de prendre le recul nécessaire. Visant à éviter le scénario du « grand-homme », nous avons voulu mettre en lumière les intentions et la mentalité de notre aïeul ainsi que son temps, période méconnue de l'histoire du Canada français, particulièrement en ce qui concerne le domaine rural. Si pour le lecteur non initié, il est parfois difficile de comprendre le sens de ces écrits d'une autre époque, comme historienne nous avons tâché de les interpréter et notre connaissance du sujet en a facilité l'analyse. Il n'en reste pas moins que cet apprentissage ne s'est pas fait automatiquement et que nous avons été obligée

---

1. Antoine Prost, *Douze leçons sur l'histoire*, Paris, Éditions du Seuil, 1996, p. 95.

2. Prost, *ibid.*, p. 240; Henri-Irénée Marrou, *The Meaning of History*, Montréal, Palm, 1966, *De la connaissance historique*, traduit par Robert J. Olsen, Paris, Éditions du Seuil, 1959, p. 248-251.

d'approfondir notre savoir en la matière. De plus, en nous penchant sur l'histoire de notre famille, nous étions, forcément, une informatrice et une observatrice participante. Nous partageons la même culture et les mêmes souvenirs que plusieurs de nos informateurs, ce qui n'est pas incompatible avec les études de nature ethnologique comme celle-ci[3]. La faiblesse de l'histoire orale, sa proximité aux sources, est aussi sa force. C'est ce qui permet de tisser des événements hétéroclites dans une trame qui se prête plus facilement à l'interprétation[4]. Dans ce cas, elle permet de donner un sens à des documents de qualité inégale – articles de journaux, fondamentalement secondaires de par leur nature, bribes biographiques notées dans des essais et autres – et une cohérence aux sujets et aux idées qui ont préoccupé un homme, et sa société, au cours de plus d'un demi-siècle.

Les écrits du genre « au ras du sol[5] » dans l'historiographie de l'Ouest canadien qui témoignent de la période de colonisation et d'installation sont très rares, particulièrement en ce qui concerne les groupes d'appartenance française, ce qui rend les parcelles d'histoire dans les lettres d'Alexandre Mahé encore plus précieuses. Son cas révèle une vision de société qui aide à mieux comprendre les intentions des colons canadiens-français et les façons dont ils se sont organisés pour se tailler une place légitime dans la collectivité albertaine et canadienne-française. Les sources orales peuvent aider à combler les gouffres documentaires que l'on retrouve dans les communautés illettrées[6]. Nous croyons qu'il est préférable de voir l'élément de subjectivité avec son sujet comme un outil qui permet de mieux retourner le miroir sur le passé afin d'y voir, aussi distinctement que possible, la réalité d'un temps

---

3. Les divers aspects et problèmes de l'observation participante sont examinés par Jan Vansina, *Oral Tradition as History*, University of Wisconsin Press, 1985, p. 197-205, et Virginia Yans-McLaughlin, « Metaphors of Self in History : Subjectivity, Oral History, and Immigration Studies », *Immigration Reconsidered : History, Sociology, and Politics*, edited by Virginia Yans-McLaughlin, Oxford University Press, 1990, p. 254-290.

4. Tamara K. Haraven, Appendice A, « The Subjective Reconstruction of Past Lives », *Family Time and Industrial Time : the Relation between the Family and Work in a New England Industrial Community*, Cambridge University Press, 1982, p. 377-378.

5. L'expression est de Jacques Revel, « L'histoire au ras du sol », préface, *in* Giovanni Levi, *Le pouvoir au village : histoire d'un exorciste dans le Piémont du XVII^e^ siècle*, Paris, Gallimard, 1989, p. XV-XVIII.

6. Un tel exemple est le travail de M. Melinda Jetté qui a aussi eu à faire face à la subjectivité de son sujet en préparant son mémoire de maîtrise, *Ordinary Lives : Three Generations of a French-Indian Family in Oregon, 1827-1931* (Département d'histoire, Université Laval, 1996). Elle retrace les origines de sa famille, des traiteurs de fourrures montréalais venus en Oregon au début du XIX^e^ siècle. Motivée par ce que l'étude pouvait lui dire de plus que la tradition orale connue de sa famille, elle aborda son travail avec le désir de conserver le souvenir de cette histoire inédite, qui s'effilochait et s'oubliait avec le temps.

révolu. C'est ainsi qu'à l'examen des écrits d'Alexandre Mahé s'ajoute la mémoire vive de ceux qui l'ont connu, permettant d'illustrer une des facettes presque oubliées de la diaspora française de l'Ouest canadien.

Depuis plus d'une cinquantaine d'années, l'histoire sociale se penche sur les grands nombres et sur les groupes ordinaires en faisant l'analyse quantitative de documents sériels. Cette nouvelle façon d'écrire, issue de « l'école des Annales » et de la démocratisation de l'histoire, permet de mieux comprendre les phénomènes de masse et les classes populaires, jadis ignorées au profit de l'élite. Mais cet outillage quantitatif et sériel est difficile à manier pour saisir les sujets isolés, des petits groupes « sans histoire » ou sans séries de documents. L'approche micro-historique, essentiellement qualitative, sans être en soi une nouvelle discipline, s'avère utile pour capter un tel objet isolé. D'après Giovanni Levi, un des architectes de la micro-histoire, « la reconstitution du contexte historique et social dans lequel se déroulent les événements permet de comprendre ce qui paraît inexplicable et déroutant au premier abord[7]. » L'historien doit intégrer l'esprit de son objet d'étude afin de comprendre les dynamiques de la culture et de voir comment il se présente et s'interprète au sein de son groupe d'appartenance et devant ceux qui l'entourent[8]. En utilisant des documents concernant un cas ou un événement peu connus et en reconstituant soigneusement son environnement matériel et social, il devient possible de mieux distinguer les dynamiques et les enjeux de la société en question.

Les individus qui sont le sujet de la documentation ne sont pas obligatoirement des modèles de probité ni des gens illustres ou de grands notables. S'ils deviennent le sujet d'une biographie, c'est surtout parce que leur histoire est utile pour illustrer une période ou un événement ignorés. À ce sujet, Jacques Le Goff précise que « l'individu n'existe que dans le réseau de relations sociales diversifiées et cette diversité lui permet de développer son jeu[9]. »

---

7. Giovanni Levi, « Les usages de la biographie », *Annales ESC*, n° 6, novembre-décembre 1989, p. 1330-1331. L'exemple classique du succès de cette approche qualitative est l'explication de l'anthropologue américain Marshall Sahlins qui a puisé dans la culture orale des indigènes de Hawaii pour donner un sens au mystère de l'assassinat du capitaine James Cook à cet endroit en 1779. Voir Sahlins, *Islands of History*, University of Chicago Press, 1985. Quelques micro-histoires basées sur des documents ou des publications obscurs ont même atteint le statut inouï d'ouvrages populaires, dont celui d'Emmanuel Le Roy Ladurie, *Montaillou. Village occitan de 1294 à 1324*, édition révisée et corrigée, Paris, Gallimard, 1975, 1982, et celui de Nathalie Zémon Davis, Jean-Claude Carrière et Daniel Vigne, *Le Retour de Martin Guerre*, Paris, Laffont, 1982, qui devint un film célèbre.

8. Hans Medick, « "Missionnaires en canot", les modes de connaissances ethnologiques, un défi à l'histoire sociale ? », *Genèses* 1, 1990, p. 40.

9. Jacques Le Goff, *Saint Louis*, Paris, nrf, Éditions Gallimard, 1996, p. 21.

Mais pour le comprendre, l'historien doit aussi pouvoir « décortiquer » les documents pour ce qu'ils révèlent sur l'individu et son temps[10]. Dans une biographie, le cas individuel employé à des fins historiques peut faire ressortir certains thèmes de la vie de l'individu, ou des étapes marquantes, qui démontrent le fonctionnement du procédé normatif, car comme l'écrit Levi, dans tout système, l'individu possède une liberté de choix et ses gestes peuvent avoir un impact sur sa communauté d'appartenance[11]. Il, d'après l'historien américain Lawrence Stone, a un rôle d'acteur social et les actions d'une seule personne peuvent outrepasser les effets de la démographie ou de l'économie[12]. Mais l'approche de l'historien de l'Ouest canadien Lewis G. Thomas nous semble particulièrement à point; il constate que certains colons, qu'il nomme « privileged settlers », arrivant mieux nantis, par leur classe sociale, leur fortune personnelle, leur formation scolaire ou professionnelle se trouvent plus facilement une place dans la nouvelle société[13]. D'après lui, ces avantages leur permettent de s'intégrer plus facilement et de contribuer de façon positive au bien-être de tous ainsi qu'à l'établissement de la communauté. Si Thomas croit beaucoup en l'importance de la classe sociale, d'où il est issu, le colon, fils de paysan comme Alexandre Mahé, peut aussi être un des « privilégiés » : il a fait des études, il a de l'expérience en l'administration de grandes plantations et il a quelques économies. Dans l'Ouest canadien, cela suffit.

La biographie peut désormais lier vie privée et vie publique dans une dynamique évolutive, c'est ce que démontre l'historien Réal Bélanger. En plaçant l'individu dans son cadre, le travail biographique entraîne l'étude du mode de vie et des habitudes sociales, des relations et des solidarités, des attitudes, des fortunes même[14]. Comme l'explique Jacques Revel, un cas individuel permet de suivre, tel un marqueur, un fil conducteur, un homme, une communauté ou une œuvre dans la complexité des relations, des espaces et des temps dans lesquels il s'inscrit[15] . L'avantage d'une biographie historique est que l'étude de l'individu favorise la compréhension de la société qui l'a entouré; le personnage devient un sujet « globalisant » autour duquel s'or-

---

10. Le Goff, *ibid.*, p. 18.

11. Levi, « Usages de la biographie », p. 1333-1334.

12. Lawrence Stone, *The Past and the Present Revisited*, New York, Routledge and Kegan Paul, 1987, p. 80.

13. Lewis G. Thomas, « The Privileged Settlers », *Rancher's Legacy*, Patrick A. Dunae, ed., Western Canada Reprint Series, University of Alberta Press, 1986, p. 151-167; « Associations and Communications », *Canadian Historical Association, Historical Papers*, 1973, p. 1-12.

14. Réal Bélanger, « Écrire sur la carrière politique de Wilfrid Laurier », *Boswell's Children*, edited by R.B. Fleming, Toronto, Dundurn Press, 1992, p. 186.

15. Revel, « L'histoire au ras du sol », *Le pouvoir au village*, p. XII.

ganise tout le champ de la recherche[16]. Puisque l'individu est engagé à la fois dans des domaines économiques, sociaux, politiques, religieux et culturels, ces « tiroirs » du grand meuble de l'Histoire, dans un cas comme celui d'Alexandre Mahé, il est possible de mieux saisir les relations que ce colon entretient avec son nouveau groupe, lesquelles sont très importantes dans une communauté en devenir, et son intégration dans une collectivité canadienne multiethnique et, surtout, francophone.

Tout en faisant partie d'une société structurée, l'individu n'est jamais prisonnier de sa culture. En s'installant dans un autre endroit, obligatoirement, son rapport avec sa nouvelle patrie d'appartenance doit se cultiver. Certaines sources documentaires, comme un journal intime, peuvent le démontrer mieux que d'autres[17]. Il est certain que les lettres d'Alexandre Mahé au rédacteur d'un journal révèlent peu de sa vie personnelle, mais d'autres sources sont disponibles pour nous en informer; ainsi, il est possible d'en connaître beaucoup sur cet individu quant à son groupe d'appartenance et sa communauté[18]. De plus, en faisant aussi la mise en contexte des contemporains du sujet biographique, il est possible de les mettre en relief pour, en quelque sorte, reconstruire et comprendre la société dans laquelle ils vivaient[19].

Alexandre Mahé, Breton de naissance, est devenu non seulement « Canadien de cœur », mais il a choisi et revendiqué une identité canadienne-française dans son incarnation particulière de l'Ouest du pays. Rien ne peut lui enlever ses origines bretonne et française ni son accent, mais malgré les différences, il apprécie les qualités de ses nouveaux compatriotes et il arrive à faire le lien entre sa culture et celle des Français d'Amérique : Québécois, émigrés franco-américains, Acadiens, Franco-Ontariens, gens des Plaines et Métis, bon nombre desquels se disaient jadis des « canayens ». À travers lui peuvent se deviner les fluctuations, voire les « mutations », dans la conscience ethnique de milliers d'autres immigrants venus comme lui s'installer dans l'Ouest canadien. En même temps que ces colons se sont construit une nouvelle vie sur de nouvelles terres, ils se sont construit une nouvelle identité. Cette question apparaît en filigrane dans la biographie d'Alexandre Mahé;

---

16 Le Goff, *Saint Louis*, 1996, p. 16.

17. Marcelle Cinq-Mars en affirme autant d'un marchand de Québec en voyant « l'écrivant comme l'acteur social faisant représentation de lui-même et de son milieu, faisant donc une mise en scène de son propre "jeu" social, tout en affirmant son individualité », *Représentations et stratégies sociales d'un étranger à Québec à la fin du XVIII^e^ siècle. Analyse du journal personnel du marchand Johann Henrich Juncken (septembre 1788-mai 1789)*, mémoire de maîtrise en histoire, Université Laval, 1990, p. 5.

18. Stone, *The Past and Present Revisited*, p. 91.

19. Levi, « Usages de la biographie », p. 1331.

son cas particulier peut illustrer comment, à partir de référentiels culturels communs et d'événements, crises ou divertissements vécus collectivement par les membres d'une communauté en train de se créer, une véritable prise de conscience identitaire canadienne-française est née.

Cette « mutation » identitaire s'est manifestée de manière plus lucide ou consciente chez certains, et tel est le cas manifeste d'Alexandre Mahé qui, au fil du temps, prend plus fréquemment et avec vigueur la parole au nom d'une communauté dont les objectifs se font d'autant plus déterminés que leur environnement les contraint davantage.

Au début, lorsqu'il se trouve avec d'autres gens de culture française, il n'insiste pas sur leurs différences, qui sont multiples, mais plutôt sur leurs ressemblances et leurs rapprochements, car il croit, et il aspire, à l'existence d'un peuple français dans l'Ouest canadien. On perçoit au cours de sa vie une prise de conscience progressive. Il arrive avec un esprit ouvert et il cherche à s'intégrer au sein d'une collectivité de langue française, car la francophonie est le « référentiel commun » de son groupe d'appartenance, malgré les différences d'origine, et il s'emploie à consolider sa communauté sur cette base[20]. La fluctuation identitaire est donc un phénomène spontané issu de personnes partageant des valeurs communes et que, dans ce cas, la langue française a réunies. La vie d'Alexandre Mahé illustre aussi à quel point l'identité est une création très consciente, une véritable construction dont le moteur est l'espérance.

## Historiographie des Canadiens français de l'Ouest

Très peu d'études ont porté sur les colons et sur leur évolution. L'attention a surtout été donnée à l'histoire de l'élite et à son rôle dans le développement des grands centres. L'existence de nombreuses biographies sur les religieux de l'Ouest, en majorité des hagiographies comme celles de Mgr Alexandre Taché, de Mgr Vital Grandin ou du missionnaire oblat Albert Lacombe en sont des exemples typiques[21]. De plus, beaucoup de documents de source primaire concernant la colonisation francophone de l'Ouest canadien proviennent de dépôts d'archives religieuses : ce sont des témoignages centrés

20. « Référentiel commun d'un groupe ou d'une communauté, l'identité se caractérise surtout par son aspect évolutif, car son élaboration et sa continuelle interprétation font l'objet d'échanges au sein du groupe », Viviana Fridman et Alain Roy, « Présentation », Transactions identitaires/Identity Transactions, *Canadian Folklore Canadien*, Vol. 18.2, 1996, p. 5.

21. Gaston Carrière, dans son *Dictionnaire biographique des Oblats de Marie-Immaculée au Canada*, Éditions de l'Université d'Ottawa, 1976, signale une vingtaine de livres et d'articles au sujet de Mgr A.Taché, un nombre semblable sur Mgr V. Grandin et presque une quarantaine sur le très populaire père Albert Lacombe, et ce, sans compter les traductions.

autour de la paroisse et du clergé, qui conservent ces perspectives ecclésiastiques, monographies paroissiales ou écrits au sujet du clergé-colonisateur, rédigés par des membres du clergé eux-mêmes. En examinant le problème des sources documentaires provenant de l'élite d'une société, l'historien italien Carlo Ginzburg rappelle qu'elles ne sont pas forcément représentatives ni de nature première, car elles sont en quelque sorte filtrées par la culture dominante[22].

Il existe une contribution majeure au redressement de cette image de la *gesta dei per francos* des colons de l'Ouest : celle de Robert Painchaud, qui a clairement démontré les différents paliers du recrutement des colons de langue française dans cette région[23]. Vers la fin du XIX^e^ et au début du XX^e^ siècle, les concessions de terres aux colons, les *homesteads*[24], de l'Ouest canadien attirent des centaines de milliers d'immigrants de toutes les parties du monde. De ceux qui ont en commun la langue et la culture françaises, beaucoup font comme les autres groupes ethniques et s'installent auprès de leurs semblables[25]. Dès 1870, les Canadiens français sont encouragés à venir s'y s'établir par le clergé missionnaire canadien-français sur place. On attribue avec raison cette politique à Mgr Alexandre Taché, évêque de Saint-Boniface, influencé par le catholicisme ultramontain du XIXe siècle. Imbu de l'ancienne devise de la *gesta dei per francos*, Taché, né au Québec, rêve de pouvoir consolider une place de taille pour ses concitoyens aux côtés de la population métisse de l'Ouest où, ensemble, ils pourraient conserver leur langue et,

---

22. Voir Carlo Ginzburg, *Le Fromage et les vers : l'univers d'un meunier du XVIe siècle*, traduit de l'italien par Monique Aymard, Flammarion, 1980, p. 9.

23. Robert Painchaud, *Un rêve français dans le peuplement de la Prairie*, Saint-Boniface, Éditions des Plaines, 1987.

24. Dans l'Ouest canadien, le *homestead* est une concession d'une superficie de 160 acres (64,75 hectares), le quart d'une « section » d'un mille carré. Le colon payait dix dollars pour inscrire le quart de la section à son nom, faisant preuve de l'occupation de la terre en la défrichant et en la mettant en valeur tout en y résidant six mois par année pendant trois ans. À la suite de la construction d'une habitation permanente et de l'accomplissement des autres conditions, il devenait propriétaire de sa concession et pouvait en faire ce qu'il voulait. Vernon C. Fowke, *The National Policy and the Wheat Economy*, University of Toronto Press, 1957, p. 59-61; Gerald Friesen, *The Canadian Prairies. A History*, University of Toronto Press, 1984, p. 182-184. Puisque les terres de l'Ouest sont mesurées en milles et que la période de notre étude précède l'instauration du système métrique au Canada, nous conservons ce terme au cours de ce travail.

25. Le phénomène de la diaspora est étudié par John Rex, dans « The Nature of Ethnicity in the Project of Migration », *The Ethnicity Reader : Nationalism, Multiculturalism and Migration*, edited by Montserrat Guibernau and John Rex, Cambridge, UK, Polity Press, 1997, p. 269-283. Gerald Friesen donne un bon résumé de la situation du regroupement ethnique dans les Prairies canadiennes et y consacre un chapitre dans *The Canadian Prairies*, p. 185-186, 242-273.

surtout, leur foi catholique. Comme l'a écrit Painchaud, ce « rêve » messianique et nationaliste de créer un peuplement « en bloc » canadien-français au Manitoba est repris et propagé par les promoteurs religieux et laïques qui lui succèdent et qui veillent à l'instauration d'un « chapelet » de paroisses françaises s'étendant des bords de la rivière Rouge jusqu'aux montagnes Rocheuses[26]. La croisade est peu fructueuse au début, mais entre 1896 et 1909, la campagne de colonisation française de l'Ouest est active et semble prometteuse. Cependant, d'autres facteurs affectent le recrutement, notamment le fait que les Québécois soient attirés par les usines de la Nouvelle-Angleterre, beaucoup plus accessibles[27]. Il est bien connu que Clifford Sifton, le ministre de l'Intérieur du Canada, vise à attirer des groupes anglo-saxons et européens du Nord tout en écartant les Latins qui, d'après la perspective raciste de l'époque, ont le sang trop « chaud » et sont trop indolents pour réussir dans le climat ardu et froid des Prairies canadiennes. On se souvient de ses mots célèbres concernant son désir de recevoir comme immigrants des « stalwart peasants in sheepskin coats », c'est-à-dire des paysans habitués aux grands froids qui, d'emblée, arriveraient parés à affronter les hivers, portant leurs manteaux en peau de mouton, vêtements traditionnels de leurs pays. En conséquence de ces facteurs, et d'autres, les immigrants de langue française n'atteignent jamais le nombre souhaité[28]. Mais tout de même, dans les Prairies, les Canadiens français en viendront à composer environ 5 à 6 pour cent de la population totale, parfois plus, chiffre qui était encore d'actualité en 1971[29].

---

26. Painchaud, *Un rêve français, op. cit.*, p. 4-5, 71-72; « French-Canadian Historiography and Franco-Catholic Settlement in Western Canada, 1870-1915 », *Canadian Historical Review*, LIX, 4, 1978, p. 447-466; « Les origines des peuplements de langue française dans l'Ouest canadien, 1870-1920 : mythes et réalités », *Mémoires de la Société royale du Canada*, Série IV, T. XII, 1975, p. 151-163; Gratien Allaire, « Le rapport à l'*autre* » : l'évolution de la francophonie de l'Ouest », dans *Francophonies minoritaires au Canada : l'état des lieux*, Joseph-Yvon Thériault (dir.), Moncton, Éditions d'Acadie, 1998, p. 171-173; Albert Faucher, « L'émigration des Canadiens français au XIXe siècle : position du problème et perspectives », *Recherches sociographiques* (septembre-décembre 1964), V. 3, p. 277-317; A.I. Silver, « French Canada and the Prairie Frontier, 1870-1890 », *The Prairie West : Historical Readings*, edited by R. Douglas Francis and Howard Palmer, Edmonton, Pica Pica Press, 1985, p. 140-162.

27. Voir à ce sujet, Yves Roby, *Les Franco-Américains de la Nouvelle-Angleterre, 1776-1930*, Sillery, Septentrion, 1990, et François Weil, *Les Franco-Américains, 1860-1980*, préface de Jean Heffer, Paris, Belin, 1989.

28. Valerie Knowles, *Strangers at Our Gates. Canadian Immigration and Immigration Policy, 1540-1997*, Toronto, Dundurn Press, 1997, revised edition, p. 76-68.

29. Allaire cite les statistiques des recensements canadiens dans « Le rapport à l'*autre* », p. 173, 177, 182; voir aussi Warren E. Kalbach and Wayne W. McVey, *The Demographic Bases of Canadian Society*, 2[nd] edition, Toronto, McGraw-Hill Ryerson Limited, 1971, p. 204.

Partout dans le monde, les migrations de communautés s'organisent de façon spontanée et, dans l'Ouest canadien, surtout au début de la période de la colonisation, vers la fin du XIXe siècle, le ministère de l'Intérieur les accueille et encourage la formation d'enclaves ethniques sur un territoire délimité[30]. Très vite, par contre, le peuplement « en bloc », tel qu'offert aux Métis du Manitoba et aux Islandais après 1870, s'avère plus problématique qu'efficace et il est presque complètement mis de côté. Le regroupement ethnique spontané n'est pas découragé pour autant, car il comporte de grands avantages pour le colon débutant, et certains promoteurs ainsi que l'élite en font une mission qui s'approche parfois de l'utopie[31].

Malgré le faible débit de colons francophones, il y en a tout de même qui vinrent tenter l'aventure dans l'Ouest canadien. C'est ainsi que dans la paroisse Saint-Vincent, typique de ces communautés créées au début du siècle, il était possible d'entendre une vaste gamme de variantes du français. Les locuteurs du parler canadien-français, dans la panoplie de ses accents, prédominaient, car les migrants venaient de toutes les régions du Québec, de l'Ontario, des provinces maritimes et d'ailleurs au pays[32]. Depuis longtemps déjà, le parler chantant des Métis s'entendait de part en part sur les plaines et dans le Grand Nord et aussi à Saint-Vincent. Vinrent par la suite les Franco-Américains, majoritairement de souche canadienne, qui arrivaient surtout de la Nouvelle-Angleterre, mais également d'ailleurs aux États-Unis : Kansas, Michigan, Missouri, Montana et Dakotas. Les Franco-Européens ont également été attirés. À Saint-Vincent, aux accents distincts des différentes régions de France s'ajoutèrent ceux des Belges, des Alsaciens et d'une famille de colons français d'Algérie.

---

30. Friesen, *The Canadian Prairies*, *op. cit.*, p. 242-249; Painchaud, *Un rêve français*, *op. cit.*, p. 1-13. Voir aussi Carl A. Dawson, *Group Settlement. Ethnic Communities in Western Canada*, Canadian Frontiers of Settlement, edited by W.A. Mackintosh and W.L.G. Joerg, Vol. VII, Toronto, The Macmillan Company of Canada Limited, St. Martin's House, 1936, New York, Klaus Reprint Co., Millwood, 1974.

31. Des groupes continuent de se regrouper en enclaves, sans grand succès, tel que démontré par A.W. Rasporich dans « Utopian Ideals and Community Settlements », *The Prairie West : Historical Readings*, R. Douglas Francis and Howard Palmer, editors, Edmonton, Pica Pica Press, 1985, p. 338-361. D'autres groupes ethniques, tels les Ukrainiens et les Polonais, sont encouragés à émigrer par des chefs de file qui leurs servent aussi de guides; voir « Immigrant Communities 1870-1940 », *The Canadian Prairies*, p. 242-273.

32. Nous avons puisé dans *Souvenirs Saint-Vincent, 1906-1981*, Club historique de Saint-Vincent, s.d., pour citer les origines éparses des résidents de cette paroisse majoritairement francophone. Voir aussi Gratien Allaire, « La construction d'une culture française dans l'Ouest canadien : la diversité originelle », *La construction d'une culture : le Québec et l'Amérique française*, Gérard Bouchard (dir.) et Serge Courville (collab.), Sainte-Foy, CEFAN, PUL, 1993, p. 343-360.

De l'histoire de tous ces paysans, peu a survécu, particulièrement en français, car ils n'ont laissé dans leur sillage que de très rares traces documentaires, le cultivateur et les belles-lettres faisant rarement bon ménage. On connaît surtout les versions du clergé qui a fait la promotion de la colonisation dans la région, mais pas forcément les mêmes que celles des pionniers[33]. D'autres membres importants de l'élite, particulièrement des rédacteurs de journaux et des écrivains, tels Henri d'Hellencourt, Donatien Frémont, Georges Bugnet, Paul-Émile Breton, Maurice Constantin-Weyer et Henri-Émile Chevalier, ont été les sujets de biographies[34]. En ce qui concerne les immigrants du milieu rural, la recherche de Bernard Pénisson sur le Français Antoine Randon s'est limitée au processus d'émigration et à l'adaptation initiale de ce colon, et ce, faute de documentation au-delà de 1909, l'étude étant faite à partir d'une collection de lettres au chanoine dom Paul Benoît[35]. Un deuxième travail du genre est inspiré d'une collection de lettres en français des familles Le Bihan et Carduner, immigrées au sud-ouest de la Saskatchewan dès 1903, alliées par le mariage et parlant le breton et le français[36]. L'auteur, un Breton, examine le cas sous la lorgnette bretonnante, s'intéressant au délaissement du breton pour l'anglais. S'il est possible que cette famille ait tissé des liens avec d'autres francophones, dans une région qui était alors très fortement francophone, il est difficile de le voir dans ce texte. Le Bihan n'est pas sensible au ralliement que les émigrés bretons de l'époque faisaient généralement avec la plus grande communauté « canadienne-française » et catholique qui se trouvait sur place, ce qui inclut les immigrants de souche française ou tout autre migrant francophone de souche nord-américaine.

---

33. Nous citons quelques œuvres phares : Mgr Alexandre Taché, *Esquisse sur le Nord-Ouest de l'Amérique* [1868], 2e éd., Montréal, C.O. Beauchemin et Fils, 1901; l'abbé Jean Gaire, *Dix années de missions au grand Nord-Ouest canadien*, Lille, Imprimerie de l'orphelinat Dom Bosco, 1898; l'abbé J.-A. Ouellette, *L'Alberta-Nord – Région de colonisation*, Edmonton, Le Courrier de l'Ouest, 1909.

34. Bernard Pénisson, *Henri d'Hellencourt, un journaliste français au Manitoba (1898-1905)*, Saint-Boniface, Éditions du Blé, 1986; Hélène Chaput, *Donatien Frémont, journaliste de l'Ouest canadien*, Saint-Boniface, Éditions du Blé, 1977; Jean Papen, *Georges Bugnet, homme de lettres canadien*, Saint-Boniface, Éditions des Plaines, 1985; Roger Motut, *Maurice Constantin-Weyer, écrivain de l'Ouest et du Grand Nord*, Saint-Boniface, Éditions des Plaines, 1982; Lise Gaboury-Diallo, « L'exotisme chez Henri-Émile Chevalier », *La langue, la culture et la société des Franco-Canadiens de l'Ouest*, 1984, p. 66-75; Guy Lacombe, *Paul-Émile Breton : journaliste français de l'Alberta*, thèse de maîtrise en lettres, Université Laval, 1966.

35. Bernard Pénisson, « Un colon français en Alberta vers 1905-1909 : Antoine Randon », *Après dix ans... bilan et prospective*, CEFCO, 11, Université de l'Alberta, Faculté Saint-Jean, 1991, p. 237-253.

36. Jean Le Bihan, « Enquête sur une famille bretonne émigrée au Canada (1903-1920) », *Prairie Forum*, 22, 1998, p. 73-102.

Le roman historique de Pierre Bertin, *Du vent, Gatine*, lui aussi basé sur une collection de lettres de famille, quoique n'étant pas un travail universitaire, doit figurer dans cette historiographie, si ce n'est que pour le débat qu'il a suscité[37]. Bertin, qui a reconstitué l'histoire de cette famille en utilisant des lettres trouvées dans un grenier du département de la Loire-Atlantique, a fait un ouvrage bien plus représentatif de son imagination que de la situation réelle. Dans sa critique du roman, Paul Genuist démontre comment Bertin fait preuve d'une incompréhension totale du processus d'adaptation de la diaspora française et d'un colonialisme inacceptable. On voit à la façon condescendante dont il juge les membres de la famille Gatine qu'il les considère comme des « perdus » de l'Amérique, errant en quête de fortune, et il se moque de leur français « inculte » pour mieux faire valoir la « supériorité » du sien[38]. Question de perspective, insiste Genuist, car il s'agit d'une famille qui a réussi dans son projet d'immigration.

Fort heureusement, le mémoire de maîtrise d'Yvette Le Gal sur la communauté belge de Saint-Maurice de Bellegarde en Saskatchewan démontre avec objectivité l'évolution de cette collectivité rurale pendant plus de 70 ans[39]. Le Gal, qui en est issue, étudie les dynamiques de la génération des pionniers, les préoccupations de la deuxième et les tendances de la troisième, précisant que les stratégies familiales et culturelles ont fait en sorte que les générations suivantes s'adonnent à l'agriculture, assurant, au moins jusqu'en 1970, une stabilité démographique rare en Saskatchewan[40]. Cet ouvrage est une contribution importante à l'historiographie de la francophonie de l'Ouest canadien et nous ne pouvons que souhaiter d'autres travaux de ce calibre.

Il est essentiel de mentionner deux autres thèses qui concernent les centres urbains et les Canadiens français. La première, *Joyau dans la Plaine*, parue en 1968, est la thèse de doctorat d'Éméric Drouin, père oblat; elle retrace l'histoire de la paroisse et de la colonie de Saint-Paul-des-Métis depuis son établissement en 1896[41]. D'après l'auteur, qui y a passé sa jeunesse avant de devenir oblat, les religieux étaient les chefs de file et les colonisateurs, leurs paroissiens suivaient docilement. Même si les Métis y sont moins

---

37. Pierre Bertin, *Du Vent, Gatine !*, Paris, Arléas, 1989.

38. Paul Genuist, « *Du vent, Gatine !* : le rêve albertain revu et corrigé cent ans après », *Après dix ans...*, CEFCO, 11, Université de l'Alberta, Faculté Saint-Jean, 1992, p. 105-114.

39. Yvette Le Gal, *La reconstruction rurale en province de Saskatchewan : l'exemple de la paroisse de Saint-Maurice-de-Bellegarde (1898-1970)*, mémoire de maîtrise en histoire, Université d'Ottawa, 1990.

40. *Ibid.*, p. 193.

41. Éméric Drouin, *Joyau dans la Plaine*, thèse de doctorat en histoire, Edmonton, Collège Saint-Jean, 1968.

bien vus, le travail est sérieux et présente de nombreux aspects méritoires qui nous sont utiles. En 1971, Edward J. Hart, de souche canadienne-française et natif d'Edmonton, a déposé une thèse de maîtrise en histoire en anglais à l'Université de l'Alberta, thèse qui a ensuite été traduite et publiée en français[42]. D'après son auteur, l'élite de la francophonie d'Edmonton a atteint son apogée avant 1935; après cette date, ce fut le déclin, en nombre et en forces politique et économique. Cette situation est, selon lui, représentative de la population de langue française de l'Alberta.

Il est impossible de nier le rôle important des élites et des religieux dans l'évolution des communautés francophones de l'Ouest canadien, car la religion a eu une fonction vitale dans le regroupement des colons. Mais elle a aussi eu autant de poids auprès des autres groupes ethniques : ériger une église en milieu colonial était le symbole de la reconstruction de la culture d'origine dans le nouveau pays. Toutefois, la présence d'une église, quoique louable, ne remplace pas les infrastructures économiques essentielles comme le chemin de fer, les magasins, les banques, les bureaux de poste, les marchands d'outils agricoles et les artisans[43]. Des quelques publications du propre cru des pionniers de langue française de l'Ouest canadien, ceux qui en parlent semblent voir les églises surtout comme des lieux de rencontre[44]. On sait qu'en encourageant la colonisation de l'Ouest canadien, l'élite religieuse s'est inspirée de la devise *gesta dei per francos* qu'elle appliquait à ses ouailles de langue française; il est moins certain que les colons avaient les mêmes intentions. Catholique pratiquant et actif dans l'Église, Alexandre Mahé admet volontiers qu'il est venu dans l'Ouest « bien plus pour faire de l'argent que

---

42. Edward John Hart, *Ambitions et réalités, la communauté francophone d'Edmonton, 1795-1935*, thèse de maîtrise en histoire, Université de l'Alberta, 1971, trad. de l'anglais par Guy Lacombe et Gratien Allaire, Edmonton, Le Salon de l'histoire de la francophonie albertaine, 1981.

43. C.A. Dawson and Eva R. Younge, « Trade Centre Data », *Pioneering in the Prairie Provinces : The Social Side of the Settlement Process*, Canadian Frontiers of Settlement, Edited by W.A. Mackintosh and W.L.G. Joerg, Vol. VIII, Toronto, The Macmillan Company of Canada Limited, St. Martin's House, 1940, Klaus Reprint Co., Millwood, New York, 1974, p. 289.

44. Plusieurs de ces auteurs sont des Français ou des Belges qui ont écrit leurs mémoires après être rentrés dans leur pays lors de la guerre de 1914 et qui y sont restés, dont Marcel Durieux, *Un héros malgré lui*, Saint-Boniface, Éditions des Plaines, 1986; Gaston Giscard, *Dans la prairie canadienne*, trad. par Lloyd Person, introduction d'André Lalonde, dirigé par George E. Durocher, University of Regina, Canadian Plains Research Centre, 1982; Bernard Gheur, *Retour à Calgary*, préface de René Henoumont, Paris, ACE éditeur, 1985. Par contre, Maurice Destrubé, anglo-normand et anglican, est resté au Canada, voir *Pioneering in Alberta : Maurice Destrubé's Story*, edited by James E. Hendrickson, Calgary, Historical Society of Alberta, 1981.

pour sauver des âmes[45] ». En ce qui concerne Hart et son récit de l'ascension et de la chute économique de l'élite francophone d'Edmonton, les quelques spéculateurs financiers qu'il dépeint ne sont pas forcement représentatifs de la grande majorité des Canadiens français qui habitent ailleurs dans la province, mais ils se rapprochent tout de même par le fait que les fermiers sont aussi de grands spéculateurs, risquant leur survie économique d'année en année en spéculant avec Dame Nature sur la qualité du blé qu'ils récolteront dans leurs champs et aussi avec la bourse internationale sur la valeur du blé sur le marché mondial.

Si les écrits produits par les membres du clergé se font souvent apologistes du capitalisme, surtout en agriculture, d'autres historiens ont vu plus clairement. L'historien de l'Ouest Paul Voisey démontre que les colons de la région fertile mais aride du sud de l'Alberta s'intéressent à l'argent et qu'ils ne s'en excusent pas, bien au contraire[46]. Il précise que les pages des journaux de l'époque débordent de conseils pour assurer leur réussite et fournissent sans gêne des informations sur l'état de la fortune des nouveaux arrivants, incluant les montants des transactions financières concernant l'achat des terres et des fermes. La situation est identique pour les colons de langue française. Les premiers journaux publiés en français en Alberta, tels *Le Courrier de l'Ouest* et *L'Union*, sont pleins de renseignements semblables, ce qui montre que les colons francophones étaient tout autant concernés par le succès financier de leurs entreprises que les cultivateurs des plaines canadiennes et les entrepreneurs dans d'autres domaines. Le colon typique espérait surtout, comme l'écrivait Alexandre Mahé, « pouvoir un jour caresser entre ses doigts... des liasses de dollars – ce grand dieu de l'Amérique[47] ».

Cependant, si dans l'Ouest canadien la documentation et les mémoires de particuliers sont de faible ampleur, l'histoire locale n'a pas été négligée. Depuis une trentaine d'années, des centaines de livres ont été publiés à partir des compilations de récits de vie. Grâce à des levées de fonds locales et appuyées par des subventions gouvernementales, presque chaque communauté a son album souvenir, parfois deux. Comme l'explique Paul Voisey, les éditeurs et les auteurs de ces textes, malgré leurs meilleures intentions, ont péché par leur manque d'objectivité scientifique, par une représentativité dou-

45. Alexandre Mahé, Brouillon de Foucauld, « Le coq chante », Fonds Alexandre Mahé, Université de l'Alberta (IRFSJUA), Institut de recherche de la Faculté Saint-Jean, non indexé.

46. Paul Voisey, *Vulcan. The Making of a Prairie Community*, University of Toronto Press, 1988, p. 36-38.

47. IRFSJUA, Alexandre Mahé, « Quand ils voient leurs prêtres à eux... », fragment de manuscrit inédit, s.d.

teuse et, souvent, par une qualité d'écriture inégale due à la multitude des contributions[48]. Ces livres, rarement des travaux de professionnels, hormis quelques exceptions, manquent de direction. En visant à raconter l'histoire de tout un chacun, ils n'arrivent généralement pas à démontrer les thèmes chers à ces petites localités ou leurs dynamiques.

En dépit de leurs défauts, ces écrits recèlent des renseignements précieux, des témoignages inusités sur un mode de vie révolu, venant d'informateurs âgés ou aujourd'hui disparus. Dans certaines de ces publications sont inclus des textes fort utiles, telles des listes de baptêmes et de sépultures, des reproductions de documents et des compilations de cartes. Les histoires locales publiées dans les environs de Saint-Vincent deviennent alors pour nous une source secondaire qui permet de compléter diverses informations provenant des papiers personnels d'Alexandre Mahé[49]. Il y a eu des collectes d'histoire orale dans la région, notamment celles effectuées par le musée et les archives de la province d'Alberta, par l'association « Héritage Franco-Albertain » et par l'Association canadienne-française de l'Alberta. L'historienne Anne Gagnon a utilisé quelques-uns de ces récits de vie dans une analyse fort intéressante du travail et de la scolarisation des jeunes Franco-Albertaines entre 1890 et 1940[50]. Pour notre ouvrage, ces histoires n'ont pas été très utiles, car nous n'avons pas trouvé beaucoup de renseignements sur la paroisse Saint-Vincent, sauf quelques copies de documents ayant appartenu à Alexandre Mahé et dont nous avions les originaux.

## Lettres, articles, poèmes... et leur mise en contexte

Notre travail est essentiellement composé des écrits d'Alexandre Mahé. Après son décès, en 1968, est restée une quantité de brouillons, lettres, articles et poèmes. Voulant assurer la conservation de ces bribes d'histoire, Germaine (Mahé) Champagne, l'unique fille de la famille Mahé, nous a demandé de déposer les papiers personnels de son père dans la collection de l'Institut de recherche de la Faculté Saint-Jean de l'Université de l'Alberta

48. Paul Voisey, « Rural Local History and the Prairie West », *Prairie Forum*, Vol. 10, n° 2, 1985, p. 327-338.

49. *Souvenirs Saint-Vincent, 1906-1981*, Club historique de Saint-Vincent (s.d.); *Precious Memories/Mémoires précieuses, Mallaig-Therien, 1906-1992*, Mallaig Historical Committee, 1993; *St. Lina and Surrounding Area*, St. Lina History Book Club, Alberta, 1978; *So Soon Forgotten : A History of Glendon and Districts*, Glendon Historical Society, 1985.

50. Anne Gagnon, « "Our parents did not raise us to be independent" : The Work and Schooling of Young Franco-Albertan Women, 1890-1940 », *Prairie Forum*, Vol. 19, n° 2, 1994, p. 169-188.

[IRFSJUA], papiers auxquels nous avons d'emblée eu libre accès[51]. Le benjamin des deux garçons, René, décédé en 2000, conservait quelques-uns des documents de son père, dont le dernier registre du magasin qui a aussi été utilisé pour tenir certains des comptes de la ferme. Germaine Champagne, mère de l'auteure de la présente étude, a encore en sa possession la collection familiale de photos et de cartes postales. Outre l'accès à ces papiers, nous avons en main une copie d'un court roman d'Alexandre Mahé, *Sainte Anne et ses Bretons*, dont quelques passages sont autobiographiques[52].

Une autre source des écrits d'Alexandre Mahé est sa correspondance prolifique aux journaux de langue française de l'Ouest canadien ainsi qu'à un hebdomadaire franco-américain. En 1917, une de ses lettres paraît dans *L'Union*, le seul hebdomadaire français de l'époque publié en Alberta. Au moins cinq autres de ses articles y paraissent entre 1917 et 1927, mais il est impossible de savoir s'il y en a eu davantage, puisque plus de la moitié des numéros de *L'Union* n'ont pas été retrouvés[53]. *La Survivance* succède à *L'Union* en 1928. En vérifiant le microfilm de ce journal, page par page, nous avons retracé 88 articles d'Alexandre Mahé publiés entre 1928 et 1963. Qu'il ait longtemps été le correspondant « officiel » aux journaux de la région pour la communauté de Saint-Vincent est confirmé par nos informateurs. Le tiers de ses textes relatent les activités et les progrès des cultivateurs de la place. Et lorsque le curé de la paroisse est disponible ou qu'il désire prendre la charge de correspondant, Alexandre Mahé lui cède volontiers la plume.

En ce qui concerne les articles du « correspondant », ce n'est qu'avec l'expérience que nous avons été capable de reconnaître les particularités du style. Entre 1928 et 1930, les rubriques de Mahé sont signées « corr. » et traitent de l'agriculture dans la région ainsi que des activités culturelles de la paroisse, telles que le théâtre, la chanson et le sport. La participation du curé Avila Lepage est signalée dans le dernier texte de Mahé en tant que correspondant à *La Survivance* en 1930[54]. Lepage décède durant l'automne 1933 et Mahé reprend très sporadiquement son poste de correspondant. Finalement, en janvier 1938, avec le premier numéro de l'année arrive un nouveau

---

51. IRFSJUA, Fonds Alexandre Mahé, 1988, non indexé.

52. Collection personnelle de Juliette Champagne [JC], Isidore Cassemottes, *Sainte Anne et ses Bretons*, dactylographié, polycopié sur gélatine par l'auteur, env. 1945-1950, 78 p.

53. Une partie des numéros de *L'Union* publiés entre 1917 et 1929 à Edmonton sont conservés dans leur format original à la bibliothèque du parlement et disponibles sur microfilm.

54. « Saint-Vincent », corr. [Alexandre Mahé], 31 juillet 1930. On identifie les colonnes de Lepage parce qu'il ne les signe pas et qu'elles se terminent toujours avec « Un grain de bon sens », une citation inspirante. Leur contenu tend à se concentrer sur le culte et les activités paroissiales, ce qui diffère des rubriques de son prédécesseur.

correspondant régional qui signe « Vincent l'Africain ». Il s'agit du curé de la paroisse, Charles Chalifoux, qui a sans doute choisi ce nom de plume en souvenir d'heureuses années comme missionnaire en Afrique. Lorsqu'il se charge des rubriques, Alexandre Mahé n'agit plus comme correspondant paroissial[55].

Dès 1910, Mahé semble avoir été « le » correspondant de sa communauté auprès des journaux de langue française de l'Alberta et il est possible qu'il soit l'auteur de quelques articles soumis au *St. Paul Star* dès le début de sa publication dans le village de Saint-Paul en 1920, car ceux-ci reflètent son style[56]. En 1922, lorsque les caractères typographiques français du *Star* sont échangés contre un jeu anglais, la rédaction délaisse considérablement le français; après cette date, les soumissions du correspondant de Saint-Vincent sont moins fréquentes, car tout texte français paraît sans accents et criblé de fautes[57]. Agacé par les erreurs typographiques et autres, plus tard, lorsqu'il contribue à *La Survivance*, il s'en plaint de façon bon enfant au rédacteur. À la maison, dans l'intimité de sa famille, on se souvient de son irritation lorsqu'il relisait la version imprimée du texte qu'il avait préparé avec tant d'attention et qu'il y découvrait des erreurs[58].

Après 1930, Alexandre Mahé agit moins souvent à titre de correspondant pour la paroisse et ses textes consistent surtout en des critiques et des exposés publiés sous un nom de plume. Il semble que c'est en avril 1930 qu'il utilise pour la première fois le nom « Isidore Cassemottes » pour signer une lettre aux propos bien d'avant-garde. Elle est refusée par le rédacteur de *La Survivance* et elle lui est renvoyée, car il y était annoté : « Si vous ne pouvez publier sans modifications prière de me retourner mon ms et obliger aussi[59]. » La raison du refus ? Probablement parce que Mahé conteste les propos qu'avancent alors Georges Bugnet et Donatien Frémont au sujet de la folie et de la « dégénérescence raciale » de Louis Riel, théories qui étaient

55. L'abbé Chalifoux enverra ses articles sous ce nom pendant un an et demi et, ensuite, pendant bon nombre d'années, de semaine en semaine, il change de nom et signe de façon fantaisiste : « Leutan Defete » (le temps des fêtes), « Lézisse Toereux », « Hyndisse Craie », « Carolus Pastor » « Lobbe Servateur », etc.

56. Une mention de Mahé dans *Le Courrier de l'Ouest*, datant du 28 juillet 1910, a été relevée par Suzanne Foisy, Yvon Laberge et Marie-Josée Le Blanc, « Alexandre Mahé : des notes biographiques, une bibliographie annotée et un receuil [*sic*] de textes », travail de recherche, CA FR 322, Université de l'Alberta, Faculté Saint-Jean, 1983.

57. Un autre correspondant écrit en anglais du « Lake St. Vincent », mais ses informations ne concernent presque pas la paroisse Saint-Vincent.

58. Témoignages de René Mahé et de Germaine Champagne.

59. IRFSJUA, « Encore Louis Riel », Isidore Cassemottes (A. Mahé).

aussi en vogue chez les historiens[60]. Son petit mot d'avis au rédacteur permet de comprendre un aspect très important de ses contributions : il insiste pour que ses articles soient publiés tels quels, ou pas du tout, et dans ce dernier cas, qu'ils lui soient retournés. Ses lettres aux journaux prennent alors un aspect de sources primaires.

En 1932, une série de lettres d'Alexandre Mahé est publiée dans *Le Travailleur*, l'hebdomadaire de Wilfrid Beaulieu, à Worcester (Massachusetts). La douzaine de longues « lettres de l'Alberta » est signée « Un vieux colon », nom de plume qu'il réserve pour ce journal. À *La Survivance*, il lui arrive de signer de son propre nom pour des sujets très sérieux, mais généralement, il utilise « Isidore Cassemottes ».

L'usage des noms de plume est une pratique répandue dans les journaux de l'époque. En Alberta, « Franc et Dol », la devise de George-Étienne Cartier, est employé par un correspondant de la région de Lamoureux qui contribue aussi au *Travailleur*[61]. Pendant un certain temps, lorsque Paul-Émile Breton est le rédacteur de *La Survivance*, il publie une rubrique satirique, « Dans le trou du Goffeur », qu'il signe du nom « Goffeur ». La chronique hebdomadaire est ornée d'une petite gravure du rongeur fouisseur (*Geomyidae spermophile*; en anglais *Richardson's ground squirrel* ou *gopher*) omniprésent dans les prairies et que les fermiers tâchent d'éliminer de leurs champs. C'est une rubrique qui a beaucoup de succès, car Breton, sous l'anonymat du « Goffeur », puise dans ses voyages autour de la province pour raconter des histoires amusantes qui concernent les Canadiens français des communautés albertaines, et ce, sous la perspective du monde des animaux, où, comme dans les fables de La Fontaine, les bêtes ont le don de la parole. Quelques lecteurs en profitent pour lui répondre sur le même ton et lorsqu'un « Siffleux » (la marmotte) s'adresse au « Goffeur », le cultivateur Cassemottes compose un poème à leur sujet. La balle est lancée et pendant quelques mois, ils se taquinent à cœur joie et sont rejoint par les « Excelsior », « Diogène », « CéLeS » et autres lecteurs « plumistes » de *La Survivance*. Nous y reviendrons.

---

60. La notion de supériorité de la race blanche, et même celle de certains groupes ethniques, était incontestée à l'époque. Lionel Groulx, W.L. Morton et Marcel Giraud en pensaient autant. L'aspect de la folie de Riel est contesté en 1983 par Thomas Flanagan, *Riel and the Rebellion of 1885 Reconsidered*, Saskatoon, Western Producer Boooks, 1983. Carl Berger rappelle que l'iconoclasme de Flanagan ne le fit pas gagner en popularité, *The Writing of Canadian History : Aspects of English-Canadian Historical Writing since 1900*, University of Toronto Press, 2nd edition, 1986, p. 285-286.

61. Isidore Cassemottes, « Un journal intéressant », *La Survivance*, 11 janvier 1933.

Il est impossible de considérer Alexandre Mahé comme étant typique des cultivateurs de la région, si la chose existait, étant donné leurs origines diverses et leur grande variété d'expériences. À Saint-Vincent, ils se sont regroupés à cause de leur langue et de leur religion et ils ont probablement tous en commun un certain esprit d'aventure qui les a poussés à quitter leur pays d'origine et à chercher ailleurs une vie meilleure et plus prospère. Alexandre Mahé est aussi un fonceur, un de ceux qui visent très sérieusement le succès et dont la formation intellectuelle et professionnelle lui accorde sans doute plus de chances qu'à d'autres, moins bien instruits que lui[62]. Dans cette société où tout est à faire, ceux qui ont de l'initiative sont en grande demande. Idéaliste et rêveur, sans aucun doute, Mahé est aussi indépendant d'esprit et doté d'un sens pratique qui l'aide à mieux réaliser ses espoirs. C'est un homme capable qui a une bonne expérience dans le domaine de l'agriculture, mais qui cherche toujours à améliorer ses techniques; il tâche de s'informer, il lit beaucoup et, ainsi, il reste à la page.

Dans une interview réalisée par Yvon Laberge en 1983, Germaine Champagne se rappelle comment, même durant les journées de très grands froids d'hiver, son père attelait ses chevaux pour se rendre au bureau de poste de Saint-Vincent, à deux milles et demi de distance, pour aller chercher le courrier; elle note qu'il ne revenait jamais les mains vides[63]. Il recevait non seulement les journaux albertains de langue française, *L'Union* et *La Survivance*, mais vers 1930, il était aussi abonné au *Travailleur*. Il recevait, en 1933, des journaux de France, comme le quotidien *L'Action française*, qui lui arrivait en paquets des numéros de la semaine[64]. Il lisait *La Liberté* de Saint-Boniface, longtemps rédigé par Donatien Frémont, et des périodiques anglais, tels le *Western Ranch and Farm Review* de Calgary, le *Country Guide* ainsi que le *Western Producer* de Regina, le plus important hebdomadaire des cultivateurs des Prairies canadiennes à l'époque, qui ne lui plaisait pas trop au début (probablement pour ses tendances socialistes), mais auquel il s'est habitué[65].

Il aimait les livres et en achetait beaucoup. Le *Petit Larousse* avait une place bien visible; des mots douteux ou des anglicismes exprimés au repas dominical en famille étaient vite vérifiés, aussitôt que la table était dégagée et

62. L.G. Thomas, « The privileged settlers », p. 155-157.

63. IRFSJUA, Collection héritage franco-albertain, H334/YVL 2.1-2.28, Yvon Laberge et M.-Josée Leblanc, « Entretien avec Germaine Champagne », transcription de la bande sonore, 5 février 1983.

64. Il cite le rédacteur de ce journal dans un exposé au sujet du communisme, « Un danger ménaçant », Isidore Cassemottes, *La Survivance*, 5 avril 1933.

65. Témoignage de René Mahé.

nettoyée. L'un de ses petits-fils, en manque de lecture et pour passer le temps, a suivi sagement les conseils de son aïeul et a lu au complet le dictionnaire illustré de A à Z, bien avant l'âge de dix ans[66]. Dans sa collection, Alexandre Mahé possédait un exemplaire de *Bonheur d'occasion* de Gabrielle Roy, la première édition, celle de 1945. Vers 1950, il a lu Antoine de Saint-Exupéry, dont il a apprécié *Pilote de guerre*, probablement pour ses récits concernant le Sahara et l'Afrique équatoriale française, régions auxquelles il s'était toujours intéressé depuis son séjour sur ce continent. Il possédait de nombreux livres d'histoire, en particulier sur celles de la France, de l'Église et du Canada, mais aussi de l'Amérique du Nord précolombienne de l'Ouest canadien et du Nord missionnaire[67]. Il les prêtait et en empruntait aussi à ses amis[68].

Il était au courant des dernières parutions. Vers 1962, nous nous souvenons avoir été attirée à son bureau par la couverture du livre de Jean-Paul Desbiens au titre si provoquant : *Les insolences du Frère Untel*, qui de la hauteur de nos douze ans, nous semblait sans intérêt. Grand voyageur, Mahé nous disait que s'il avait à choisir son livre préféré, ce serait un atlas. Le sien était un ancien *Larousse* aux cartes détaillées, bien usé, dans lequel il avait consolidé quelques pages d'un volume rendu. Ainsi muni, il pouvait parcourir le monde de son grand bureau à cylindre ou de son fauteuil. Lorsqu'il prit sa retraite en 1956, il donna une partie de ses livres à la bibliothèque de l'école de Mallaig, petit village non loin de la ferme. Depuis son décès, ses autres livres ont été dispersés dans la famille.

Dès son arrivée dans son nouveau pays, Alexandre Mahé a participé, ainsi que sa famille, aux activités communautaires, aux loisirs et aux activités paroissiales. Sa façon particulière d'y contribuer était d'écrire, promouvant ainsi le bon établissement de sa communauté et la culture française. Ses écrits sont ceux d'un catholique engagé. Dans les pages du *Travailleur* et ensuite dans celles de *La Survivance*, il a défendu diverses causes. Cet émigré français était préoccupé par l'avenir de la francophonie albertaine, qu'il a intégrée en arrivant et qu'il a considérée comme sienne et celle de ses enfants. Il a loué ses accomplissements et défendu ses droits, la promouvant et l'encourageant. Avec ses poèmes, ses chansons, ses articles et ses critiques, il a amusé, inspiré et édifié ses compatriotes. Il songeait aux origines de la francophonie de

66. Témoignage de Louis Mahé.

67. Ringuet, *Un monde était leur empire*, Montréal, Variétés, 1943; A.-H. de Trémaudan, *Histoire de la nation métisse dans l'Ouest canadien*, Montréal, Éditions Albert Lévesque, 1935, pour n'en nommer que quelques-uns.

68. Il échangeait souvent des livres avec Charles Chalifoux, longtemps curé de la paroisse, et les deux amis passaient des heures à en discuter. Témoignage de Laura Forrend.

l'Ouest canadien, admirait la force et le courage des pionniers qui l'entouraient, observait leurs coutumes et leurs mœurs. En lecteur averti, il militait pour les droits de son groupe d'appartenance, il rectifiait des lacunes éditoriales, contestait des inexactitudes et platitudes, dénonçait des injustices et critiquait même les très hauts placés lorsque des politiques néfastes se faisaient jour.

Au lieu de présenter le cliché d'un paroissien canadien-français bien rangé, soumis à son curé et à l'Église catholique et qui n'ose pas s'exprimer publiquement, les écrits d'Alexandre Mahé révèlent un individu qui pose des questions et qui, parfois, dérange l'ordre établi. Si ses opinions étaient parfois contraires au *statu quo*, cela ne l'empêchait pas de les dire. Parmi la trentaine de documents inédits, certains textes ont une valeur ethnologique, comme le conte *Sainte Anne et ses Bretons* et son poème « Souvenirs, testament et prière du vieux défricheur[69] ». Il en est de même de sa très longue lettre écrite à son frère en 1910, reproduite il y a plusieurs années dans un périodique albertain[70]. L'importance des écrits réside essentiellement dans le fait que ce ne sont pas des mémoires et que la majorité d'entre eux ont été composés dans le feu de l'action.

Ces documents permettent de reconstituer une partie de l'expérience de la diaspora française et aident à démontrer comment elle fut perçue, vécue et promue. La valeur de cet ensemble documentaire est indéniable pour l'historien, puisqu'il n'existe pas de corpus comparable dans les dépôts d'archives de l'Ouest canadien. D'après l'inventaire de Bernard Wilhelm, ceux-ci contiennent peu de récits de vie qui ont un potentiel de publication; les documents de fonds d'archives ne sont souvent que des bribes, généralement hors contexte, difficiles à interpréter, sinon impossibles[71]. Quant aux documents de la paroisse Saint-Vincent, il n'y en a pas beaucoup en raison des nombreux incendies de l'église paroissiale et de son presbytère; très peu de choses ont été déposées dans des fonds d'archives à Edmonton. Le fonds de la communauté enseignante des sœurs de l'Assomption de la Sainte-Vierge, qui furent présentes dans la paroisse Saint-Vincent pendant plus d'une tren-

---

69. Ce poème de 161 vers est publié sous Isidore Cassemottes dans *La Survivance* le 18 décembre 1940. Il paraît aussi dans *Le Travailleur* le 13 janvier 1943 sous Vieux Colon, avec quelques corrections et une longue note explicative.

70. Collection de Germaine [Mahé] Champagne [GC], lettre à Louis Mahé d'Alexandre Mahé, Lac Saint-Vincent, 21 janvier 1910, photocopie du manuscrit original. Ce document a été reproduit par le *Bulletin du Salon d'histoire franco-albertain* (vol. 1, n° 3, 1981, p. 5-14), mais puisque cette version comporte plusieurs erreurs, nous avons retranscrit la lettre en respectant l'orthographe de l'auteur.

71. Wilhelm, « L'État premier de la littérature française de l'Ouest... », p. 259-264.

taine d'années, est aussi une source contextuelle que nous avons consultée. L'historienne Danielle Coulombe a fait un excellent travail sur l'influence d'une communauté religieuse en Ontario avec de tels documents[72]. Par contre, si les chroniques des sœurs de l'Assomption à Saint-Vincent sont fort intéressantes et en disent beaucoup sur la vie quotidienne des enseignantes, elles nous ont été moins utiles que les témoignages oraux des anciennes enseignantes de l'école de Saint-Vincent.

Les sources orales ont été indispensables à l'interprétation des documents écrits. Les entretiens avec les membres de la famille se sont toujours déroulés de façon informelle, sur des sujets bien connus de tous. Le grand âge et la santé précaire de quelques informateurs ont exigé une certaine prudence afin de ne pas trop nous imposer ni de les fatiguer, ce qui a occasionné plusieurs visites, généralement courtes, parfois écourtées. Ces rencontres « d'apprivoisement » ont permis aux informateurs de mieux nous comprendre et, aussi, de mieux saisir l'objet de notre recherche. Nous avons trouvé que des visites successives ouvraient un dialogue et que, parfois, des questions inusitées ravivaient un souvenir lointain et engendraient un dialogue encore plus poussé; ainsi, René Mahé, renommé dans la région pour sa bonne mémoire, nous a raconté son souvenir du passage d'un grand troupeau de bétail à la ferme alors qu'il n'avait pas encore deux ans. Un protocole d'entente a été lu à chacun des informateurs, qui l'ont tous signé.

Parfois accompagnée, parfois seule, nous avons parcouru en voiture et à pied la paroisse Saint-Vincent, région que nous croyions connaître depuis notre enfance, pour la redécouvrir. En ce qui concerne les entretiens, quelques-uns ont été enregistrés, selon le désir de l'informateur et l'occasion. Dans de nombreux cas, particulièrement avec des membres de la famille, seulement des notes ont été prises. Notre relation personnelle avec le sujet de cette étude a fait qu'obligatoirement, nous devenions aussi une informatrice. Dans le cas où un souvenir refaisait surface, autant que possible, nous l'avons confirmé avec l'aide des autres informateurs familiaux. Parfois, ce n'était pas réalisable et nous étions la seule à nous souvenir de l'incident. Comme l'atteste l'historien William M. Baker, au moyen de l'étude biographique, on peut examiner un individu dans sa société, un individu créé par et, en retour, créant sa société[73]. Mais en limitant le sujet à l'expérience française dans l'Ouest, et plus précisément à la campagne de la survivance canadienne-

---

72. Danielle Coulombe, *Coloniser et enseigner : le rôle du clergé et la contribution des Sœurs de Notre-Dame du Perpétuel Secours à Hearst, 1917-1942*, Essai/Le Nordir, 1998.

73. William M. Baker, « The Significance of Biography in Historical Study : T.W. Anglin and the Evolution of Canadian Nationalism », *Boswell's Children*, p. 242.

française en Alberta, nous avons pu éliminer de l'étude une masse de renseignements personnels et non pertinents concernant la vie d'Alexandre Mahé. Nous avons choisi de ne pas trop insister sur sa vie personnelle, préférant examiner sa contribution à son pays d'adoption.

Toute biographie commence obligatoirement avec l'enfance, et il en est le cas ici. La formation intellectuelle joue un rôle important et il est essentiel de connaître les origines d'un individu et de savoir comment se sont passées ses années de jeunesse pour pouvoir comprendre sa vie d'adulte[74]. L'émigration de France vers l'Ouest canadien d'Alexandre Mahé et les contacts qu'il a faits en route tracent des balises de sa version personnelle de la diaspora française de l'Amérique du Nord. Un bref aperçu historique et géographique de la région où il s'est dirigé permet de mieux le situer et de comprendre les conditions qu'il a envisagées en s'installant à Saint-Vincent. Il a ouvert un petit magasin et sa stratégie de survie en attente de la construction d'un chemin de fer qui desservira la région nous permet d'observer les difficultés qu'a imposées ce territoire à tous les colons ainsi que quelques rapports internes de ce groupe canadien-français qui s'est ancré dans le sol de la prairie.

En 1918, Alexandre Mahé s'est concentré exclusivement sur l'exploitation de sa ferme. Des papiers de famille et des témoignages à son sujet nous permettent de mieux comprendre cette étape de sa vie tout en nous renseignant un peu sur ses nombreux employés et sur l'influence locale de sa grande ferme. Le bon état financier de celle-ci a facilité l'engagement de son propriétaire au sein de la collectivité, que nous voyons à deux volets, celui de la construction du paysage paroissial et celui de l'organisation des activités communautaires, entre 1917 et 1927. Les paroissiens ont commencé à souffler un peu : leurs fermes produisaient, l'accès au marché devenait plus facile et l'avenir semblait prometteur, malgré quelques reculs désagréables. Entre 1927 et 1937, à Saint-Vincent, on a accueilli avec enthousiasme l'établissement de l'Association canadienne-française de l'Alberta (ACFA) et du journal hebdomadaire *La Survivance*. Élu secrétaire du cercle local de l'ACFA, dès la première réunion, Alexandre Mahé a contribué régulièrement au journal provincial en transmettant les nouvelles des activités de la paroisse Saint-Vincent.

Par ses écrits, il est possible de voir qu'Alexandre Mahé ne s'est pas limité seulement à sa communauté ni à la province. Il a évoqué la situation

---

74. L'importance de la formation d'origine est discutée par Barbara Murison dans « Scottish Emigration and Political Attitudes : Old Wine in New Bottles », *Boswell's Children*, p. 151-163.

des catholiques de langue française de l'Alberta et mis en scène leurs problèmes concernant la pratique de leur religion dans leur langue, sujet qui n'a jamais été discuté à fond dans la presse albertaine de l'époque. De même, il s'est engagé dans des discussions sérieuses durant les premières années de la Deuxième Guerre mondiale, période de division dans la francophonie albertaine et nord-américaine causée par la guerre et la crise De Gaulle-Pétain. Après plus de trente ans de vie au Canada, cet ancien Français n'avait pas oublié sa patrie. En terminant, nous présentons un court bilan des gains de la société franco-albertaine tels que décrits par Alexandre Mahé ainsi que les commentaires de quelques autres habitués de la « Tribune libre » de *La Survivance*. Nous attribuons, en partie, l'augmentation progressive de lettres à cette rubrique, au début des années cinquante, à ses efforts pour encourager ses concitoyens à lire le journal et à participer aux débats qui avaient lieu dans ses pages.

Bien qu'il soit resté dans l'ombre, la contribution de cet individu n'est pas pour autant négligeable, ne serait-ce que pour son témoignage de l'évolution de la francophonie albertaine. Que ce soit comme correspondant local, sous un nom de plume ou à son propre titre, ses lettres et l'histoire de sa vie font la lumière sur les débuts de la société franco-albertaine en milieu rural et sur la longue lutte pour la survivance de la langue et de la culture française dans la province majoritairement anglophone qu'est l'Alberta.

# Chapitre II

# Origines et formation d'Alexandre Mahé

## Une enfance pauvre dans un pays de mémoire

Alexandre Mahé naît le 20 février 1880 à quelques kilomètres à l'ouest de la ville médiévale de Josselin, à la Ville-Jaho, près du Plessis dans la commune de Guégon, dans le département du Morbihan. Son père, Jean-Marie, laboureur, est alors âgé de 44 ans et sa mère, Yvonne [Vonette] Nouvel, cultivatrice, de 34 ans[1]. Pour le couple, marié depuis 1872, ce nouveau-né est le troisième garçon de cinq enfants[2].

Ni le père ni les deux témoins mentionnés dans l'extrait de naissance ne savent signer, ce qui n'est pas particulièrement surprenant pour l'époque et la région. Même si, depuis 1833, la loi française exige que chaque commune ait une école primaire, les écoles publiques gratuites ne voient le jour qu'en 1881. Louis-Marie Quéleau, le premier témoin, âgé de 44 ans, est tailleur et habite aussi le Plessis. Le deuxième, Morio Clément, a 37 ans et il est tisserand au bourg de Guégon. Tous deux pratiquent des métiers qui jadis étaient très en demande dans les régions de Ploërmel et de Josselin, spécialisées depuis le XVIIIe siècle dans la production de draps de laine. Face

1. GC, Extrait du Registre de l'état civil des actes de naissances de la commune de Guégon de l'année 1880, 20 février, République française, n° 18, Mahé, Alexandre Louis Marie. En ce qui concerne le hameau de la Ville-Jaho et Vonette, il s'agit de renseignements venant de Léonie Guillo-Charlot (filleule d'Alexandre Mahé, cousine germaine de Germaine (Mahé) Champagne) la Ville-Ruaud (Guégon, Morbihan, France), décédée en juillet 2000, à l'âge de 97 ans.

2. Une troisième fille est née après lui, mais elle est morte en bas âge. Témoignages et notes généalogiques de Germaine Champagne.

à l'industrialisation qui se mondialise en cette fin du XIXe siècle, leurs emplois sont alors en voie de disparition[3].

À l'époque, les maisons de campagne de la Bretagne comprennent généralement plusieurs résidences outre l'étable, les granges et autres bâtiments d'exploitation. Ces « longères » logent à la fois les propriétaires et leurs employés, au point qu'il n'est pas exceptionnel que ces fermes dépassent les bourgs en population. Cela explique pourquoi dans cette région, autrefois bretonnante, ces hameaux portent le nom de « ville » ou de « ker », « ville » en breton. Les longères n'ont souvent qu'une cloison basse, ou parfois même pas, qui sépare les habitants des animaux domestiques. Cette pratique qui est encore courante vers la fin du XIXe siècle fait passer bien des Bretons pour des primitifs aux yeux de leurs compatriotes de l'Hexagone[4]. N'empêche que la chaleur des bêtes réchauffe un peu les habitations durant les saisons froides, si humides en Bretagne, où les combustibles sont alors rares et chers et où des lois régissent strictement ce que les locataires peuvent récupérer en bois d'élagage des talus qui bordent les innombrables champs clos. Si la famille Mahé n'est pas indigente au point de devoir partager son logis avec les bêtes, à la Ville-Jaho, l'écurie et la grange sont attenantes à la maison. Pourtant, en 1912, l'abattage d'un talus pour obtenir du bois de chauffage est encore tout un événement; une photographie, format carte postale, dans l'album de la famille Mahé en atteste[5] (en annexe). Le petit clan s'est réuni pour l'occasion : les hommes tiennent des haches et des scies ainsi que des cordages attachés aux branches; les enfants sont regroupés à l'avant-plan auprès des tas de fagots liés. Le petit mot à l'endos commente sur les « mioches mignonnes » d'Alphonsine, sœur d'Alexandre, et de son époux Théophile Guillo. Elles portent des robes à pois identiques et le bonnet traditionnel des fillettes du pays de Josselin[6].

Les parents d'Alexandre Mahé connaissent de très sérieuses difficultés financières vers 1878 et pour cette raison, ils habitent, lors de la naissance de leur troisième garçon, avec leur famille immédiate à la Ville-Jaho. Sans l'aide de Sébastien, le frère de Jean-Marie, et de son épouse, Émilie Nouvel, la sœur de Vonette, qui les hébergent dans la maison où ils sont locataires, la petite famille se retrouverait littéralement dans le chemin – ce

---

3. Jacques Briard, André Chédeville *et al.*, *Bretagne, images et histoire*, dirigé par Alain Croix, iconographie réunie par Christel Douard, Apogée, Presses universitaires de Rennes, 1996, p. 137.

4. Témoignage d'Alexandre Mahé à l'auteure.

5. GC, Louis Mahé à Alexandre Mahé, 14 septembre 1913.

6. On dit de la Bretagne « Mille pays, mille guises » pour décrire la diversité des costumes traditionnels.

qui arrivait[7]. Tel que mentionné ci-dessus, la vie de famille élargie n'est pas étrangère aux Bretons, et elle doit convenir aux deux couples, car ils cohabiteront[8] jusqu'à la fin de leurs jours. Sébastien et Émilie n'auront pas d'enfants et, une fois devenue veuve, Émilie continue de vivre avec sa sœur. En 1898, après la mort de Jean-Marie Mahé, l'époux de Vonette, les sœurs quittent la ferme du Plessis et emménagent dans un plus petit logement à Caradec, village voisin. Les enfants de Vonette et de Jean-Marie ont pour leur tante une grande affection et se sentent autant responsables de son bien-être que de celui de leur mère; c'est un grand souci lorsque les frères Mahé songent tous à émigrer au Canada[9].

Avant de s'établir avec Sébastien et Émilie à la Ville-Jaho, Jean-Marie et Vonette étaient locataires d'une petite ferme à la Ville-Beuve tout près de Guégon. D'après la coutume, leur bail à ferme, ou métayage, se renouvelait annuellement et était payable en denrées – pommes de terre, blé noir, blé, seigle ou pommes – des produits de la ferme dont la valeur variait d'année en année d'après les marchés courants. Mais le malheur les frappe lorsque Jean-Marie achète un cheval à Ploërmel, où se tient la grande foire chevaline de la région : l'animal est infecté de la gourme, une maladie des voies respiratoires transmissible aux chevaux et aux humains. À ce sujet, la loi française est sévère : le cheval doit être abattu et tous les effets qui ont été en contact avec lui doivent être brûlés : brides, harnais, brancards de charrettes, palonniers, mangeoires, enclos, etc. Pour la famille Mahé, c'est la fin de leur petite exploitation autonome. Sans leur cheval, et étant redevables des effets du propriétaire (mangeoires, enclos et autres), le couple se retrouve incapable de remplir les obligations du bail, et encore moins de payer ses taxes. Ils quittent la Ville-Beuve et perdent, bien sûr, leur investissement dans l'exploitation. Encore heureux qu'ils trouvent refuge dans la famille à la Ville-Jaho. Mais cet endroit est situé sur une basse plaine qui se prête mal à l'agriculture. Plusieurs petits plans d'eau s'y trouvent et le sol est presque toujours détrempé, surtout à cause de la proximité de la rivière Oust, ce qui fait que ce

---

7. Témoignage de Léonie Guillo, nièce et filleule d'Alexandre Mahé, que nous avons connue lors d'une visite dans la famille en France, en 1991, bien avant de commencer ce projet.

8. Une situation semblable est décrite par le Breton Joseph Le Treste. Son père et son frère habitaient côte à côte, chacun avec son épouse, deux sœurs. Ils prenaient leurs repas ensemble et partageaient les travaux et l'exploitation de la ferme. La tante du petit Joseph (sa marraine), qui n'avait pas d'enfants, s'occupait de son neveu, soulageant sa sœur, qui, elle, en avait plusieurs en bas âge. Deux sœurs célibataires habitaient aussi avec eux, l'une d'elles était douée pour les finances et serrait les cordons de la bourse familiale. Joseph Le Treste, *Souvenirs d'un missionnaire dans le Nord-Ouest canadien*, texte établi et commenté par Juliette Champagne, Sillery, Septentrion, 1997, p. 41-45.

9. Lettre d'Alexandre à Louis, 1910.

n'est pas une ferme bien productive. Les paysans Mahé ne seront jamais propriétaires, et Alexandre recevra aucun héritage financier de ses parents.

Par endroits, la commune de Guégon surplombe la vallée de l'Oust et la jolie ville de Josselin, avec son château à tours et ses murs crénelés, résidence des ducs de Rohan. À peu près au centre de la péninsule de l'Armorique, des forêts bleues et des collines verdoyantes s'étendent à perte de vue et descendent vers la mer. En arrivant dans la région de Saint-Vincent en Alberta, où il choisira de s'établir, Alexandre Mahé est frappé par la beauté du paysage qui lui rappelle son pays d'origine. C'est en avril 1909 qu'il traverse pour la première fois la prairie au nord-est du lac Saint-Vincent et qu'il admire la vue saisissante du sommet des collines : une vaste plaine encore blanche de neige qui penche doucement vers l'Est, parsemée de bois et bordée de collines lointaines et de forêts. Sans doute, cette première impression influence-t-elle sa décision de s'installer dans la région; en tout cas, il en a souvent parlé à sa famille[10].

Le Canada a pour Alexandre Mahé de grands attraits, car au début du XXe siècle, les campagnes de la Bretagne, malgré la beauté du paysage, sont arriérées et isolées. Les champs sont de minuscules pièces de terre qui obligent les cultivateurs à passer presque autant de temps à se déplacer d'une parcelle à l'autre qu'à travailler le sol. Acide et pauvre, il ne sera amélioré que lors du remembrement des terres en 1963 lorsqu'on abat et défait des talus millénaires et qu'on comble les chemins creux légendaires de ce pays de bocages[11]. À 500 mètres de la Ville-Jaho passe la rivière de l'Oust, canalisée de Nantes à Brest, aménagement qui a été sans grand effet sur le développement régional au XIXe siècle. Si le poisson et les fruits de mer se vendent à Josselin, les campagnes restent des endroits sauvages, où les routes sont mauvaises. Pendant très longtemps, les petits chemins creux des campagnes sont laissés en mauvais état dans l'intention pure et simple d'éloigner les voleurs qui rôdent[12]. Aucune route ne traverse la Ville-Jaho avant le remembrement, quoique après 1902, un petit chemin de fer passe près de la ferme, une ligne étroite venant de Ploërmel et se rendant à Locminé[13].

La vie du paysan breton de l'époque était très dure. Alexandre Mahé en parlait de temps à autre. Une jolie petite paire de sabots bretons sculptés ornait un mur de son salon. Parfois, ils servaient à mieux expliquer à ses petits-enfants une chanson concernant la duchesse Anne et, aussi, à préciser

---

10. Témoignage de Germaine Champagne.

11. Abbé Édouard Nizan, *Si Guégon m'était conté, la commune et les paroisses de Guégon, Coët-Bugat, Trégranteur*, Guégon, 56120 Josselin, 1978, p. 119-120.

12. Témoignage de Léonie Guillo.

13. Nizan, *Si Guégon m'était conté*, p. 79-80.

la grande différence entre ces petits porte-bonheur et les gros sabots en bois de tous les jours[14]. Il racontait comment le port de sabots n'avait pas grand-chose d'agréable. Trop pauvre pour avoir des bas de laine, encore moins des chaussures en cuir, dans sa famille comme chez les autres paysans, on chaussait des sabots et non pas des galoches, dont la partie supérieure est en cuir et qui sont un peu plus confortables. En Bretagne, pour rendre les sabots plus chauds et pour protéger les pieds contre le bois, on les rembourrait de paille grossièrement tordue. Puisque leurs pieds se mouillaient souvent durant les saisons froides et pluvieuses, ils souffraient fréquemment d'engelures aux talons, empirées par des gerçures qui saignaient et qui n'arrivaient plus à guérir tant les crevasses étaient profondes. Rien d'étonnant à ce que les anciens Bretons croyaient que l'enfer était un endroit froid.

Vers la fin de sa vie, Alexandre Mahé vient habiter chez sa fille Germaine. Ses enfants sont plus âgés maintenant et elle a plus de temps pour s'asseoir avec son père et discuter avec lui. Adolescente, elle avait passé plusieurs années au pensionnat, loin de ses parents, ne les voyant que rarement. Mariée à 19 ans et occupée par sa petite famille par la suite, elle n'a pas bien connu son père. Ce sera durant les derniers moments de sa vie qu'il lui racontera son enfance et lui parlera des années qu'il a passées en Afrique.

De sa jeunesse, il lui raconte comment la plus pénible des tâches sur les fermes bretonnes était celle de piler l'ajonc[15]. Cet arbrisseau épineux fleurit presque à longueur d'année, poussant à profusion sur les landes en friche. Si ses petites fleurs jaunes symbolisent un amour qui ne flétrit jamais – ce qui est bien joli pour les amoureux et les âmes aux tendances poétiques – par contre, son apprêtage n'a rien de gai. Le travail était éreintant et terriblement piquant, car il fallait hacher l'ajonc pour broyer les épines avant de pouvoir s'en servir. L'arbrisseau était très utile, il remplaçait complètement l'avoine, essentielle aux chevaux, et servait aussi de fourrage pour les autres bêtes de la ferme. Lié en fagots, l'ajonc était aussi utilisé pour le chauffage et en cuisine, tandis que ses cendres servaient d'engrais pour le sol acide. Tout comme ils n'avaient pas de chaussettes chaudes à se mettre aux pieds, en broyant l'ajonc, ils n'avaient pas, non plus, de gants pour se protéger les mains.

Il n'était pas le seul à trouver ce travail pénible. « Skueh omb é strepat lann » [Nous en avons assez de couper les ajoncs] répondaient les journaliers agricoles vannetais qui quittaient la région aux enquêteurs qui leur demandaient les raisons principales de leur départ[16]. La Bretagne est alors surpeu-

---

14. Témoignage d'Alexandre Mahé à l'auteure.

15. Témoignage de Germaine Champagne.

16. Trad. du breton vannetais par Michel Lagrée, *Religion et cultures en Bretagne 1850-1950*, Fayard, 1992, p. 334-335.

plée et la population rurale est fortement désavantagée. L'historien Michel Lagrée précise qu'en 1882, un septième des servantes de ferme de la France entière sont localisées dans trois des cinq départements bretons[17]. Cette vie si dure et sans avenir décourage les populations rurales. Leur scolarisation progressive ainsi que la mécanisation des fermes mènent à une grande émigration vers des régions où la vie leur sera moins difficile.

Si la famille Mahé est pauvre, elle a déjà connu pire. Jean-Marie et son frère Sébastien ont survécu à la grande famine causée par le mildiou des pommes de terre qui s'est propagé en Europe en 1844 et a sévi plusieurs années avant que des variétés résistantes à ce champignon ne soient trouvées[18]. En Bretagne, généralement, d'autres denrées que les pommes de terre étaient disponibles pour compenser, mais comme le précise Yann Brekilien, les deux hivers qui suivirent ont été les deux plus froids du siècle et des gelées impitoyables détruisirent les céréales dans les champs et les légumes en terre[19]. Dans cette région normalement tempérée par la proximité de la mer, il est rare que le sol ne gèle plus que quelques jours. La famine et le temps froid de ces années malheureuses de l'enfance de Jean-Marie Mahé ont eu des répercussions dans le pays entier où, déjà, tout allait de mal en pis. La France, qui était dirigée par le gouvernement monarchiste de Louis-Philippe, se retrouve en pleine crise économique entre 1846 et 1847, avec des faillites de compagnies de chemin de fer, des fermetures d'usines et de mines. Le blé est importé à des prix d'augmentation de 250 pour cent tandis que des épidémies de choléra se propagent dans le pays. En 1848, les émeutes forcent Louis-Philippe à abdiquer et il est remplacé par le gouvernement du Second Empire, celui de Louis-Napoléon[20]. S'il y a une montée d'idées socialistes et démocratiques durant ce temps, le suffrage universel masculin, restauré en 1848, est immédiatement diminué et, en 1851, le gouvernement prend la forme d'une dictature.

Dans son court roman historique sur sainte Anne, la patronne des Bretons, Alexandre Mahé relate une anecdote au sujet des stratégies de survie des paysans de sa région d'origine qui donne des indices des techniques en pratique depuis des siècles dans ce pays vannetais et qu'il a dû connaître de son vivant. Il semble que les fermiers, habitués à se suffire à eux-mêmes, gardaient toujours dans leur cour une réserve de deux meules de blé de leur

---

17. *Ibid.*, p. 334.

18. Témoignage de Germaine Champagne.

19. Yann Brekilien, *La vie quotidienne des paysans en Bretagne au XIX^e^ siècle*, Paris, Hachette, 1966, p. 56-57.

20. Gordon Wright, *France in Modern Times. From the Enlightenment to the Present*, 3rd edition, New York, W.W. Norton and Company, 1981, p. 179.

récolte annuelle pour « parer aux années de disette », certaines de se manifester de temps à autre[21]. La présence de ces meules dans la cour d'un fermier était une grande marque de richesse. Cette tradition d'engrangement de la moisson a disparu avec l'avènement des technologies modernes du moissonnage et la coutume a été oubliée, mais ce récit nous aide à comprendre comment la famille Mahé serait arrivée à échapper à la famine. Les descendants encore sur place précisent que les Mahé habitaient alors au lieu-dit Kerguennec dans la commune de Buléon, une grande et belle ferme, à peine à deux kilomètres du bourg de Guéhenno. Il est possible que cette technique d'engrangement ait été discutée à l'école, puisque les frères de l'Instruction chrétienne, dits « frères La Mennais », enseignaient aussi l'agriculture, mais le sujet se serait éloigné du programme fourni par le nouveau manuel, lequel venait d'être publié en 1893[22]. Nous croyons qu'il s'agit d'un récit de famille.

Cela est loin d'être la seule fois durant ce siècle que les Français passent à travers une famine ou un sinistre. Alexandre Mahé en sait quelque chose lorsqu'il écrit dans un passage à connotation biographique :

> Dès leur plus tendre enfance leur attention [des Français] fut attirée et même fascinée, tout à fait à leur insu même par les questions dont parlaient fort paisiblement, presque toujours, leurs parents et les connaissances, un peu partout, à table comme au coin du feu. Ces questions étaient souvent le récit et commentaire des grands événements qui s'étaient produits dans le cours des cinquante ou soixante années passées et qui avaient produit un profond bouleversement des idées et des habitudes dans les milieux sociaux et politiques[23].

En grandissant, il est entouré des vestiges de ce passé mouvementé, encore rapproché, ainsi que de ceux d'un passé perdu dans la nuit des temps.

De ses parents, il tient l'apprentissage de cette histoire. Sa mère vient de Guéhenno, situé à une demi-douzaine de kilomètres de Guégon, site d'un calvaire monumental construit vers 1550, un des plus anciens de Bretagne et le seul d'une si grande taille dans tout le Morbihan. Le calvaire en question est renversé et démoli durant la Révolution, mais malgré les risques

---

21. *Sainte Anne et ses Bretons*, p. 63.

22. Lagrée, *Religion et cultures en Bretagne*, p. 457; *Institut des Frères de l'Instruction chrétienne de Ploërmel*, Paris, Librairie Letoizey, 1923, p. 33; H.-C. Rulon et Ph. Friot, *Un siècle de pédagogie dans les écoles primaires (1820-1940). Histoire des méthodes et des manuels scolaires utilisés dans l'Institut des Frères de l'Instruction chrétienne de Ploërmel*, Paris, Librairie philosophique J. Vrin, 1962, p. 195-197.

23. Isidore Cassemottes, « Giraud-De Gaulle », « Opinion du lecteur », *La Survivance*, 17 mars 1943.

de représailles, les pièces cassées sont cachées et sauvegardées par les paysans. Plus de cinquante ans plus tard, le curé de la paroisse (le recteur, comme on dit dans la région) entreprend sa restauration, aidé de son vicaire. En l'absence de moyens pour payer un sculpteur artisan, ils font eux-mêmes le travail en rejointoyant les pierres et en en sculptant de nouvelles. Ils réussissent si bien que reconstruction et restauration se confondent dans l'ensemble[24]. Toute petite, Vonette, née en 1848, a vu ce monument reprendre sa place d'honneur auprès de l'église. Plus tard, revenant voir ses parents à Guéhenno avec sa propre famille, elle a sans doute visité le cimetière et l'ossuaire, discuté du calvaire et de ses origines au XVIe siècle, des événements qui avaient mené à sa démolition et de l'histoire de sa reconstruction. Bien des années plus tard, la restauration du calvaire de Guéhenno est encore un sujet de conversation dans la famille en Alberta.

Durant son enfance, il est probable que le petit écolier Alexandre Mahé participe aux activités qui commémorent de façon particulière le centenaire de la Révolution française[25]. Si partout en France, officiellement, l'accent est mis sur l'événement républicain, le clergé breton, tout en étant soumis à l'État par le régime concordataire, formule un discours contre-révolutionnaire. À Nantes, on fête le seizième centenaire des enfants martyrs de cette ville, tandis que les élèves des écoles des frères de Ploërmel et du petit séminaire d'Auray montent des pièces de théâtre célébrant le quatorzième centenaire du baptême de Clovis. Les effets dévastateurs de la Révolution sont soulignés par une cérémonie commémorant le centenaire des noyades de Nantes dans une église restaurée de cette ville. Dans le Morbihan en particulier, en milieu rural, des croix et des stèles sont érigées et sont l'occasion de processions et de rassemblements religieux. La famille participe certainement à de tels événements entre 1890 et 1895 lorsque, à quelques kilomètres seulement de Guégon, à Lizio, à Pluméliau et à Elven, ont lieu des célébrations honorant des prêtres réfractaires martyrisés en ces endroits[26]. Guégon a aussi sa part de chefs chouans et, en 1792, quelques centaines de jeunes gens, convoqués pour le tirage au sort en vue du service militaire, se révoltent; deux d'entre eux sont tués dans la lutte[27]. La même source précise qu'une deuxième révolte dans le voisinage, plus grave encore, entraîne de dures représailles, incluant l'obligation que les paysans payent leurs impôts dans les

24. « Ghéhenno », Gwenc'hlan Le Scouëzec, *Le guide de la Bretagne*, Beltan/Breizh, Spézet (France), 1986, p. 225.

25. Michel Lagrée, « Le clergé breton et le premier centenaire de la Révolution française », *Annales de Bretagne*, T. 91, 1984, p. 249-267.

26. *Ibid.*, p. 257.

27. Nizan, *Si Guégon m'était conté*, p. 55-57.

48 heures. Ce sont des choses qui ne s'oublient pas facilement, et les Bretons ont bonne mémoire.

Si le clergé et la vie religieuse ont une grande influence sur la mentalité d'Alexandre Mahé, ses aînés en ont probablement plus encore. On retrouve quelques exemples dans des anecdotes qui ont été transmises dans la famille. Un peu cocasses, elles sont révélatrices des mœurs du pays et de la ténacité légendaire non seulement des Bretons, mais aussi des Bretonnes et permettent de mieux illustrer sa narration. Le premier incident se passe vers 1848[28]. Un député aspirant, prêtre dévoyé et enfant du pays, brigue le suffrage des électeurs contre un châtelain de l'ancienne noblesse du pays durant une campagne électorale dans l'arrondissement de Ploërmel. Même aujourd'hui, cette région conserve des affinités royalistes; le maire de Josselin, député à l'Assemblée nationale française, est toujours le duc de Rohan et habite son château à Josselin. À l'époque, les femmes n'avaient pas encore le droit de vote, mais elles assistaient aux réunions en plein air et avaient une grande influence sur le vote masculin. Il semble que « l'apprenti député », énervé par leur présence, « poussa l'intempérance de langage » jusqu'à les traiter de « punaises de confessionnal ». L'insulte était trop forte et elles ne lui laissèrent pas le temps de répéter son injure : « Force lui fut de fuir en hâte se réfugier chez un sien ami où il dut endurer un siège en règle. » Les femmes savaient comment s'y prendre et elles n'y allaient point par quatre chemins pour monter l'attaque. La furie était telle que les hommes cachèrent les échelles, par crainte que les femmes ne mettent le feu à la maison (où il se cachait), et ce n'est qu'avec l'intervention des gendarmes que le siège fut levé.

Notre narrateur raconte l'instance d'une deuxième mêlée féminine, survenue vers 1875, qui permet d'entrevoir de plus près des rapports parfois tendus entre les paysans et le clergé en Bretagne. Un prédicateur capucin, étranger à la région, prêchait une retraite dans un petit bourg des environs de Josselin. Dans un sermon de tempérance fait uniquement aux femmes de la paroisse, il s'emporte et les accuse d'abuser du cidre, la boisson de prédilection du pays. De son avis, les Bretonnes en boivent trop : leur grande consommation serait la cause de la « dégénérescence de leur progéniture » et expliquerait pourquoi beaucoup de jeunes hommes du coin sont jugés incapables d'accomplir leur service militaire.

> Si c'était raide à dire, c'était encore plus raide à avaler. Aussi, les femmes ne l'avalèrent point du tout [...] Les femmes [...] l'attendirent à la porte de l'église, bien résolues à... lui caresser la barbe et les côtes. Le brave capucin s'enferma

---

28. Si l'original mentionne 1838, il est probable qu'il s'agit d'une faute de frappe, assez nombreuses dans le texte. La restauration du suffrage universel masculin en France s'est faite en 1848, *Sainte Anne et ses Bretons*, p. 60-61.

prudemment jusqu'à la nuit tombée dans la sacristie dont l'unique porte s'ouvrait sur le chœur de l'église. Ce fut sa protection, car ces bonnes chrétiennes n'auraient jamais osé passer devant le Saint-Sacrement au zélé prédicateur... la dégénérescence de leurs poignets[29].

La santé de la population de l'Ouest de France laisse alors à désirer, particulièrement dans les régions de l'intérieur, où le sol acide est pauvre, faute de chaux pour l'amender. L'alimentation déjà médiocre des paysans se détériore à mesure qu'on s'éloigne de la mer. On réforme en moyenne dans cette contrée un conscrit sur sept pour infirmité, un sur sept pour défaut de taille et un sur trente pour faible constitution[30]. En dépit de cela, les Bretons contribuent largement à la défense de leur pays et les paysannes sont au courant.

Comme la majorité des gens du Morbihan, Alexandre Mahé est issu d'une famille très croyante qui participe aux activités de la paroisse et à des pèlerinages ou « pardons », ainsi nommés en Bretagne. Vers l'âge de onze ans, il assiste pour la première fois au plus grand des pardons bretons, celui de Sainte-Anne d'Auray, qui a lieu dans le pays vannetais. La basilique est encore toute neuve, ayant été construite en 1866. Le jeune est profondément impressionné de se retrouver dans cette grande foule paisible où « toutes ces choses par leur côté pittoresque émerveillent la curiosité de l'enfant qui les constate pour la première fois[31] ». Ce passage évoque son ouverture d'esprit et son grand besoin de connaître et de comprendre plus profondément les choses. Bien des années plus tard, il méditera longuement sur les origines du culte voué à sainte Anne et écrira une version romancée de cette histoire, de laquelle nous avons des extraits.

Située à une cinquantaine de kilomètres de Guégon, la basilique de Sainte-Anne d'Auray et la ville d'Auray ont beaucoup pour éveiller la mémoire, car ces endroits ont été les lieux de sanglants combats, d'exécutions et de génocides où sont tombés des milliers de morts. Au siècle dernier, le souvenir de certains de ces drames est encore à fleur de peau. Témoin, une autre famille Mahé, d'origine vannetaise à quelques kilomètres d'Auray, est venue en Alberta, s'est installée près de Sainte-Lina et s'est liée d'amitié avec les Mahé de Saint-Vincent. Deux cents ans après les faits, en 1997, les premiers

29. *Ibid.*, p. 60-62.

30. Jean Vidalenc, *La société française de 1815 à 1848 : le peuple des campagnes*, Paris, Éditions Marcel Rivière et C^ie^, 1970, p. 191-192.

31. La date donnée est 1871, mais encore une fois, il s'agit d'une faute de frappe, puisqu'il écrit plus loin : « De ce lointain pèlerinage un autre fait est resté gravé dans la mémoire de l'auteur. » On comprend que « l'enfant tout à la joie d'accomplir un si grand voyage » est l'auteur qui, en 1891, a onze ans, *Sainte Anne*, p. 76.

conservent le souvenir du massacre d'un trisaïeul, éventré devant sa femme et ses enfants par les soldats de la Révolution durant la guerre civile de Vendée, entre 1793 et 1796[32].

Partout dans la campagne bretonne, il est possible de découvrir dans le paysage les marques d'un passé profond. Ici et là se dressent des menhirs et des allées couvertes qui datent de l'âge néolithique. Le grand nombre de pierres taillées dans les alentours de la Ville-Jaho, dont la dernière maison qui subsiste date de 1870, témoigne d'une longue occupation qui remonte aux Romains et, même, à des peuplades de la préhistoire[33]. Alexandre Mahé racontait souvent comment les traces d'une grande voie romaine étaient encore visibles dans sa région et il disait avoir vu les registres de la paroisse de Guégon qui remontaient aux débuts de sa christianisation, des sujets qui le passionnaient[34]. Bien sûr, des châteaux et d'innombrables églises datent du Moyen Âge, tout comme la Ville-Jaho qui était anciennement du domaine du Plessis, divisé en deux, Plessis-Monteville et Plessis-Godefroy[35]. D'autres monuments, comme le calvaire de Ghéhenno, sont érigés alors que la Bretagne est prospère et détient un rôle important dans le commerce maritime. Ensuite, lorsque les Européens commencent à naviguer vers les Amériques et l'Orient, les navires sont construits de bois venant des forêts bretonnes, tandis que la région fournit le lin et le chanvre pour les voiles et les gréements.

Une partie de ce passé se retrouve dans le folklore oral, chansons et contes, entremêlée aux légendes et superstitions, mais pour les Bretons qui vont à l'école, la grande mode de la « celtomanie », propre aux historiens et aux ethnologues de la fin du XIX^e^ siècle, bat son plein et la France donne finalement une place aux Bretons dans le panthéon de la nation française[36]. Le jeune Alexandre Mahé peut apprendre l'histoire de Vercingétorix, chef de la résistance gauloise envers l'impérialisme romain et « ancêtre de tous les Français ». C'était un récit qui avait été étudié en latin depuis longtemps dans les collèges classiques et qui devait être le préféré des petits Bretons, lesquels avaient parfois l'occasion de voir de leurs yeux l'endroit même sur la

---

32. Témoignage de Germaine Champagne concernant les familles Pierre et Jean Mahé de Sainte-Lina.

33. Témoignage de René Mahé.

34. Témoignage de Germaine Champagne, relevé aussi dans l'entrevue d'Yvon Laberge avec celle-ci en 1983, enregistrée par le projet Héritage franco-albertain et conservée par l'IRFSJUA.

35. Nizan, *Si Guégon m'était conté*, p. 7.

36. Gordon Wright, *France in Modern Times*, p. 5-7; Catherine Bertho, « L'invention de la Bretagne : genèse sociale d'un stéréotype », *Actes de la recherche en sciences sociales*, n° 35, 1980, p. 45-62.

côte de Vannes où les « ignobles légionnaires de César avaient fauché les voiles des farouches Vénètes[37] ». Cette perception du passé ne pouvait être que valorisante pour les Bretons qui étaient désormais moins perçus comme des descendants de tribus barbares défaites par les Romains que comme ayant contribué à construction de la nation française.

Depuis l'occupation des légionnaires de César, il y a deux mille ans, la Haute-Bretagne est une région frontalière qui vit une pluralité linguistique. Le petit paysan Alexandre Mahé parlait le patois roman, connu localement comme le gallo, un dialecte qui est antérieur à la langue française. Nous ne savons pas s'il connaissait le français avant de commencer l'école, même si ses parents le parlaient. Le gallo n'était pas une langue écrite et, à l'école, les enfants gallos, tout comme les enfants bretonnants, apprenaient le français. Dans les campagnes de la région, le gallo prévalait, mais la connaissance du patois n'était pas obligatoire. Nous savons que Josephine Nayl, qui venait de Josselin, et qui a épousé Alexandre Mahé au Canada en 1910, ne parlait que le français et ne comprenait pas le gallo.

Josselin était alors considéré comme étant situé sur une frontière linguistique : à l'Est, dans la Haute-Bretagne, on parlait le français et le gallo; à l'Ouest, vers la Basse-Bretagne, c'était le breton[38]. Mais en 1890, même en pays gallo, il y avait des îlots de locuteurs bretonnants qui persistaient et qui parlaient le breton vannetais, un des quatre dialectes bretons, dont il existait plusieurs sous dialectes[39]. Tous fréquentaient les mêmes églises, recevant les services religieux dans leur vernaculaire. Même en se côtoyant, les groupes linguistiques ne se mélangeaient pas beaucoup, mais ils vivaient relativement paisiblement ensemble[40]. Beaucoup d'entre eux étaient bilingues ou trilingues ou comprenaient suffisamment la langue de l'autre pour effectuer les transactions financières et se débrouiller dans les situations périlleuses[41]. Germaine Champagne en raconte autant au sujet de son grand-père, qui, en se rendant à Ploërmel accompagné du jeune Alexandre, aurait croisé un paysan bretonnant qui menait son étalon à la foire. De loin, celui-ci les avertit en leur criant dans un français calqué sur le breton que « si ton cheval est une

---

37. Joseph Le Treste, né sur la côte vannetaise en 1861, a bien connu le récit de César à l'école et il décrit les lieux de la bataille dans ses mémoires, voir *Souvenirs d'un missionnaire breton dans le Nord-Ouest canadien*, p. 45-46.

38. Le Scouëzec, *Le guide de la Bretagne*, p. 44-45, 50-51; Lagrée, *Religion et cultures*, p. 215-218.

39. *Ibid.* et témoignage de Germaine Champagne.

40. Témoignage de Germaine Champagne.

41. C'est ce que Le Treste indique dans ses mémoires lorsqu'il relate les succès financiers de sa tante bretonnante, *Souvenirs d'un missionnaire...*, p. 44-45.

jument, tient le loin de moi ! » Ce sont des situations linguistiques semblables à celles qu'Alexandre Mahé viendra à connaître dans l'Ouest canadien, région polyglotte au début du XX^e^ siècle. En Bretagne, malgré la diversité linguistique, tous se considèrent Bretons à titre égal, même si l'appellation est strictement régionale et, comme aujourd'hui, sans valeur nationale. Si l'appartenance bretonne a une grande valeur sentimentale et culturelle, les Bretons sont, depuis la fin du XV^e^ siècle, des Français.

## Une jeunesse catholique : de l'école des frères aux plantations africaines

Nous n'en savons pas beaucoup sur les années d'instruction primaire d'Alexandre Mahé. Durant son enfance, le débat faisait rage entre les écoles publiques (neutres) de l'État et les écoles privées ou « libres » qui offrent une formation chrétienne. Par le témoignage oral, on sait qu'il a fait ses études primaires à l'école libre de Guégon. Dans ses écrits, nous n'y avons retrouvé que trois ou quatre références, faisant surtout allusion aux insuffisances de l'enseignement public. Typiquement, une lettre de lui adressée au « Courrier du lecteur » de *La Survivance* critique un article qu'il considère être des « calembredaines teintées de religion; juste ce que l'on nous enseignait à l'école neutre [...] vers 1890[42] ».

Il reçoit l'essentiel de sa formation scolaire des frères de « Ploërmel », alors que la compétition entre les écoles libres (catholiques) et les écoles neutres (laïques) est particulièrement assidue dans cette région. À une vingtaine de kilomètres de Guégon, Ploërmel est le château fort des frères de l'Instruction chrétienne, qui ont leur institut dans cette ville. Les frères enseignants, qui ont pour mandat de scolariser la Bretagne, ont leur plus grand succès dans la Haute-Bretagne, district où on parle le gallo et le français, autour de Ploërmel et dans les Côtes-du-Nord (maintenant Côtes-d'Armor), d'où vient leur fondateur, Jean-Marie de La Mennais, natif de Saint-Malo. Le clergé local encourage les écoles privées au point d'imposer le « péché scolaire » aux parents des enfants qui vont aux écoles « neutres » de l'État[43]. Là où habite la famille Mahé, l'école privée gagne haut la main, même s'il faut payer. La paroisse aide à défrayer les coûts et des quêtes sont faites auprès des propriétaires locaux; dans les classes populaires, on donne le denier de l'école, basé sur le système de la Propagation de la Foi[44].

---

42. Isidore Cassemottes, « L'Église et les communes », « Ainsi parle le lecteur », *La Survivance*, 20 février 1935.

43. Lagrée, *Religion et cultures en Bretagne*, p. 371-372.

44. *Ibid.*, p. 378-379.

Dans la région de Ploërmel, l'influence et le prestige des frères de l'Instruction chrétienne étaient très grands et leurs écoles, qui avaient essaimé presque partout en Bretagne, étaient hautement estimées. On les trouvait surtout dans les campagnes de la Haute-Bretagne et un peu en Vendée, à la différence de la congrégation des frères des Écoles chrétiennes, fondée par J.-B. de La Salle, répandue partout en France. Ces derniers, par leur règle, étaient obligés d'habiter en communauté, surtout dans les grandes villes où ils enseignaient le cours classique. Par contre, les frères de l'Instruction chrétienne avaient le droit d'habiter à deux ou trois ensemble, ce qui facilitait leur placement dans de petites localités de campagne, où ils étaient souvent logés chez le recteur de la paroisse. À leur école, on enseignait la lecture, l'écriture, le français, le calcul, le dessin, la comptabilité, la géographie et l'hydrographie. On donnait aussi des leçons élémentaires d'agriculture. En classe, les cours étaient souvent expliqués à l'aide d'exemples tirés de l'Évangile. Les instituteurs avaient pour consigne de toujours agir avec douceur envers les enfants et de « prévenir les fautes afin de n'avoir pas à les réprimer[45] ».

Alexandre Mahé est remarqué par le recteur de la paroisse qui fait les démarches pour qu'il soit accepté à l'Institut des frères à Ploërmel. À l'âge de quinze ans, il y entre comme postulant et il y poursuit des études supérieures. Il est douteux que sa famille ait les moyens de payer sa scolarité. Elle fournit probablement des produits de la ferme pour son entretien, comme c'est la coutume. L'Œuvre des noviciats, créée pour subventionner les recrues en 1891, assume les frais de scolarité[46]. À l'Institut de Ploërmel, il est probable qu'en préparation pour le Certificat d'instruction primaire, il se familiarise avec les divers textes scolaires utilisés par l'État français dans ses écoles.

En Bretagne et dans les environs de Ploërmel, l'histoire tapageuse des deux frères de La Mennais était fort bien connue. Jean-Marie se range du côté de l'Église, tandis que Félicité fonde le premier journal quotidien catholique en Europe et publie des articles sur la démocratie politique et la réforme sociale ainsi que sur le conflit entre l'Église gallicane et le Pape, bravant la papauté pour rester fidèle à sa vision de l'Église[47]. Lorsqu'il est

---

45. *Institut des Frères de l'Instruction chrétienne*, p. 33.

46. Michel Lagrée, « Le recrutement des maîtres d'école en Bretagne (XIX^e et première moitié du XX^e siècle) », *Sociétés villageoises et rapports villes-campagnes au Québec et dans la France de l'Ouest, XVII^e au XX^e siècle*, dirigé par F. Lebrun et N. Séguin, Trois-Rivières, 1985, p. 338-339.

47. Félicité Lamennais (1782-1854) défend l'ultramontanisme et la liberté religieuse face à l'Église gallicane. Dénoncé par l'épiscopat gallican, la police contre-révolutionnaire et le pape Grégoire XVI, il rompt avec l'Église et continue ses activités libérales. Il est considéré comme le père du socialisme chrétien. Il fut représentant de l'État en 1848 et 1849.

question de béatifier Jean-Marie, sa relation fraternelle lui est nuisible à la cour de Rome. Certes, après 1880, tout cela est déjà une bien vieille histoire. Mais c'est aussi le genre d'idées qui se « brassaient » dans la région où est né Alexandre Mahé, idées que ses parents et la communauté environnante connaissaient bien et qui devaient animer les heures passées au coin du feu.

Toujours, Alexandre Mahé aime les études et adore la lecture. L'Institut des frères possède une grande bibliothèque et les élèves sont encouragés à s'en servir. L'une des idées-clés du fondateur de cette congrégation est que le catholique est autant capable de maîtriser les sciences que tout autre et qu'il est très important qu'il se tienne à la hauteur. Même si l'école des frères n'offre pas le cours classique et n'enseigne ni le grec ni le latin, l'étudiant Mahé connaît un peu de latin, probablement parce qu'il est autodidacte et que cette langue est encore beaucoup utilisée dans le culte. Il obtient son brevet de capacité d'enseignement primaire en 1897, diplôme universitaire émis par l'Université catholique d'Angers, comparable à celui offert par les écoles normales de l'État.

Adolescent, Mahé est un jeune militant et il aurait appartenu à un groupe qui s'appelait « les Croix de feu[48] ». Michel Lagrée, dans son étude des mentalités religieuses en Bretagne, nous rappelle qu'en 1897, l'encyclique papale *Militantis Ecclesiae* de Léon XIII encourage l'activisme de chaque chrétien[49]. Chacun doit faire ce qu'il peut d'après ses qualités particulières, soit en faisant la charité, s'il en a les moyens, soit en prononçant des discours s'il est orateur, soit en écrivant s'il est écrivain ou, même, en allant écouter les orateurs. La prière est aussi très importante et il faut beaucoup prier. Il est tout à fait normal pour Alexandre Mahé, jeune catholique, de poursuivre ses études chez les frères. Nous percevons aussi un certain idéalisme de sa part, et certainement un esprit d'aventure, lequel se concrétise dans la prochaine étape de sa vie. Profondément croyant, il devient novice chez les frères et porte le nom de religion Zénobe[50].

Les frères de l'Instruction chrétienne ont alors des écoles dans les colonies françaises. Lorsqu'il complète son brevet de professeur en 1897, Alexandre Mahé se rend enseigner dans l'une d'elles au Sénégal. C'est une expérience qui plaît au jeune frère Zénobe et toute sa vie, il restera fasciné par

---

48. IRFSJUA, Collection HFA, Témoignage de Germaine Champagne, relevé dans l'entrevue de Jules Laberge *et al.*, 1983.

49. Lagrée, *Religion et cultures en Bretagne*, p. 181-183.

50. « Numéros d'Institut des frères de l'Instruction chrétienne »; ce renseignement nous a été donné par le frère Jean Laprotte de la communauté des frères de l'Instruction chrétienne de Laprairie, au Québec.

l'Afrique. Il revient obligatoirement en France tous les deux ans pour y passer des vacances et refaire sa santé. Durant ce temps, il accomplit son service militaire. Puisque sa mère devient veuve en 1898, il est probable qu'il n'a eu que dix mois d'entraînement à faire, et ce, au camp militaire de Coëtquidan, à côté de Ploërmel. Il n'est pas de taille ni de qualité à être réformé; devenu adulte, il est grand, environ un mètre quatre-vingts, mince, les cheveux bruns, les yeux d'un gris clair, les traits égaux et lorsqu'il est en santé, un homme bien bâti. En somme, un bel homme.

En 1903, deux ans avant que les lois de la séparation de l'Église et de l'État en France entrent en vigueur, les communautés religieuses qui enseignent dans les écoles catholiques doivent céder leur place aux enseignants laïcs. Dans la colonie du Sénégal, le frère Zénobe doit aussi chercher du travail ailleurs. D'après son fils René, l'État français refuse de payer aux enseignants le salaire qui leur est dû et les professeurs n'ont pas les moyens de rentrer au pays[51]. Cela est possible, mais nous constatons qu'Alexandre Mahé est prévoyant, car dès le 11 octobre 1903, il est employé par la Maison P. Pon. Maurel et H. Prom au comptoir de Bathurst en Gambie[52]. Après six ans au Sénégal, ses chances d'embauche se sont améliorées parce qu'il parle couramment le wolof, qu'il a appris auprès des enfants de l'école. C'est la langue d'usage de la région, essentielle pour travailler comme contremaître dans les grandes plantations d'arachides.

La Gambie est une colonie britannique, mais ses employeurs, Maurel et Prom, ont une maison à Bordeaux et leur correspondance avec Mahé est entièrement en français. On sait qu'il parlait aussi un peu l'anglais, l'ayant étudié au collège, et il doit pouvoir se débrouiller dans cette langue, puisqu'il se rend plusieurs fois, pour le compte de ses employeurs, à Londres où se trouve le siège social de l'entreprise coloniale[53]. En 1952, il écrit au sujet de son expérience africaine :

> J'ai quelque peu vécu en compagnie des noirs en Gambie. De 1904 à 1908, pendant 6 ou 7 mois par année, je résidais seul ou presque seul blanc parmi les noirs, tous braves gens et des plus sympathiques. Nous parlions surtout le wolof puisqu'ils ne savaient pas un seul mot de français ou d'anglais. Nous aimions à nous comprendre et nous accorder très convenablement[54].

Durant cette période chez les Wolofs, qui sont des musulmans, il s'intéresse beaucoup à l'histoire de l'Islam. Il y fait référence de temps à autre

---

51. Témoignage de René Mahé.

52. GC, P. Pon. Maurel et H. Prom, 17 juin 1908.

53. Témoignage de Germaine Champagne.

54. Isidore Cassemottes, « Malaise africain », « Opinion du lecteur », *La Survivance*, 10 décembre 1952.

dans ses lettres. Plus tard, devenu très vieux, il reparle des jours de sa jeunesse passés en Gambie. Tel le héros d'un roman de Joseph Conrad, il lui est arrivé de protéger un homme qui avait été éloigné de son village de l'intérieur des terres après avoir été embauché comme porteur et ensuite retenu comme esclave pour être vendu sur la côte. Il a préparé plusieurs longs articles à ce sujet dans lesquels il détaille cette histoire[55]. En dépit de ce genre d'incident, son travail à la plantation est consacré à l'administration et à la comptabilité d'un petit comptoir ainsi qu'à la direction de l'agriculture de la ferme. Des dernières années en Gambie, on a conservé dans la collection familiale quelques cartes postales qu'il avait adressées à ses frères et qui mentionnent son désir d'indépendance.

Aucun de ses écrits ne fait allusion à l'affaire Dreyfus, dont le procès a lieu à Rennes en 1899, à une centaine de kilomètres de Guégon, et qui déclenche, en France, un débat intense entre deux camps politiques et religieux distincts pendant plus d'une dizaine d'années. Pareillement, même s'il est forcé d'abandonner son travail comme enseignant au Sénégal à cause de la séparation de l'Église et de l'État, nous n'avons trouvé qu'une seule mention de cet événement qui a pourtant eu un impact considérable sur sa vie[56]. Mais il disait toujours que son adhésion à la communauté des frères de Ploërmel n'avait jamais été autre que provisoire et qu'il n'avait jamais eu l'intention de prononcer des vœux permanents, aimant trop sa liberté pour avoir à se plier aux ordres d'un supérieur pendant très longtemps. Cela ne l'empêche pas d'être profondément croyant et de participer activement à la vie religieuse de sa paroisse.

Inévitablement, les maladies tropicales touchent tous les Européens qui séjournent en Afrique; à l'époque, la politique générale exigeait que les employés rentrent au pays après une dizaine d'années sous les tropiques[57]. En 1908, Alexandre Mahé a légèrement dépassé ce laps de temps et il revient en France, mais probablement pour une autre raison. En avril 1908, en recevant sa gratification supplémentaire annuelle de 500 francs, ses employeurs lui signalent une baisse du revenu alloué aux commis des comptoirs des

---

55. IRFSJUA, Alexandre Mahé, « Les Esclaves », recopié de la main de Germaine Champagne : des extraits se trouvent aussi dans un texte sur Charles de Foucauld. Il fait également mention d'une lettre qu'il avait adressée au comité de la Conférence impériale du Commonwealth de 1932 qui avait suscité une requête du directeur intérimaire des renseignements commerciaux pour plus de renseignements au sujet des carences nutritives des indigènes en Gambie au début du siècle, « Malaise africain », *La Survivance*, 10 décembre 1952.

56. IRFSJUA, Alexandre Mahé, manuscrit, « Quand ils voient leur prêtres à eux », brouillon d'un texte soumis au *Travailleur*, non publié, 15 pages.

57. Témoignage de René Mahé.

régions isolées. De fait, la maison de Bordeaux supprime « la faveur spéciale dont jouissaient les employés de la Gambie de toucher 50 pour cent en plus de leurs appointements pendant leur séjour en Rivière[58] ». Cette coupure prochaine était faite pour satisfaire les opérateurs des autres comptoirs de la côte d'Afrique, moins privilégiés et, en conséquence, une gratification plus large était prévue pour les employés « en Rivière » en fin de campagne. Le montant de l'augmentation de la gratification n'est pas indiqué, mais il est probable que celle-ci n'égale pas l'ancienne prime et qu'il préfère aller travailler ailleurs que de toucher moins pour le même emploi. En juin 1908, la Maison Maurel et Prom accepte sa démission[59]. À son retour en France, dès septembre, il trouve un emploi d'expéditionnaire dans une entreprise parisienne, poste qu'il quitte en décembre de la même année, muni d'une deuxième lettre de recommandation très positive[60].

Habitué aux grands espaces et à la vie plus intime des régions moins peuplées, il n'aime pas la ville de Paris, où il se sent isolé et désorienté. Après son long séjour dans la brousse africaine, Alexandre Mahé voit du vrai dans l'assertion selon laquelle Paris est « un immense désert encombré et surpeuplé », où il se retrouve aux prises avec « un malaise indéfinissable que les semaines ne calment pas, que les mois n'endorment point[61] ». Finalement, il décide de se joindre aux cohortes d'immigrants qui se dirigent vers l'Ouest canadien[62].

C'est une région qui est bien connue des Français de l'époque. Les missions des « Glaces Polaires » sont légendaires dans les cercles catholiques : de jeunes séminaristes rêvent de la mission du Lac-la-Biche et aspirent à une carrière d'apostolat et de découverte dans le Mackenzie, comme celle de leur compatriote Émile Petitot, missionnaire oblat de grande renommée[63]. Le récit des misères et des réussites de la congrégation des oblats dans ces contrées depuis environ 1850 se relève facilement dans les pages de la presse religieuse de l'époque, comme celles des très populaires *Annales de la Propagation de la Foi* ou des *Semaines religieuses* publiées par les diocèses de la

58. GC, P. Pon. Maurel et H. Prom à monsieur A. Mahé, Bathurst, 10 avril 1908.

59. GC, Maison Maurel et Prom, lettre de gratification, 10 avril 1908; lettre de démission, 17 juin 1908; lettre de référence, 17 juin 1908.

60. CG, Maison Gaffré, Paris, 31 décembre 1908.

61. IRFSJUA, Alexandre Mahé, manuscrit Foucauld, « L'apostolat de la France en Afrique ».

62. Témoignage de Germaine Champagne.

63. Dans ses mémoires, Joseph Le Treste mentionne plusieurs fois avoir eu de telles aspirations. La documentation religieuse de l'époque abonde en ce genre de témoignages, *Souvenirs d'un missionnaire breton.*

Bretagne. Après 1870 et le passage des lois Ferry qui mènent à la séparation de l'Église et de l'État, le Canada devient une terre d'asile pour certaines congrégations religieuses françaises, en particulier les communautés enseignantes[64]. La présence de ce clergé originaire de France ouvre encore plus grande la porte à l'émigration française et franco-européenne vers le Canada et les terres gratuites de l'Ouest, car il en fait la publicité à leur manière à leurs familles, leurs amis et leurs collègues.

À cette époque, au Canada, pour les Canadiens français de souche, l'Ouest est aussi connu depuis au moins deux siècles. Les voyageurs qui font la traite des fourrures sont motivés principalement par l'argent, qui leur est remis comptant à la fin de leur engagement. Leurs récits de voyage s'ancrent solidement dans la tradition et le folklore. On sait aussi que, souvent, ils restent sur place et fondent des familles avec des Amérindiennes de l'Ouest. Cela crée une ouverture pour les missionnaires catholiques de langue française qui sont invités par la Compagnie de la Baie d'Hudson (CBH) à venir s'installer dans la région au début du XIX^e^ siècle. C'est avec joie que le clergé rapporte l'enthousiasme des prosélytes métis francophones pour la religion de leurs pères[65]. Cette alliance aidera les missionnaires à atteindre rapidement les extrémités du continent nord-américain.

Mais au XIX^e^ siècle, l'Ouest, terre d'aventure, vu du Québec, ne se compare pas à la Nouvelle-Angleterre, pays de cocagne à portée de la main[66]. Des familles entières y travaillent et même les contremaîtres parlent le français. On vit dans des quartiers qu'on appelle « Petit-Québec[67] ». Les villes croissantes de la province de Québec, en expansion industrielle, sont aussi des endroits de choix pour gagner sa vie.

L'essor des États-Unis et son incorporation de la moitié de la colonie de l'Oregon en 1845 provoquent une réaction de la part des autres colonies britanniques de l'Amérique du Nord, ce qui conduit à la Confédération

64. Le sujet de l'émigration des communautés enseignantes au Canada est étudié par Guy Laperrière dans *Les congrégations religieuses. De la France au Québec, 1880-1914*, T. I, *Premières bourrasques, 1880-1900*, Sainte-Foy, PUL, 1996; « "Persécution et exil" : la venue au Québec des congrégations françaises, 1900-1914 », *RHAF*, Vol. 36, n° 3, 1982, p. 389-411.

65. Plusieurs des lettres de l'abbé Jean-Baptiste Thibault à son évêque Mgr Joseph-Norbert Provencher durant les années 1845, 1846 et 1847 racontent l'accueil enthousiaste que reçoit le missionnaire chez les Métis et les Amérindiens ainsi que leur grand souhait qu'il revient bientôt, *Bulletin de la société historique de Saint-Boniface*, Vol. III, 1913, p. 246 à 259.

66. Albert Faucher, « L'émigration des Canadiens français aux États-Unis au XIX^e^ siècle : position du problème et perspective », *Recherches sociographiques*, Vol. 3, 1964, p. 277-317.

67. Yves Roby, *Les Francos-Américains de la Nouvelle-Angleterre, 1776-1930*, Sillery, Septentrion, 1990; « Un Québec émigré aux États-Unis : bilan historiographique », Claude Savary (dir.), *Les rapports culturels entre le Québec et les États-Unis*, Québec, IQRC, 1984, p. 103-130.

canadienne. Malgré l'affirmation, soutenue par la CBH, détentrice du monopole des Territoires du Nord-Ouest, que l'agriculture y est impraticable, les Ontariens, serrés dans un étau fertile entre le bouclier canadien et la frontière américaine, découvrent de bonnes terres sur les Prairies canadiennes pour établir leurs générations à venir. La promotion de la région et l'achat par le gouvernement canadien des droits de la CBH sur ces terres en 1869 affirme le mandat transcontinental du jeune pays[68]. Le prochain pas est la colonisation de l'Ouest canadien qui, durant les premières années, se fait surtout par des colons de l'Ontario.

Au XIXe siècle, l'attrait des États-Unis est énorme, on y accourt de partout dans le monde, et les colonies canadiennes ne sont pratiquement que des portes d'entrée vers « le rêve américain ». Les ports de Québec, de Montréal et de Halifax sont achalandés par le grand commerce du bois équarri et en raison de leur relative proximité avec la Grande-Bretagne, la traversée transatlantique vers le Canada revient moins cher aux émigrants. Mais sitôt arrivés en terre canadienne, des centaines de milliers de ces immigrants de passage prennent la première route qui mène aux villes industrielles américaines, une situation désastreuse pour le Canada, car on se rend compte que plus de gens le quittent pour les États-Unis qu'il y en a qui s'y installent[69]. Avec la construction du chemin de fer transcontinental canadien, une campagne concertée est menée pour attirer des colons de partout au monde sur les terres de l'Ouest.

En France, durant la première décennie du XXe siècle, disait Alexandre Mahé, dans toutes les gares, dans le métro de Paris, dans les écoles et dans les paroisses, on trouvait de la propagande sur les terres libres de l'Ouest canadien[70]. L'émigration était discutée ouvertement dans les journaux et plusieurs prêtres colonisateurs recrutaient des colons français[71]; les Bretons connaissaient bien les efforts du chanoine dom Paul Benoît au Manitoba et de

68. Doug Owram, *Promise of Eden : The Canadian Expansionist Movement and the Idea of the West, 1856-1900*, University of Toronto Press, 1980.

69. Yolande Lavoie, « Les mouvements migratoires des Canadiens entre leur pays et les États-Unis au XIXe et au XXe siècles : étude quantitative », *La population du Québec : études rétrospectives*, Hubert Charbonneau (dir.), Montréal, Boréal Express, 1973, p. 73-88; D.J. Hall, « Clifford Sifton Immigration and Settlement Policy », *The Prairie West, Historical Readings*, edited by R. Douglas Francis and Howard Palmer, Edmonton, Pica Pica Press, 1985, p. 283.

70. Témoignage de Germaine Champagne.

71. Michel Lagrée, *La presse catholique en Bretagne*, thèse de doctorat d'État, Rennes, Université de Haute-Bretagne, 1990, p. 357-359; Émile Gauthier, « L'Émigration bretonne », *Bulletin de l'entr'aide bretonne de la région parisienne*, Paris, 1953, p. 128-144.

l'abbé Jean Gaire en Saskatchewan. Dans son chapitre sur l'Église et les immigrants franco-catholiques d'Europe, Robert Painchaud reconnaît ceux-ci comme « des géants de la colonisation », du mouvement qui cherche à « recréer une partie de la "vieille France" dans le "Nouveau Monde", afin d'échapper au mouvement anticlérical qui domine l'Europe[72] ». Les quelques agents recruteurs cléricaux, comme l'abbé Gaire, reçoivent très peu d'aide de la part du gouvernement canadien pour leur travail. L'année culminante de l'abbé Gaire est 1904 lorsqu'il recrute 1 600 Français et Belges pour émigrer en Saskatchewan, alors que la moyenne de ceux qui sont arrivés au Canada entre 1897 et 1908 est de 1 500 par an[73]. Les chiffres que cite Bernard Pénisson sont légèrement supérieurs en 1908 : jusqu'à 2 671 Français viennent s'ajouter à la francophonie de l'Ouest pour former 11 pour cent de la population de langue française de l'Ouest canadien[74]. Painchaud et Pénisson signalent également que le gouvernement français en vient à décourager ces campagnes de recrutement sur son territoire et exige des agents consulaires du Canada qu'ils ferment leurs agences en France, ce que le gouvernement canadien fait sans trop hésiter en 1907.

Lors de la séparation de l'Église et de l'État en France, quelques notables, comme des officiers français, démissionnent en masse et s'installent à Trochu en Alberta. Plusieurs congrégations religieuses quittent la France à cette époque pour les plaines de l'Ouest : les pères de Tinchebray, les sœurs de la Charité de Notre-Dame d'Evron, les filles de Jésus de Kermaria (Morbihan), entre autres. Comme ressortissant des frères de l'Instruction chrétienne, Alexandre Mahé est au courant du cheminement de ses collègues qui ont eu à relancer leur carrière alors qu'il était resté en Afrique, et dont un grand nombre avait choisi de venir au Canada.

À 28 ans, Alexandre Mahé, après ses années passées en Gambie, a sans doute fait des économies. Célibataire, il aime voyager et veut améliorer sa situation. Rien ne le retient en France. Sa mère Vonette est veuve depuis 1898, mais elle est bien installée, habitant avec sa sœur à Caradec. Alphonsine, la cadette des filles, est mariée, a plusieurs enfants et habite tout près d'elle, à Buléon, où elle tient un petit café. L'aînée de la famille, Anastasie (Néomisite), est religieuse chez les filles de la Sagesse et elle est à Toulouse

---

72. Painchaud, *Un rêve français*, p. 187.

73. *Ibid.*, p. 192, et « Les origines des peuplements de langue française dans l'Ouest canadien », p. 157.

74. Bernard Pénisson, « L'émigration française au Canada (1882-1929) », *L'émigration française. Études de cas : Algérie, Canada, États-Unis*, Série internationale n° 24, Paris, Publications de la Sorbonne, 1985, p. 54, 97.

depuis 1897[75]. Les deux garçons, Bénoni (Émile) et Louis (Fulgence), se sont éloignés, Bénoni dans la Sarthe et Louis dans la région parisienne.

Avant de partir, Alexandre Mahé fait ses adieux à sa famille. Il laisse son vélo à son frère Louis[76]. Il ne reverra plus sa mère, qui meurt en 1917. Il se rend voir Alphonsine et donne un louis d'or en cadeau de première communion à sa filleule, la petite Léonie, alors âgée de sept ans[77]. Plus de quatre-vingts ans plus tard, en y pensant, elle devenait tout triste et il semble que le départ de son « tonton » lui avait causé de la peine. Il est probable que lors de son retour d'Afrique, Alexandre passe des vacances avec sa famille et comme il avait été enseignant auprès des jeunes, il savait les charmer avec ses histoires fascinantes. Léonie se souvient que lorsque les longues lettres de son oncle arrivaient du Canada, elles étaient lues à haute voix aux amis et aux gens du voisinage qui cherchaient tous des renseignements sur la vie de colonisateur dans l'Ouest canadien. Cela devait être une bonne affaire pour le café qui se remplissait à craquer de tous ceux qui étaient venus entendre la lecture de la lettre. Après, il ne désemplissait pas, les gens restant à discuter longuement de ces informations. Ces lettres qui nous sembleraient si intéressantes aujourd'hui n'ont pas survécu au remue-ménage du temps. De cette période, il n'en reste qu'une seule : celle qu'il a écrite à son frère Louis en 1910.

Alexandre Mahé est un homme de son temps et de son pays, la France. Les aspects culturels auxquels il tient si fort en Alberta, la langue et la religion, forment les fibres de son être. De souche paysanne bretonne, aimant la terre et ayant longuement étudié comment la faire fructifier, il est heureux d'avoir l'occasion de mettre en pratique son savoir-faire dans son nouveau pays. Ayant l'expérience des méthodes nouvelles et des grandes plantations, il ne voit pas les choses à demi-mesure. Son expérience en ce qui concerne la religion catholique lui donne des armes pour défendre le français dans l'Ouest canadien; il s'en servira. Enfin, en 1909, âgé de 29 ans, muni de ses économies, il a surtout bien envie de venir connaître les dollars de l'Amérique.

---

75. Néomisite Mahé fait sa profession le 15 juin 1897 et elle prend le nom de Germaine du Roncier, en l'honneur de Notre-Dame du Roncier, madone de Josselin. Sœur Germaine est envoyée à Toulouse où elle travaille durant 37 ans à l'asile d'aliénés de Braqueville avant de prendre sa retraite, Congrégation des Filles de la Sagesse, Archives maison-mère, Saint-Laurent-sur-Sèvre, Vendée.

76. GC, Cartes postales de Louis Mahé à Alexandre Mahé.

77. Témoignage de Léonie Guillo.

# Chapitre III

## Vers l'Ouest canadien : voyage et installation

Le récit de son émigration qu'Alexandre Mahé a envoyé à son frère nous permet de raconter sa traversée de l'Atlantique et son voyage à travers le Canada et, aussi, d'examiner les raisons qui l'ont mené à s'installer à Saint-Vincent. Nous reprenons quelques extraits de sa narration, intéressants en soi, et nous résumons les passages pertinents. Autant que possible, nous avons tenté de fournir davantage de renseignements sur ceux qui entourent et côtoient le narrateur pour mieux situer son récit à l'intérieur du mouvement de la diaspora qui crée la francophonie de l'Ouest, plus précisément, albertaine. Comme les autres émigrants, Alexandre Mahé poursuit son rêve, mais il agit avec prudence, sans se laisser indûment influencer par qui que ce soit, et il s'informe des développements et des bonnes occasions afin d'atteindre son but. Beaucoup des renseignements qu'il trouve sont offerts à tous les voyageurs, la publicité du gouvernement fédéral et la presse aidant, mais les communications personnelles, orales et écrites, semblent lui être des sources précieuses. Durant son voyage, il a accès à la variante particulière du réseau de la diaspora française, que chaque immigrant devait vivre à sa façon d'ailleurs. Nous voyons ensuite comment le nouvel immigrant se débrouille dans son pays d'adoption.

### Le voyage transatlantique

Vers la fin de l'hiver 1910, Alexandre Mahé compose une longue lettre pour son frère Louis et les autres membres de sa famille[1]. Il écrit à l'encre

1. Lettre à Louis Mahé d'Alexandre Mahé, Lac-Saint-Vincent, Alberta. Nous utilisons notre transcription du manuscrit original; il n'est pas paginé.

dans un cahier d'écolier, un livret qui se vend alors à peu près cinq cents. Une mince reliure en carton souple le recouvre et sur celle-ci est imprimée en monochrome le logo du fabricant, un chef indien qui porte un gros bonnet de guerre à plumes, motif qui devait attirer l'attention des écoliers auxquels ce genre de fourniture était destiné. Moins dispendieux que du papier à lettre fin, le cahier est pratique pour l'auteur de la lettre étant donné les conditions primitives de son premier logis, une cabane en bois équarri, où l'unique table faisait office de pupitre. Les pages ont jauni avec le temps mais le simple fait qu'elles soient agrafées a contribué à la conservation de la lettre pendant toutes ces années, et c'est la seule que nous avons trouvée de cette époque.

Le récit de sa première année au Canada couvre cinquante-deux pages du petit cahier. La lettre de près de 6 000 mots est « en chantier » pendant au moins un mois et demi. Elle est commencée le 21 janvier et reprise le 11 mars lorsqu'il s'empresse de la terminer pour qu'elle puisse arriver à ses destinataires à temps pour Pâques[2]. Ce n'est pas la première des lettres qu'il adresse à sa famille. L'année précédente, il leur avait fait parvenir ses coordonnées et quelques petites missives et il avait reçu des nouvelles d'eux en retour, lettres et cartes adressées aux bureaux de poste d'Edmonton, de Végreville et de Lac-Saint-Vincent, dont quelques cartes ont été conservées. Sa famille ne devait pas trop savoir où il se trouvait exactement, car une des premières cartes est adressée à « M. Alex. Mahé, post office Edmonton, Alta, Canada, U.S.A »; d'Edmonton, on l'a fait suivre au bureau de poste de Lac-Saint-Vincent[3]. Quoi qu'il en soit, dans sa longue lettre, il explique que sa première année a été tellement mouvementée qu'il n'a pas eu le temps de s'asseoir tranquillement et de leur raconter tout ce qui lui est arrivé depuis son départ. La rédaction de cette missive est probablement motivée par la possibilité que son frère Bénoni (Émile) vienne le rejoindre, ce dont il fait mention dans sa lettre. Ainsi, nous croyons qu'en plus de raconter son voyage et son installation, il souhaite bien informer le ou les potentiels émigrants des péripéties du voyage et des risques et difficultés d'établissement pour un colon.

Le récit du voyage commence avec son départ du Havre, un an auparavant. La date n'est pas mentionnée ni le nom du navire sur lequel il fait le passage, les lecteurs de la lettre connaissant bien ces renseignements. Mais il note le temps de la traversée et on connaît la date de son arrivée à Edmonton; nous estimons que son départ a eu lieu le lundi 22 mars 1909. Il doit

---

2. Lettre à Louis Mahé.

3. GC, Collection familiale.

avoir quelques économies, puisqu'il voyage en deuxième classe. Embarquant vers midi, il écrit que le bateau quitte Le Havre quelques heures plus tard. Il s'agit sûrement d'un des quatre paquebots de l'Allan Steamship Line, la compagnie canadienne qui assure le service transatlantique régulier en partance de Londres et qui fait escale au Havre pour prendre les passagers de l'Europe continentale[4]. Le trajet dure douze jours. Durant l'hiver, le paquebot se rend à Halifax et à Saint-Jean au Nouveau-Brunswick et l'été, lorsque le fleuve Saint-Laurent est libre de glace, à Montréal[5].

La journée du départ est froide, pluvieuse et neigeuse. Les passagers de troisième classe subissent tous un examen médical, principalement de la vue, et quelques-uns se font refuser le droit d'embarquer. Le voyage est dur, la « mer grosse, jusqu'à la tempête, aussi, bien des pauvres diables eurent lieu de regretter leur première traversée[6] ». Mais ayant souvent voyagé en mer, il en a l'habitude : un peu indisposé au début, il se sent parfaitement à l'aise après quelques jours. Des deux à trois cents passagers à bord, une soixantaine sont en première et en deuxième classes.

> Parmi les passagers, il s'en trouvait de toute provenance, de toute classe et de toute catégorie. Depuis de pauvres hères crasseux et pouilleux sortant de je ne sais quel coin du fond de l'Europe, jusqu'à des hauts titrés de la fine noblesse française. Tous depuis le premier jusqu'au dernier sentaient la purée et battaient la dèche. Le Canada pour nous tous étaient [*sic*] la terre promise et plus d'un se prenait à rêver richesse et se trouvait finalement au réveil gros Jean comme devant[7].

Il est d'avis que, dans le nouveau pays, la prudence sera essentielle et qu'il vaut mieux ne pas trop rêver de faire fortune; il faut plutôt s'attendre à devoir travailler dur afin de réussir.

Un an plus tard, après réflexion, il admet qu'il aimerait bien que ses deux frères viennent le rejoindre, car à trois, le travail d'établissement serait beaucoup plus facile pour tous. Mais il ne veut pas trop influencer leur décision au cas où ils viendraient et seraient déçus, lui reprochant ensuite de les avoir encouragés à le suivre. De plus, si ses deux frères quittaient la France, leur vieille mère et leur tante bien-aimée se trouveraient sans leur soutien.

---

4. Allan Steamship Lines avait quatre bateaux à vapeur en service, le *Laurentian*, le *Sardinian*, le *Pomeranian* et le *Buenos-Ayrean*. Mais puisque les collections de microfilms des Archives nationales du Canada des listes de navires arrivés au port et des listes de passagers ne sont pas complètes, nous n'avons pu trouver la trace probante de l'arrivée du paquebot en question.

5. Pénisson, « L'émigration française au Canada », *op. cit.*, p. 79-80.

6. Lettre à Louis Mahé.

7. *Ibid.*

Durant son voyage, il note la présence de quelques compatriotes bretons à bord, dont une famille entière de Cleguérec dans le Morbihan, région bretonnante située à une quarantaine de kilomètres à l'ouest de Josselin.

> [...] une trentaine de personnes, partait s'établir au Canada, trois ou quatre enfants de dix à douze ans ne parlaient pas un mot de français. La vieille grand-mère, âgée de plus de soixante-dix ans, en gros sabots, était du voyage. Elle paraissait bien triste, mais ne pleurait cependant pas. Le spectacle de toute cette famille quittant son pays, offrait un des spectacles les plus tristes qu'il m'ait jamais été donné de voir[8].

En arrière-pensée, il ajoute une touche légère à son récit, qui devait sûrement plaire aux enfants qui entendraient la lecture de sa lettre. Le passager le plus intéressant à bord, écrit-il, est « un bambin anglais de trois ans à peine de sonné [*sic*] » qui fait le voyage seul pour aller rejoindre ses parents au Canada[9]. Sa nourrice l'a laissé à Londres. Rendu au Havre, l'enfant pleurait encore un peu, mais très vite, il s'est consolé et comporté comme chez lui; les passagers s'amusaient tous à le choyer.

Le voyageur profite de la traversée pour se renseigner sur l'Ouest canadien auprès des passagers qui connaissent déjà la région. Un paysan de Saint-Martin, à une vingtaine de kilomètres au sud-ouest de Guégon, habillé en blouse, portant de grosses galoches et un chapeau breton, se rend à Prince-Albert en Saskatchewan, où son fils est déjà installé. C'est avec plaisir qu'Alexandre lui parle en gallo, la langue de son enfance. Ce paysan est heureux de partir, mais il s'inquiète de se retrouver privé de cidre. « M'est avis à mai, disait-il en patois, que ce me sera ben dur de ne pus en biure[10]. »

Alexandre Mahé discute longuement avec un paysan breton originaire de Retiers en Ille-et-Vilaine qui retournait dans l'Ouest en compagnie d'une nièce et d'un neveu âgés de quinze et dix-huit ans, qu'il était venu chercher après la mort de leurs parents. « Il passait en troisième; ses habits et ses manières ne le faisaient point prendre pour bien cossu, néanmoins comme il était simple et affable, j'aimais beaucoup lui causer; d'autant plus qu'il me paraissait ne rien exagérer[11]. » Arrivé au Canada en 1901, avec six mille francs, ses débuts ont été bien difficiles, mais après huit ans, il cultivait soixante hectares de terre, possédait une trentaine de chevaux et un troupeau d'une soixantaine de bêtes à cornes.

---

8. *Ibid.*
9. *Ibid.*
10. *Ibid.*
11. *Ibid.*

À l'époque, il est impossible d'avoir soixante hectares en culture et un cheptel si important sans avoir accès à autant de terrain pour le pâturage des bêtes. Le *homestead* ordinaire, un « quart de section », comprend une étendue de 160 acres, environ 64 hectares[12]. Il est reconnu à l'époque que le fermier a besoin de cultiver une superficie beaucoup plus grande que celle qui est accordée par le gouvernement fédéral en lot de colonisation. Pendant un certain temps, car la loi est abolie en 1894 et remise en place en 1908, le droit de « préemption » permet au colon d'acheter le quart de section attenant au sien pour trois dollars l'acre, bien en dessous du prix courant; il est aussi possible d'acheter des terres directement d'une des nombreuses agences immobilières[13]. La possession de deux « quarts » (320 acres ou une demi-section) rendait possible la rotation des cultures tout en fournissant suffisamment de pâturage pour les animaux.

Dans ce pays de grands espaces et de grands moyens, il arrive que les cultivateurs n'essayent plus d'expliquer la taille ou l'envergure de leur exploitation aux étrangers, qui, entendant leurs propos, n'y voient que de la vantardise[14]. Donatien Frémont relate comment le colon Yves Ulliac, originaire de Gourin dans le Morbihan et installé en Alberta, écrivait fièrement à son frère que six ans après son départ de France, chacun de ses enfants possédait « plus de terre que le baron [de Gourin][15] ». La superficie des terres de l'Ouest est presque inimaginable pour les paysans européens, et même pour les habitants du Québec et de l'Ontario ainsi que pour les politiciens qui détenaient le pouvoir dans l'Est, pour qui le quart de section du colonisateur semblait énorme et bien suffisant pour entretenir une ferme familiale. Mais comme le signale l'historien L.G. Thomas, il était rare qu'un fermier puisse générer suffisamment de revenus d'un quart de section pour pouvoir augmenter la superficie de sa ferme[16]. En ayant davantage qu'un quart de section, les chances de succès étaient meilleures.

---

12. Voir annexe 1, Plan d'un canton.

13. Friesen, *The Canadian Prairies*, *op. cit.*, p. 184.

14. Témoignage de Jacques Dargis, cultivateur de Saint-Vincent, au sujet d'une visite chez des cousins du Québec durant les années 1960. Lorsque ceux-ci lui rendirent la pareille en Alberta quelques années plus tard, voyant l'ampleur de son exploitation, ils lui demandèrent pourquoi il leur avait amoindri les données concernant sa ferme lors de sa visite. Il leur demanda s'ils l'auraient cru, et ses cousins d'admettre que non, qu'ils auraient pensé qu'il ne faisait que se vanter. Entretien à Saint-Vincent, 9 novembre 1995.

15. En plus du *homestead*, ils avaient acheté la terre attenante, leur donnant 320 acres ou 128 hectares. Donatien Frémont, *Les Français dans l'Ouest canadien*, Winnipeg, Éditions de la Liberté, 1959, p. 135.

16. L.G. Thomas, « Associations and Communications », *Canadian Historical Association, Historical Papers*, 1973, p. 8.

Les chiffres que le fermier de Retiers cite au sujet de son cheptel lorsqu'il est sur le paquebot ne sont pas exagérés. Pour la bonne reproduction d'un troupeau, il faut avoir un nombre élevé d'animaux. Après tout, soixante bêtes à cornes peuvent très bien composer un troupeau de trente vaches et de trente veaux, dont presque la moitié est destinée à la vente annuelle. À cette époque, l'agriculture ne se fait qu'avec la traction animale, à l'aide des chevaux ou des bœufs. Les premiers travaux des champs sont très difficiles et il faut avoir suffisamment d'animaux de rechange, sans compter que certains d'entre eux sont périodiquement hors service (juments en gestation, poulains). Les attelages sont obligatoirement à équipages multiples, deux étant le minimum pour ce qui est des chevaux, mais ceux à quatre et à huit ne sont pas exceptionnels pour les grands travaux de défrichage et de charriage. Les chevaux travaillent plus rapidement que les bœufs, mais ils ont absolument besoin d'une nourriture agrémentée d'avoine pour les maintenir en bonne santé, denrée qu'il faut cultiver soi-même et qui requiert une superficie encore plus vaste que le blé. Les chevaux et les bœufs de trait ont une très grande valeur sur les marchés locaux et, en conséquence, les premiers cultivateurs arrivés sur place peuvent, avec un bon troupeau, obtenir un revenu considérable qui leur permettra de suppléer aux aléas des récoltes.

Il n'est pas précisé de quelle région de l'Ouest canadien vient ce cultivateur, mais il devait être installé dans un endroit qui affichait complet depuis longtemps, comme le sud de la Saskatchewan. Sans se sentir riche, l'ancien fermier de Retiers est assez à l'aise financièrement; il a une bonne maison et une écurie, construite l'année précédente. Comme le note Alexandre Mahé : « Le bonhomme de St-Martin ajoutait : “On verra ben comme ce sera”. Ces conversations me confirmaient dans ma première idée que j'allais dans un pays où il faut avoir du cœur au ventre pour arriver à quelque chose[17]. »

Lorsque le navire arrive à Halifax, les passagers de la troisième classe débarquent, tandis que ceux des première et deuxième poursuivent leur voyage jusqu'à Saint-Jean, au Nouveau-Brunswick. Le train mènera les passagers d'Halifax jusqu'à Montréal en empruntant la ligne de chemin de fer de la Compagnie du Grand Tronc. Cet arrangement donne à cette compagnie une portion du commerce important que les immigrants apportent au Canada. En attendant le départ du navire vers Saint-Jean, Alexandre Mahé et quelques autres passagers profitent de l'escale pour visiter la ville d'Halifax. Le climat y est à peu près semblable à celui qu'ils viennent de quitter en France. Par contre, son architecture étonne notre voyageur :

17. Lettre à Louis Mahé.

> [C'est] une vilaine petite ville, très commerçante, aux rues larges et boueuses, recouvertes par une multitude de fils télégraphiques, téléphoniques, etc. et bordées de maisons en planches, posées à la diable ne paraissant ni droites ni penchées. On a l'impression d'être sur un vaste champ de foire où toutes les roulottes se seraient débarrassées de leurs roues et auraient revêtu une toiture[18].

Le bateau devait quitter le port durant la nuit et, en attendant, comme la soirée était très belle, les passagers se divertissaient sur le pont en jouant à des jeux d'enfants :

> [...] à cache-cache, saute-de-mouton [*sic*] et autres enfantillages qui charmaient la longueur du temps; finalement, on tira la corde; d'un bout les Anglais, de l'autre les Français; ce furent les Français qui gagnèrent, ça eut l'air de froisser les Anglais, aussi leur accorda-t-on l'honneur d'une revanche qu'on eut bien soin de leur laisser gagner pour ne pas rompre la bonne entente cordiale[19].

Mais au lieu de partir, ils sont retenus au port par une tempête qui débute pendant la nuit et persiste toute la journée du lendemain. « Le vent sifflait lugubre dans les mâts et les cordages tandis que la pluie tombait à flots[20]. On regardait ce spectacle grandiose à travers les vitres des hublots, mais l'on n'avait nulle envie d'aller le contempler sur le pont[21]. »

## De Saint-Jean (Nouveau-Brunswick) à Montréal

En arrivant au port de Saint-Jean, Mahé et une petite bande de voyageurs débarquent pour faire un tour dans la ville; ils constatent que les coutumes du pays sont différentes de celles auxquelles ils sont habitués :

> Un Flamand qui nous accompagnait se trouvait précisément manquer de tabac, il secouait inutilement toutes les portes de boutique; ce qui lui donnait encore plus d'occasion de pester contre un tel pays, où l'on ne pouvait même pas fumer une pipe le dimanche[22].

L'arrivée au port de deux gros paquebots venus de Liverpool et d'Anvers, avec respectivement 800 et 300 émigrants, précipite la vérification des bagages par les douaniers qui « se montrèrent d'une exigence révoltante. La

---

18. *Ibid.*

19. *Ibid.*

20. Ces paquebots étaient encore équipés de mâts et de voiles malgré leur système de propulsion mécanique. Peter Hopwood note que la compagnie Allan a eu des difficultés à trouver le financement nécessaire pour construire de nouveaux navires et, au cours de 1909, elle a vendu son entreprise au Canadien Pacifique, voir « Allan, ligne maritime », *Encyclopédie du Canada*, Montréal, Stanké, 1987.

21. Lettre à Louis Mahé.

22. *Ibid.*

plupart des arrivants regimbèrent ferme et se refusèrent net à payer ce qu'on leur demandait, on finit par les laisser passer[23] ».

Ce genre d'observation pouvait être très utile pour ceux qui pensaient venir s'installer au Canada. Par endroits, la lettre présente des descriptions assez frappantes de ce que vivaient les immigrants. Cette citation, qui décrit le passage de la douane, en est un exemple [l'orthographe d'origine a été respectée] :

> Nous étions parqués dans d'immenses salles garnies de quelques bancs; c'est dire que sur les 12 ou 1 300 personnes qui attendaient la formation des trains pour l'Ouest, tous pour bien dire étaient debout. La vue de cette foule n'avait rien de réjouissant. Nous autres Français nous étions peu nombreux et chacun n'avait à s'occuper que soi-même. Mais beaucoup d'Anglais arrivaient avec leur famille, traînant des enfants en bas âge qui s'accrochaient en pleurant aux jupes de leurs mères ou se laissaient à moitié traîner par leurs pères. Ça vous donnait l'impression d'une foule de miséreux inconscients de leur situation et poussés par l'idée fixe que ce nouveau pays ne pourra jamais leur donner la somme de misère qu'ils avaient récoltés dans leur propre patrie[24].

Vers vingt-deux heures, les passagers montent finalement dans le train du Canadien Pacifique pour Montréal; au cours de leurs vingt heures de route, ils vont parcourir « 1 200 kilomètres à travers un pays couvert de neige, planté de forêts et clairsemé de maisons, villes et villages[25] ». Comme Alexandre Mahé n'aime pas tellement les villes, sa description de Montréal n'est pas très flatteuse; de son arrêt d'une journée, il retire l'avis que ses hôteliers sont « de fines fleurs de crapulerie[26] ». Le printemps n'est pas encore arrivé en ce début d'avril; le Saint-Laurent est encore pris dans les glaces et une épaisse couche de neige, que des charrues attelées de quatre chevaux défoncent avec peine, couvre les rues. La cité de 400 000 habitants a des rues « larges et bordées de beaux magasins, d'autres plus étroites attestant l'âge de la ville; toutes sont recouvertes par une multitude de fils de toutes grosseurs, posés à la diable et détruisant toute perspective ». Il note d'« affreux » gratte-ciel de cinq à dix étages et commente la richesse et la beauté des nombreuses églises. On s'imagine qu'en catholique pratiquant, il y entre en passant, le temps d'une messe ou d'une prière.

À Montréal (à la poste restante, sans doute) l'attend une lettre du frère d'un vieil ami du collège de Ploërmel. L'abbé Émile Nayl, qui est au Canada depuis quelque temps, est curé d'une paroisse en Ontario; il l'invite à s'arrê-

23. *Ibid.*

24. *Ibid.*

25. *Ibid.*

26. *Ibid.*

ter chez lui en passant – sa paroisse est à une heure de distance du chemin de fer et il viendrait le chercher à la gare. C'est une invitation qu'il accepte avec plaisir et il lui envoie un télégramme pour l'avertir de son arrivée le lendemain. L'abbé Nayl lui donne aussi les coordonnées d'un de ses amis, un Breton originaire des environs de Saint-Malo, qui est installé à Montréal. Toujours à la recherche de gens avisés, notre voyageur lui rend visite :

> Je trouvai un bon vivant; et un séjour de quelques jours eut sans doute fait de nous deux une paire d'amis. [...] Vous reviendrez vite par ici, me dit-il, quand vous aurez fait un tour dans l'Ouest; c'est un pays où quelques-uns réussissent mais où beaucoup échouent; le froid y est épouvantable et l'isolement démoralisant. S'installer sur une terre, c'est bon pour un homme qui a des enfants déjà grands, mais un garçon seul, ce n'est pas une vie, et puis c'est dur...[27]

L'ami débouche une bouteille de cidre pour l'occasion et l'assure qu'avec du courage, il est possible de se faire une position dans le Canada. Il lui raconte les avantages de Montréal : arrivé avec seulement dix cents en poche une dizaine d'années auparavant, il a exercé une multitude de petits métiers, entre autres, piocheur de glace, débardeur, croque-mort, avant de finalement devenir marchand. Il avait eu la chance de faire un rapide profit en vendant son premier petit magasin et, maintenant, il en possède deux autres.

Alexandre Mahé apprécie sa franchise et la façon dont il lui énumère « ses viscissitudes [*sic*] et ses succès [...] le plus simplement du monde, en homme qui ne doit rien aux autres et tout à lui-même[28] ». En se quittant, l'ami lui souhaite bonne chance, le prie de transmettre ses amitiés à l'abbé Nayl et lui dit au revoir et à bientôt, convaincu qu'il va vite revenir à Montréal. Le « bientôt » de la salutation ne sied pas du tout à Alexandre, car il n'a aucun désir de revenir de sitôt : [la ville] « ne me souriait pas du tout; je sentais que pour y vivre, il m'aurait fallu obéir à un patron, et rien que cette idée me déterminait ferme à ne jamais y mettre les pieds pour gagner ma gueuse de vie[29] ».

Il est possible qu'en passant à Montréal, il se soit rendu au bureau de l'abbé J.-A. Ouellette, alors employé de la Société de colonisation d'Edmonton qui fait la promotion de la colonisation en Alberta par des colons de langue française. Les journaux, omniprésents, facilitaient ce genre de contact; plusieurs numéros du *Courrier de l'Ouest*, hebdomadaire publié à Edmonton, avaient été reproduits à de très grands tirages et distribués au Québec, en Nouvelle-Angleterre et en Europe dans le but de renseigner ceux qui

27. *Ibid.*
28. *Ibid.*
29. *Ibid.*

pensaient s'installer dans les Prairies canadiennes. Rien de plus simple, en s'arrêtant à Montréal, que de se rendre au bureau de colonisation en passant pour prendre des nouvelles fraîches sur les occasions qui se présentaient. Nous savons qu'une quinzaine de jours avant le 10 avril 1909, date de l'ouverture de la colonie de Saint-Paul-des-Métis, Ouellette avait reçu un avis à cet effet du père Adéodat Thérien, directeur du projet[30]. Cela explique un peu mieux pourquoi le séjour subséquent d'Alexandre Mahé chez l'abbé Nayl est écourté.

## Vers les Prairies canadiennes

Notre voyageur reprend le train vers l'Ouest le soir du mardi 6 avril. Il retrouve dans son wagon des Anglais avec qui il a fait la traversée transatlantique et qui se rendent à Vancouver. Ils ont sept jours de voyage en train à faire, sans interruption ni correspondance. Comme il arrive lorsqu'on est pressé, le train est retenu en cours de route, à cause d'un accident qui est survenu à un autre train, et au lieu d'arriver, comme prévu, à dix heures à Warren, localité située à mi-chemin entre North Bay et Sudbury, il n'y parvient qu'à dix-sept heures. L'abbé Nayl l'attend et même si les deux compatriotes ne se connaissent pas personnellement, ils se retrouvent facilement, ressemblance de famille ou habit clérical aidant.

Ils font la route en traîneau jusqu'à Saint-Charles, mode de transport qui est une nouveauté pour le voyageur français, car il ne neige pratiquement jamais en Bretagne. Le temps est assez doux, puisqu'il remarque que malgré la neige, il n'est pas nécessaire de porter des gants. Il décrit de près le paysage et la région :

> Le pays est boisé, assez plat, mais beaucoup de roches; somme toute, ça ne me donnait pas l'impression d'une riche contrée. St-Charles est une paroisse uniquement composée de Canadiens français. On y compte environ 1 200 âmes. Le village se compose de l'église, du presbytère, de deux ou trois magasins, d'un hôtel et d'une école; on y trouve la poste et le téléphone; un docteur réside au village. [...] ouverte voilà quelques douze ou treize années [...] L'hiver les jeunes gens et les hommes vont généralement travailler au chantier où ils gagnent de bons salaires qu'ils s'empressent de dépenser le plus vite possible. L'été, ils cultivent la terre; le foin constitue la principale récolte, et le plus clair de leur revenu leur est fournit [*sic*] par le lait qu'ils livrent aux fromageries. Le défrichement est long et pénible; la terre s'y épuise rapidement, surtout que les cultivateurs ont la routine de semer grain sur grain sans jamais employer d'engrais. On y voit quelques maisons coquettes qui suintent l'aisance[31].

30. Painchaud, *Un rêve français*, *op. cit.*, p. 158; Éméric Drouin, *Joyau dans la Plaine*, Québec, Nicole, 1968, p. 308-310.

31. Lettre à Louis Mahé.

Il note que l'abbé Nayl gagne un assez bon revenu dans sa paroisse, criant famine de temps à autre et faisant des levées de fonds pour survive; pour les plus scrupuleux qui liront ou entendront la lettre, il spécifie entre parenthèses que « ce n'est pas pour en dire du mal[32] ». Le voyageur est bien accueilli et même si on lui assure qu'il peut rester aussi longtemps qu'il le veut, il est pressé et ne s'arrête que deux jours. En partant, l'abbé lui donne les coordonnées de quelques-uns de ses anciens paroissiens dorénavant installés à Edmonton et dans le Nord-Est de l'Alberta, notamment, celles de la famille de Joseph Limoges. Ce contact s'avérera utile. Limoges venait de choisir un *homestead* non loin du lac Saint-Vincent, à une vingtaine de kilomètres au nord de Saint-Paul-des-Métis, région où s'installaient beaucoup de Canadiens français. La localité de Warren était connue des colons de Saint-Vincent. Des membres de deux autres familles de la paroisse y avaient travaillé et vécu pendant un certain temps[33].

Sa visite à Saint-Charles, même si elle fut de courte durée, eut des conséquences agréables pour le jeune colon français, car on dit que c'est durant ce bref séjour qu'il fit la rencontre de Joséphine Nayl, la sœur d'Émile, qui travaillait pour son frère comme cuisinière-ménagère. On suppose que tout naturellement, comme son frère, elle était contente de rencontrer un compatriote, ami de leur frère Jean, qui apportait avec lui des nouvelles toutes fraîches de Josselin, leur région d'origine. Mais à cette histoire s'ajoute une petite intrigue : tout indique que le couple ne faisait que profiter de cette visite pour renouer une amitié déjà bonne. Ironiquement, de leur vivant, personne de la famille ne s'est vraiment soucié de découvrir l'histoire de la rencontre du couple; on dit qu'ils ne se connaissaient pas avant de se rencontrer au Canada, mais que les familles se « bonjouraient » et que la relation ne se consolida qu'entre 1909 et 1910[34].

Une lecture attentive des documents de famille nous a donné raison de contredire l'histoire orale. Deux cartes postales de scènes typiques de la Bretagne, du genre qu'Alexandre Mahé aimait collectionner, conservent les traces d'une amitié qui remonte au moins à l'été 1908. Les cartes illustrent des scènes de vie dans la région de Ploërmel : la première présente la préparation

---

32. *Ibid.*

33. La famille de David Gervais est venue de Warren s'installer en Alberta en 1908 et à Saint-Vincent en 1911 et celle de Louis Martin, dont deux garçons, Ovila et Arthur, qui avaient travaillé pendant quelques années à Warren avant de prendre des terres à Saint-Vincent; Edna Gervais Tremblay, « Gervais, David », *Souvenirs, op. cit.*, p. 228; « Martin, Arthur », *ibid.*, p. 312.

34. Témoignage de René Mahé.

d'un repas de noce et la deuxième, un rebouteux remettant un bras démis[35]. Adressées à son nom, mais à deux différentes adresses parisiennes, seulement une des cartes a été envoyée par la poste (en septembre 1908). La deuxième n'est ni datée (autre que « samedi 7h. matin »), ni affranchie. Dans les deux cas, l'écriture est la même et il s'agit de celle de Joséphine Nayl. Les cartes laissent entrevoir une certaine intimité, la première est signée « Amitiés, gros baisers de Josée »; la deuxième l'est dans le même genre : « Pense à vous, bons baisers », ce qui laisse entendre que le couple se connaissait et se fréquentait et que les intentions étaient sérieuses. Joséphine Nayl est toujours en France en septembre 1908, mais elle est probablement venue au Canada durant l'automne, peut-être accompagnée de son frère (bien qu'il soit possible qu'elle ait voyagé seule et ait rejoint son frère déjà sur place en Ontario). Quoi qu'il en soit, une photo d'elle, prise avec son frère lors de son arrivée à Saint-Charles, indique une journée d'automne, car il n'y a pas de neige au sol et l'herbe semble encore fournie.

Comment expliquer cette version de l'histoire selon laquelle ils ne se connaissaient pas auparavant ? Il est raisonnable de penser que le couple avait préféré attendre que l'installation sur le *homestead* soit déjà faite pour se fiancer. Bien d'autres couples en faisaient autant, les femmes venant rejoindre leur conjoint aussitôt qu'un logement était construit et que les premiers travaux de défrichement étaient entrepris. La décision de la jeune femme de venir au Canada fut probablement précipitée par d'autres circonstances; par ailleurs, si le couple n'avait pas eu le temps de formaliser leur relation par une demande en mariage avant le départ de Joséphine, on sait que les Nayl étaient dans le deuil à la suite du décès de Désiré Nayl, le père de la famille. À l'époque, dans ces circonstances, la tradition voulait que l'on porte le deuil pour une période prolongée, parfois une année entière. Dans cette situation, il n'était pas question de mariage, cela aurait probablement soulevé un tollé général dans la famille en plus de faire jaser les voisins au sujet du couple qui partait pour l'étranger.

Des témoignages nous aident à mieux comprendre le raisonnement d'Alexandre Mahé et de sa future épouse à ce sujet. On rapporte une conversation entendue entre lui et le curé de la paroisse vers 1937 au sujet des affaires du cœur. Dans la vie, aurait-il dit, il est tellement rare que l'on puisse vraiment décider librement, généralement ce sont les circonstances qui le font, que choisir un compagnon ou une compagne devrait être une décision prise par le couple concerné, et nul autre[36].

---

35. Collection de Germaine Champagne.

36. Témoignage de Laura Forrend nous rapportant la réponse d'Alexandre Mahé à l'abbé Charles Chalifoux, curé de la paroisse, qui lui avait demandé s'il avait l'intention d'intervenir

Comme Alexandre Mahé, Joséphine Nayl avait subi le bouleversement causé par la séparation de l'Église et de l'État en France; novice dans une congrégation religieuse qui fut dissoute, elle voulait devenir enseignante[37]. Nous n'en connaissons pas beaucoup plus à ce sujet. En 1909, elle avait déjà trente ans. À l'époque, certains pourraient la croire « vieille fille » et presque trop âgée pour se marier; c'était peut-être le cas au Canada, mais en France, les mariages se faisaient souvent assez tardivement, surtout à cause du service militaire obligatoire pour les hommes. Une photo d'elle prise avant son départ de France nous montre une jolie femme au regard soucieux, mince de figure, vêtue sobrement de noir, assise à côté de Jean, son frère préféré, qui se tient debout, vêtu d'un complet et portant un chapeau melon (voir photo en annexe). Joséphine n'était pas très grande, environ un mètre soixante-cinq; ses cheveux étaient d'un châtain pâle et ses yeux clairs, au point d'être ambrés.

Comme la famille Mahé, la famille Nayl est très croyante et active dans sa vie religieuse. Le parrain de Joséphine, son oncle Émile Nayl, précède son neveu Émile dans les ordres. Jean, qui a fait ses études avec Alexandre Mahé, travaillera à Bruxelles[38]. Le père, Désiré Nayl, est artisan, spécialisé dans la réparation des engrenages de moulins, métier très en demande dans les nombreuses minoteries le long de l'Oust. Son épouse, Désirée Pressart, travaille chez des bourgeois de la ville. Elle s'occupe des enfants, fait des ménages et des lessives et ramène parfois des restes de grands repas à la maison. Lorsque les enfants de la bourgeoise sont vaccinés contre la variole, Désirée s'auto-inocule et, à son tour, inocule ses enfants et ceux du voisinage. La maladie était non seulement dangereuse, mais défigurante, particulièrement désastreuse pour une fille, gâchant généralement toutes ses chances de faire un bon mariage[39]. De plus, le vaccin coûtait très cher. Si cette pratique d'auto-vaccination est connue à l'époque, elle est aussi le sujet de très grandes controverses avant qu'elle ne soit acceptée, ce qui nous indique une certaine ouverture envers les sciences et la modernité dans cette famille.

Des photos des parents de Joséphine, datant de 1890 et prises lors d'une visite à Paris, les montrent habillés pour le voyage; sa mère ne porte pas le costume traditionnel breton ni la coiffe. Par contre, il est possible que

---

et d'empêcher le projet de mariage de sa fille Germaine en 1937. Cette dernière se souvient aussi d'avoir entendu sa mère parler avec son père de leurs vieilles tantes « qui se mêlaient toujours des affaires qui ne les concernaient pas ».

37. Témoignage de Germaine Champagne.

38. Cuisinier de profession durant la guerre de 1914, il travaille dans ce domaine au sein de l'armée française où il meurt subitement d'une pneumonie en 1917.

39. Témoignage de Germaine Champagne.

comme ses sœurs, elle le revêtait toujours au pays. Fillette, Joséphine portait un bonnet de dentelle le dimanche, une partie de l'apparat traditionnel qui n'est pas répertoriée dans les livres sur le costume breton et qui semble avoir été oubliée. En somme, Joséphine Nayl vient d'une famille ouvrière aux moyens modestes, ouverte au progrès et dont les enfants, qui ont fait des études, sont passablement affectés par les répercussions politiques de la séparation de l'Église et de l'État. Tel que mentionné ci-dessus, elle ne parle que le français, mais nous ne savons rien des idiomes de ses parents.

Après son émigration au Canada, Joséphine Nayl ne revint jamais dans son pays d'origine. Sa fille nous a souvent raconté comment sa mère était tourmentée par le désir d'y retourner en visite avec son mari et ses enfants. Sa nostalgie était si forte qu'elle en faisait presque une maladie. Toujours, il y avait un projet de voyage en marche pour lequel elle mettait de côté l'argent de la vente des produits de la basse-cour de la ferme, les œufs, la crème, considéré comme le revenu de la fermière. Le voyage était toujours à venir, « l'année prochaine, après la vente du blé » ou aussitôt que telle ou telle dette serait remboursée. Il était prévu pour la famille entière afin que les trois enfants puissent rencontrer leurs parrains et leurs marraines ainsi que leurs cousins. Et là, ils visiteraient la basilique Notre-Dame-des-Ronciers à Josselin, iraient en pèlerinage à Sainte-Anne-d'Auray, verraient Paris, la Bretagne et la mer, mangeraient les mets du pays : les galettes bretonnes, la crêpe dentelle, du poisson de mer. Inévitablement, une cause plus pressante survenait et pour éponger la nouvelle crise, elle contribuait encore une fois avec ses épargnes. Après la disparition de sa famille immédiate, elle a perdu le goût de revoir son pays natal[40]. Elle était parfois clairvoyante, sachant que sa mère était décédée trois semaines avant de recevoir la lettre qui lui annonçait sa mort. Issue d'un milieu urbain, elle ne s'habitua jamais vraiment à la vie à la campagne, mais malgré cela, contrairement à beaucoup d'autres femmes dans la même situation, les grands espaces de l'Ouest et la solitude ne lui inspiraient aucune crainte. Pétrie des anciennes croyances bretonnes, Joséphine Nayl a toujours cru que, où qu'elle soit dans le monde, les esprits de ses ancêtres veillaient sur elle en tout temps et la protégeaient du mal[41].

Dans la lettre d'Alexandre Mahé à son frère, commencée le 21 janvier 1910, aucune mention n'est faite d'un projet de mariage, mais arrivé au Canada depuis presque un an, il doit pourtant y songer. Rendu sur sa concession, tout comme il en avait été averti à Montréal, les désavantages de la vie de célibataire et de colon devenaient clairs, car il faut « tour à tour et tout

40. Témoignage de Germaine Champagne.

41. Témoignage de Joséphine Nayl à l'auteure.

à la fois [être] : bûcheron, charpentier, puisatier, trappeur, voyageur, boucher, cuisinier et boulanger, à l'occasion médecin et rebouteur; et tout l'été, défricheur et laboureur[42] ». De plus, il a ouvert un petit magasin, pour lequel il doit constamment être disponible pour servir les clients. S'il est malcommode d'être seul, ce n'est pas seulement pour les affaires et pour tenir la maison. Il ressent la solitude, même s'il écrit à son frère que « ce n'est pas les voisins qui me manquent, j'en ai de tous côtés. M. Limoges habite actuellement à cinquante mètres de chez moi, et comme il a deux filles à marier, je suis en bon voisinage, quoique sans intention aucune[43]. » En lisant la lettre, on comprend que la compagnie de ses frères serait la bienvenue, mais de sa petite cabane, les avantages d'avoir une épouse comme Joséphine Nayl lui deviennent sans doute évidents, s'ils ne lui sont pas déjà évidents en quittant Saint-Charles, voire, tel que mentionné, la France.

Entre-temps, l'abbé Nayl, qui veut perfectionner son anglais, est chargé d'une nouvelle paroisse, à Fayette ou à Garden, petits villages situés sur une presqu'île de la rive nord du lac Michigan aux États-Unis[44]. Sa sœur l'accompagne, mais de son expérience américaine au bord de ce grand lac, nous ne savons que peu de choses. Elle apprend un cantique en anglais, qu'elle aime chanter, mais à part cela, elle n'apprend que très peu la langue chez les Américains (encore moins en Alberta). De la correspondance et des fiançailles du couple, il ne reste que deux cartes postales, sans date; les lettres qui ont dû exister ont disparu. L'une des cartes, photo de la rue principale de Garden, est signée « un gros baiser de ta Josée ». L'autre, venue de France, est celle d'une amie ou d'une cousine d'Alexandre Mahé qui félicite la fiancée et lui assure qu'elle a fait un très bon choix de mari[45].

En partant de la gare de Warren, Alexandre Mahé poursuit son chemin jusqu'à Calgary et relate de nombreuses observations dans sa lettre : le manque de fertilité du Bouclier canadien, ses impressions de Port Arthur et de Fort William[46], villes en tête de ligne des navires qui transportent le blé de l'Ouest directement en Europe. « Figure-toi, ajoute-t-il, qu'on se trouve déjà à plus de 2 000 kilomètres de la mer ! » Il mentionne la spéculation foncière des compagnies de chemin de fer, l'ennui de la prairie canadienne, les pau-

---

42. IRFSJUA, Alexandre Mahé, « Quand ils voient leurs prêtres à eux », brouillon manuscrit d'un texte soumis au *Travailleur*, non publié.

43. Lettre à Louis Mahé.

44. Émile rentra plus tard à Josselin pour y prendre sa retraite. Il continua à chanter des messes et à travailler de temps à autre comme guide dans la région auprès des nombreux touristes anglais. Collection de cartes postales et témoignage de Germaine Champagne.

45. GC, Carte de Lucie Chaperon à Alexandre Mahé, Dieppe, France, s.d.

46. Aujourd'hui Thunder Bay.

vres huttes en tourbe qu'il observe en passant et la ville champignon de Winnipeg. Il donne aussi une longue description de l'efficacité du wagon *colonist* dans lequel il voyage, parlant de la suspension merveilleusement souple et du voyage de cinq jours (Montréal-Calgary), moins fatiguant qu'un voyage de Paris à la Bretagne.

Il arrive à l'aube à Calgary, où il doit changer de train. En attendant, il fait un petit tour matinal dans la ville, accompagné de deux Canadiens français rencontrés en route qui, comme lui, attendent le train de huit heures pour Edmonton. Il admire la ville. Sise au pied des Rocheuses à la frange de la prairie, elle a alors une population de 20 000 habitants, des rues « tirées au cordeau, bien pavées et bordées de bâtiments neufs et bien construits [...] un important centre de trafic et le croisement de quatre lignes de chemin de fer[47] ». Une petite couche de neige fraîchement tombée craque sous les pieds comme du sable fin. Mais le froid vif et pinçant coupe l'envie des voyageurs de contempler en plein air la nouvelle ville et sa vue saisissante des Rocheuses et ils se réfugient dans un restaurant « mi-blanc, mi-chinois ». Les Chinois, qui ont travaillé en grand nombre à la construction des chemins de fer, ont ensuite ouvert des centaines d'établissements semblables, ainsi que des buanderies, un peu partout. Dans sa lettre, il explique qu'il n'était pas impressionné par leur cuisine, la trouvant infecte, mais il note que ses compagnons devaient réellement avoir faim, puisqu'ils ont mangé sans sourciller.

En approchant d'Edmonton, le paysage albertain lui plaît de plus en plus. De Calgary, c'est un trajet de huit heures en train avec de nombreux arrêts le long des 300 kilomètres de rail. En allant vers le Nord, le terrain devient plus boisé, et plus accidenté aussi. Son voyage s'effectue au début d'avril, et dans cette zone souvent favorisée par les vents doux du chinook, il constate que le sol est découvert et que de nombreux fermiers travaillent aux labours du printemps. Le soleil est chaud en descendant au terminus de Strathcona, ville située « en face d'Edmonton et séparée de cette dernière par la profonde et étroite vallée de la Saskatchewan[48] ». Il prend l'omnibus qui le mène sur l'autre rive et, à 18 heures, il arrive chez les Limoges, les Canadiens français dont l'abbé Nayl lui avait donné l'adresse en partant de Saint-Charles. Il est bien accueilli chez eux, où il semble avoir logé pendant au moins une quinzaine de jours.

---

47. Lettre à Louis Mahé.

48. En service jusqu'à très récemment, cette gare est situé au coin sud-est du carrefour de l'avenue Whyte (82e Avenue) et de la 104e Rue, mais elle a trouvé une nouvelle carrière comme café-bar.

## Sur le chemin de Damas – vers Saint-Paul-des-Métis

En arrivant à Edmonton, notre voyageur retrouve les Canadiens français de cette ville et des régions environnantes aux prises avec une activité fébrile. Le lendemain de son arrivée, le 10 avril, sans tarder, il se rend s'inscrire au bureau des Terres, prenant une concession d'un quart de section dans un des quatre cantons de l'ancienne colonie de Saint-Paul-des-Métis. Ce territoire vient justement d'être ouvert au public deux jours plus tôt. Il est possible que Mahé soit arrivé par hasard juste au moment de l'ouverture de la colonie, mais il nous semble plus probable qu'il en ait été informé auparavant.

Entre 1896 et 1909, avant de devenir une communauté rurale peuplée par des colons canadiens-français, Saint-Paul-des-Métis, comme son nom l'indique, est d'abord un refuge pour une centaine de familles métisses venues d'un peu partout des Prairies canadiennes[49]. Essentiellement, la colonie vise à aider les Métis indigents en leur enseignant comment pratiquer l'agriculture. C'est un projet qui a été monté par les missionnaires oblats et financé par des dons privés, le gouvernement fédéral n'intervenant que pour voter une loi qui réserve quatre *townships* dans un bail de vingt et un ans au comité organisateur de la colonie.

La colonie de Saint-Paul-des-Métis est avant tout une œuvre utopique, même si les spécialistes de ce sujet dans l'histoire de l'Ouest ont oublié de l'inclure dans cette catégorie[50]. Pourtant, on ne saurait s'y tromper. Située à 200 kilomètres au nord-est d'Edmonton, elle est extrêmement isolée et le choix de cet emplacement n'est pas fait au hasard. Il est vrai que l'endroit désiré, plus au sud, est déjà réservé aux *homesteaders*[51]. Si l'éloignement des « effets néfastes » de la civilisation est généralement l'objectif principal des colonies utopiques, comme il l'est pour Saint-Paul-des-Métis, invariablement, à la longue, ce facteur leur est nuisible. Sans l'accès à un marché à proximité, il est impossible de générer un revenu viable, condition qui en-

49. Drouin, *Joyau dans la Plaine, op. cit.*; Marcel Giraud en fait mention dans son œuvre *Le Métis canadien*. George F.G. Stanley a aussi préparé un article important sur cette colonie, voir « Alberta's Half-Breed Reserve, Saint-Paul-des-Métis, 1896-1909 », *The Other Natives/the-les Métis*, Vol. 2, *1885-1978*, Antoine Lussier and D. Bruce Sealey, eds., Winnipeg, Manitoba Metis Federation/Éditions Bois-Brûlés, 1978, p. 75-107.

50. Friesen, *The Canadian Prairies, op. cit.*, p. 70-71; Rasporich, « Utopian Ideals and Community Settlements », *op. cit.*, p. 338-361.

51. On aurait aimé placer la réserve dans la région de Red Deer, lieu traditionnel de rencontre des chasseurs métis depuis plusieurs générations, au lac de la Vache, maintenant connu comme Buffalo Lake.

traîne l'échec en dépit des intentions les plus honorables. Mais en 1896, en établissant la colonie, les missionnaires oblats, le père Albert Lacombe et son collègue, le père Adéodat Thérien, ne font que reprendre les idées que préconise leur congrégation depuis une cinquantaine d'années[52]. Ils reconnaissent que leur projet est utopique[53]. Éméric Drouin précise que le père Thérien caresse aussi le rêve « de la formation d'un nouveau Québec dans les prairies, tout en les résorbant [les Métis] dans une des deux races qui leur a donné naissance[54] ».

Étant donné l'absence de financement de la part du gouvernement fédéral, la colonie vit de dons et le projet d'enseigner l'agriculture aux Métis bat de l'aile faute de moyens pour obtenir les outils aratoires nécessaires. Puisque la plupart des Métis sont démunis à leur arrivée, ils ne parviennent pas à cultiver suffisamment pour vivre, encore moins pour en retirer des bénéfices. Beaucoup d'entre eux s'éloignent pour travailler autrement, pour vivre de chasse, faire de la trappe, de la pêche et de la cueillette. Les seuls qui gagnent bien leur vie sont les quelques grandes familles métisses qui, dès la fondation de la colonie, se sont installées pour faire de l'élevage sur les terres libres à l'extérieur de la réserve, où les lacs, les grandes prairies et les marais à foin abondent[55]. Ces éleveurs ne sont pas des parvenus, ils ont des troupeaux allant de 200 chevaux à 1 400 bêtes à cornes[56]. L'accès au marché n'est pas un problème pour eux, car les troupeaux s'y conduisent sur pied. De plus, puisque les colons qui s'installent dans les Prairies ont besoin d'animaux de trait, les chevaux et les bœufs se vendent facilement. Drouin note le cas d'un Métis qui vend d'un coup quatre-vingts paires de bœufs à 100 $ chacune et, dans une deuxième transaction, plusieurs paires à 125 $ chacune[57]. La colonie métisse vivote à côté de ces entrepreneurs à grands moyens, qui appor-

---

52. Selon Drouin, Mgr Taché et le père Vital Fourmond avaient chacun eu l'idée de créer une colonie métisse, projets qui n'aboutirent point, *Joyau dans la Plaine*, p. 6-7. Claude Champagne examine la question du projet de « civiliser » des autochtones par les missionnaires oblats dans *Les débuts de la mission dans le Nord-Ouest canadien. Mission et Église chez Mgr Vital Grandin, o.m.i. (1829-1902)*, Éditions de l'Université d'Ottawa, 1983, p. 173-205.

53. Le père Lacombe rallie les Métis en trois langues dans sa circulaire de promotion et il réfère à la colonie comme un « Eden ». Drouin mentionne aussi que le père Thérien trouvait que la fondation était utopique, *Joyau dans la Plaine*, p. 3 et 52.

54. *Ibid.*, p. 10.

55. Drouin élabore longuement sur leurs origines dans *Joyau dans la Plaine*. La colonie Laboucane (devenue Duhamel), d'où plusieurs d'entre eux sont originaires, a aussi été étudiée par William C. Wonders, « Far Corner of the Strange Empire », *Great Plains Quarterly*, Spring 1983, p. 92-108.

56. Drouin, *Joyau dans la Plaine*, p. 202-203.

57. *Ibid.*

tent avec leurs troupeaux le seul commerce de la région et qui donnent un peu de travail à leurs compatriotes métis.

En 1905, l'incendie criminel de l'école-pensionnat de la colonie sonne la fin du projet et son échec. Le conseil de la colonie se laisse facilement convaincre que la réserve doit être abandonnée, comme l'écrit Mgr Adélard Langevin, son président d'honneur :

> Nos pauvres gens [les Métis] ne sont pas capables d'utiliser et de conserver le riche héritage que le P. Lacombe a su leur procurer, et si vous taillez dans cette réserve de belles paroisses catholiques, ce sera un événement heureux bien propre à nous consoler de la négligence de nos chers enfants de la prairie[58].

Pragmatiques, les résidents de Saint-Paul-des-Métis sont aussi d'avis qu'il est mieux de fermer la colonie. Ils ne sont pas obligés de partir; ceux qui veulent rester sur leur petite exploitation de quatre-vingts acres ont droit à 80 acres de plus, tout comme pour les *homesteads*. Mais s'ils préfèrent, ils peuvent prendre une terre ailleurs et tenter leur chance autrement. Ainsi, après une dizaine d'années d'efforts, en dépit de l'aide financière des amis hauts placés du père Lacombe, l'œuvre sombre. Trois ans plus tard, les quatre cantons sont ouverts au grand public.

Déjà en 1906, les premiers squatters s'installent dans les environs du lac Saint-Vincent au nord de la colonie, même si la région n'est pas tout à fait arpentée et ne sera ouverte officiellement qu'en janvier 1907. Normalement, les nouveaux territoires arpentés ne s'ouvrent à la colonisation qu'au fur et à mesure que la voie ferrée relie l'endroit à l'extérieur pour assurer aux colons un accès au marché mondial, essentiel pour la vente du blé. Mais le député fédéral de cette circonscription, le ministre de l'Intérieur Frank Oliver, doit son poste à Ottawa au soutien du père Thérien et à l'appui du vote métis de la colonie[59]. Le père obtient que le politicien lui remette la « faveur » et il met en marche son « plan deux » pour la colonie, lequel est d'encourager des colons canadiens-français à s'y installer et de créer un « nouveau Québec » dans la prairie du Nord-Est de l'Alberta.

Mais, premièrement, il faut démanteler la colonie métisse. Puisqu'une loi spéciale avait été créée pour l'établir, il faut en retour voter une loi au Parlement fédéral pour la défaire. Enfin, en avril 1909, tout est prêt. Puisque l'ouverture d'un territoire est un événement très anticipé par les colons, des règlements stricts sont instaurés pour faire face aux ruées impressionnantes que ces cessions de terres occasionnent, surtout si une région est pressentie comme ayant un avenir prometteur. Mais Frank Oliver assure que, par pré-

---

58. *Ibid.*, p. 275.
59. *Ibid.*, p. 221.

caution, les annonces concernant l'ouverture du territoire seront dissimulées, manœuvre qui frôle l'illégalité. La date d'ouverture n'est pas dévoilée au grand jour : seuls les Canadiens français sont au courant de l'affaire, qu'ils gardent dans le plus grand secret, bien sûr[60] !

Le vendredi 10 avril 1909, une longue queue se forme devant le bureau des Terres à Edmonton où, depuis la veille, trois jeunes Français tiennent « sans arrêt la poignée de la porte[61] ». Un informateur de Drouin précise que pendant un an, le père Thérien, qui préférait de loin les colons canadiens-français aux ressortissants français, avait laissé ces trois colons dans l'expectative concernant l'ouverture de la colonie. Leur présence indique qu'ils étaient au courant de la ruse du missionnaire-colonisateur, mais qu'ils savaient aussi que légalement, il était impossible de les empêcher de s'inscrire[62]. Dans une ébauche de roman préparée bien des années plus tard, Alexandre Mahé décrit cette ruée : malgré la neige et le froid, son héros reste trois jours dans la queue tout en vendant sa place plusieurs fois, à un profit toujours croissant, à des individus qui désirent à tout prix une terre en particulier[63]. Il est estimé que le nombre d'hommes qui se présentent durant ces trois jours se situe entre 150 et 300[64]. C'est la première fois que « the French » réussissent le coup de dominer la prise d'un territoire, au grand dam des déçus et à la grande satisfaction des « Canadiens ». Ces derniers sont persuadés qu'ils font une bonne affaire en s'installant à Saint-Paul-des-Métis et ils sont certains qu'ils se débrouilleront bien mieux que les derniers occupants, convaincus, comme l'écrit aussi Alexandre Mahé, que les Métis de la colonie « n'y avaient absolument rien fait[65] ». Mais les colons ne sont que des débutants dans ce pays et ils verront à leur tour les difficultés que l'endroit leur réserve. La misère et la pauvreté seront longtemps présentes dans la région.

Alexandre Mahé arrive pour le jour de l'ouverture du territoire et, comme les autres, il s'empresse de se faire dûment accorder un *homestead*, mais il est tard et les meilleurs endroits ont déjà été pris. En faisant une recherche pour le comité historique de Saint-Paul dans les registres des terres, il y a une quinzaine d'années, Germaine (Mahé) Champagne découvre par hasard le nom de son père sur un *homestead* au bord du lac Owlseye[66].

---

60. *Ibid.*

61. *Ibid.*, p. 311.

62. APA, 71,220, 6433, notes de recherche d'Éméric Drouin, « Entretien avec Clovis Therrien, 11/9/53 ».

63. Alexandre Mahé, Ébauche de « *Du Sahara aux Glaces Polaires* », IRFSJUA, s.d., non indexé.

64. Drouin, *Joyau dans la Plaine*, p. 315.

65. Lettre à Louis Mahé.

66. Témoignage de Germaine Champagne.

Fort étonnée, car elle ne se souvenait pas d'avoir entendu son père parler de cette terre, elle consulte son frère à ce sujet. Il se rappelait vaguement que leur père avait trouvé cette terre trop mal placée pour ses projets étant donné qu'il n'y avait pas suffisamment de Canadiens français dans cette région. Ainsi, il n'était même pas allé inspecter le quart de section et il l'avait tout simplement échangé au bureau des Terres pour le *homestead* de Saint-Vincent. Par ce geste, on constate que malgré tout ce qui se disait sur le potentiel de Saint-Paul-des-Métis, Alexandre Mahé jugeait qu'il valait mieux s'installer ailleurs. Il ne fait aucune mention de l'ouverture de la colonie dans la lettre à son frère, mais on voit que, dès son arrivée, il s'associe immédiatement aux Canadiens français et qu'il est heureux de travailler avec eux pour un avenir commun. Dans le brouhaha de l'attribution des terres à Edmonton, il prend un *homestead*, tout en sachant qu'il peut l'échanger contre un autre. De plus, le cas échéant, il avise probablement le père Thérien, qui se charge de trouver un autre colon de langue française pour cette propriété dans les environs de Saint-Paul-des-Métis.

Après avoir obtenu ce premier *homestead*, Alexandre Mahé reste encore deux semaines à Edmonton à la recherche de travail, car le froid a repris et ce n'est pas le meilleur moment pour inspecter une terre. Ubald Limoges, un membre de la famille chez qui il loge, est employé comme commis au magasin des marchands Gariépy et Lessard situé sur l'avenue Jasper, rue principale de la ville[67]. Pour essayer d'augmenter ses ressources financières en attendant l'arrivée du printemps et ayant amplement d'expérience dans les maisons de commerce, il cherche un emploi semblable, sans succès, même si la ville est en plein essor. Il essaie à une dizaine d'endroits, mais son anglais encore médiocre joue contre lui. Il reçoit cependant une réponse favorable de la Maison Revillon : « (les mêmes que ceux de Paris) [où] [...] on me laissa entendre que l'on serait content de me fournir un emploi, mais il fallait attendre quelques jours et peut-être même quelques semaines[68] ».

La présence de commerçants et d'entreprises françaises dans l'Ouest n'est pas surprenante. Depuis longtemps, des clans métis perpétuent la tradition de leurs pères, auparavant engagés comme voyageurs dans la traite des fourrures, qui travaillent en « gens libres » en tant que guides et chasseurs, transportant des marchandises et traitant des fourrures à leur propre compte[69].

67. *Le Courrier de l'Ouest*, 28 octobre 1909.

68. Lettre à Louis Mahé.

69. Gerhard Ens élabore sur le « proto-industrialisme » des Métis de la rivière Rouge qui commerçaient de part en part sur les Prairies, voir *Kinship, Ethnicity, Class and the Red River Metis : The Parishes of St. François-Xavier and St. Andrew's*, Département d'histoire, Université de l'Alberta, 1989, p. 83-110. Dans « Indiens, Métis et Cowboys : la saga de Jean-

Dans la région d'Edmonton, plus précisément à Strathcona (aujourd'hui le site de l'Université de l'Alberta), habitait Laurent Garneau, un homme de souche métissée et assez prospère (il quitta cette ville en 1904 pour venir à Saint-Paul-des-Métis). La famille L'Hirondelle de Saint-Albert était aussi une famille marchande de renom, dont l'alliance avec le Franco-Américain Edmond Brosseau n'a fait que transmettre aux générations suivantes la tradition marchande, particulièrement dans le nord-est de la province[70]. Des Canadiens français venus plus récemment du Québec tiennent aussi des commerces à Edmonton, alors une ville naissante; nous retenons les marchands Gariépy et Lessard et les Picard et La Rue installés sur l'avenue Jasper, l'axe principal de la ville[71]. Depuis longtemps, les occasions qu'offre l'Amérique du Nord ne sont pas inconnues des entrepreneurs franco-européens. En Alberta, plusieurs Belges exploitent de grandes mines de charbon dans le sud-ouest de la province; en 1899, la maison française Revillon Frères est venue s'installer à Edmonton afin d'accéder directement aux fourrures du Nord canadien[72]. À l'est de Red Deer, un groupe d'officiers français réfractaires, venus en 1903, pratiquent l'élevage dans la région qu'ils ont nommé « Trochu » en l'honneur de leur chef. Le financier René Le Marchand, attiré à Edmonton sur les conseils de son frère, un oblat, fait fortune dans la spéculation des terres. En 1909, on parle beaucoup de son projet de construction, « Le Marchand Mansion », un immeuble à appartements luxueux de style français, le premier du genre à Edmonton[73].

---

Louis Légaré », *La langue, la culture et la société des francophones de l'Ouest*, actes du troisième colloque du Centre d'études bilingues, Université de Regina, 25-26 novembre 1983, p. 23-35, Jean-Guy Quenneville donne un aperçu de ce commerce. Des activités de ce genre sont aussi le sujet de notre mémoire de maîtrise en histoire : *Lac la Biche. Une communauté métisse au XIX<sup>e</sup> siècle*, Université de l'Alberta, 1990.

70. Mary Shypanski, « Garneau, Édouard », *Souvenirs Saint-Vincent, 1906-1981*, p. 223-226; Helen Hillary (Brosseau) « Brosseau, Alphonse et Hazel (Latimer) », *Du Passé au Présent and Past, St-Paul, St-Édouard, Alberta, 1896-1990*, Société du livre historique de St-Paul, 1990, p. 337-338; aussi, témoignages de Germaine Champagne au sujet de la famille Brosseau.

71. E.J. Hart, *Ambitions et réalités*, p. 20-22.

72. Les frères Revillon de Paris ouvrent un entrepôt à Edmonton en 1899 pour avoir directement accès aux fourrures du Grand Nord canadien. Ils mènent l'entreprise avec succès tout en entrant en compétition avec la CBH. Ils installent des succursales de traite un peu partout dans la forêt boréale canadienne. Une première crise, entre 1921 et 1926, les oblige à vendre 51 % de leurs actions canadiennes à leur rivale. La crise de 1929 leur est fatale; en 1936, ils liquident l'entreprise canadienne et la CBH prend le contrôle du Nord canadien. La raison sociale Revillon Frères existe toujours, un de leurs magasins est situé à place Vendôme à Paris. Arthur J. Ray, *The Canadian Fur Trade in the Industrial Age*, University of Toronto Press, 1990, p. 92-93, 160-161.

73. E.J. Hart, *Ambitions et réalités*, p. 61; Donald G. Wetherell and Irene R.A. Kmet, *Homes in Alberta. Buildings, Trends and Design, 1870-1967*, Edmonton, University of Alberta Press, Alberta Culture and Multiculturalism, Alberta Municipal Affairs, 1991, p. 105.

La ville d'Edmonton n'intéresse Alexandre Mahé que dans l'espoir de se procurer un petit revenu en attendant de s'installer sur sa terre une fois le printemps arrivé. Après tout, il faut camper en se construisant une première cabane et il est bien plus agréable de faire cela durant la belle saison. Pour effectuer un bon choix de terre, tout colon prudent fait un voyage d'exploration sur le terrain durant l'été afin de vérifier la qualité du sol et les avantages (ou désavantages) de l'endroit – en plein dans la grande campagne vierge. Mais sa curiosité l'emportant, notre colon en herbe se dirige vers Saint-Paul-des-Métis et le lac Saint-Vincent quelques semaines plus tard, sur son « chemin de Damas » comme il le dit à son frère[74]. À cette époque, le village de Saint-Vincent n'existe pas encore, mais la région est connue comme celle de « Lac-Saint-Vincent ». Un bureau de poste portant ce nom est situé à une quinzaine de kilomètres au nord du village de Saint-Paul-des-Métis, à un kilomètre à peine du lac.

Alexandre Mahé prend le train à Edmonton, le *Canadian Northern*, vers l'Est, et il s'arrête à Végreville où il passe la nuit. Cette partie du voyage est minutieusement décrite dans sa lettre à son frère; sa description ne manque pas d'esprit. Lorsqu'il descend, il fait déjà nuit; la gare est bourrée de gens et éclairée de quelques ampoules électriques « vacillant entre la vie et le trépas ». Le lendemain, il prend une diligence menée par un cocher qui use plusieurs fouets jusqu'au manche, ainsi qu'une grande provision de gaules coupées en route, sur des bêtes si rosses qu'elles ne ressemblent que vaguement à des chevaux… Ils doivent rebrousser chemin pour échanger leur voiture contre un traîneau, le sol étant encore recouvert de neige au nord de la rivière Saskatchewan. Le voyage de deux jours mène les passagers à Saint-Paul-des-Métis.

En arrivant à l'ancienne colonie, il mentionne la présence d'une église, d'une école avec des sœurs enseignantes et aussi

> [d']un magasin qui écorchait concencieusement [*sic*] les pauvres diables qui osaient s'y risquer […] Une équipe d'arpenteurs divisait le terrain en lot de ville, deux hôtels s'y construisaient à la hâte, ainsi qu'un nouveau magasin et plusieurs dépôts de machines agricoles. Pour une foule de gens, ça devait être un restant du paradis terrestre. J'eus un moment l'idée d'y acheter un lot et d'y construire un petit magasin, mais je reconnus bien vite que c'était là une chose au-dessus de mes moyens[75].

Une fois rendu, il profite du passage du postillon, dont le véhicule fait aussi office de diligence, pour se rendre chez les Limoges, installés dans la région du lac Saint-Vincent. Cette famille lui semble fort bien située. Ses

---

74. Lettre à Louis Mahé.

75. *Ibid.*

membres exploitent les quatre *homesteads* de chaque coin d'un carrefour très fréquenté, à une vingtaine de kilomètres au nord de Saint-Paul.

En arrivant, il apprend qu'il est question de changer l'emplacement du chef-lieu de la paroisse Saint-Vincent. Les premiers paroissiens ont déjà construit une solide bâtisse qui sert d'église et de presbytère au curé; elle est située sur un petit promontoire près du lac Saint-Vincent et elle surplombe la plaine[76]. Mais cet endroit, connu comme la Butte-à-Maillet, ne convient plus à cause de l'arrivée du grand nombre de colons qui se sont installés plus au Nord et à l'Est. Louis Maillet, promoteur du site, y tenait un tout petit magasin et avait la garde du bureau de poste. Il était le seul marchand dans cette région au nord de Saint-Paul-des-Métis et le déménagement du chef-lieu gâcherait sans doute ses espoirs ainsi que son petit commerce.

Sur son *homestead* à quelques milles du lac, Joseph Limoges est heureux d'accueillir ce nouveau colon arrivé de France. Celui-ci décrit ses premières impressions de l'endroit à son frère.

> Je ne trouvai point une population de Crésus, mais comme je me savais aussi pas mal gueux je pensais que je pourrai peut-être faire bon ménage avec tous. [...] Et comme il n'y avait pas de magasin, M. Limoges m'encouragea à en monter un. [...] M. Limoges me laissa alors m'installer sur son terrain[77].

Ainsi, le voyage se termine et Alexandre Mahé a finalement trouvé l'endroit qui lui convient. Depuis son départ de France, il se renseigne au sujet de la colonisation de l'Ouest et rien ne le dissuade de son but tout au long de son parcours. On lui vante les avantages de Montréal et il s'informe longuement sur le nord de l'Ontario, région qui a aussi des communautés de langue française. Même s'il est attiré vers l'Ouest, et nous avons vu comment il s'y est précipité, il a suffisamment d'aplomb pour pouvoir refuser le projet de s'installer dans la nouvelle communauté de Saint-Paul-des-Métis. Bien informé sur le potentiel de l'agriculture de la région, il est en position de juger si les conditions sont propices à l'amélioration future de sa ferme ou à l'installation et au développement d'un magasin. Comme nous le savons, ses choix visent la réussite de ses projets.

---

76. Charles Chalifoux, *L'historique de la paroisse de Saint-Vincent, 1906-1956*, Saint-Vincent, 1956, p. 15-16; « Site de la première chapelle », *Souvenirs Saint-Vincent*, p. 31-36.

77. Lettre à Louis Mahé.

# Chapitre IV

## À LA CONQUÊTE DU SOL

Les colons qui s'installent dans la plaine entourant le lac Saint-Vincent ne connaissent que peu l'histoire de la région. En nouveaux maîtres, ils arrivent pour cultiver le blé qui se vend alors à prix d'or sur le marché mondial. Leur enthousiasme est amplifié par la grande campagne de promotion du ministère de l'Intérieur du Canada qui clame hautement la colonisation et le potentiel agricole des Prairies. L'accès au marché international dépend de la construction prévue d'un grand réseau de chemin de fer qui desservira cette grande région et traversera chaque *township*. De jour en jour, le réseau s'améliore et augmente et malgré des aléas et des circonstances imprévues, les colons sont optimistes. En 1910, les pensées d'Alexandre Mahé au sujet de l'occupation du sol sont typiques de cette mentalité :

> J'avoue que les premières années sont plutôt dures, mais l'avenir vaut la peine qu'on fasse quelques sacrifices. D'ici deux ou trois ans, nous aurons sans doute le chemin de fer et une station, l'église se placera au près, et j'aurai la chance d'être le premier à y partir magasin, et cela sans beaucoup de frais[1].

Mais la voie ferrée, symbole du progrès, s'avère plus lente à franchir la grande plaine qu'on ne l'avait supposé au début de la colonisation. Les distances constituent des entraves de taille et des retards inattendus surviennent. La région n'est pas sans ses grandes ressources, mais les cultivateurs doivent inévitablement apprendre à surmonter nombre d'obstacles. Dans la communauté naissante de Saint-Vincent, tout comme partout ailleurs dans les Prairies, nous observons les campagnes menées pour obtenir une ligne de chemin de fer, qui ne sont pas sans démêlés, subterfuges ou concurrences entre voisins et compatriotes. Nous observons aussi les conditions du colon

1. Lettre à Louis Mahé.

qui attend d'être relié au marché mondial et qui doit se débrouiller pour survivre. La situation du défricheur et du marchand général que fut Alexandre Mahé illustre ces étapes difficiles, qui doivent être endurées pendant au moins une dizaine d'années avant de pouvoir enfin commencer à réussir une entreprise agricole dans cette région du Nord-Est de l'Alberta.

## La région de Saint-Vincent avant la colonisation : barrages, chemins et voyageurs

William Pink, employé de la Compagnie de la baie d'Hudson, a fait le premier voyage d'exploration dans la région en 1767-1768[2]. Venant de l'Est, de ce qui est aujourd'hui la Saskatchewan, il remonte la rivière Churchill et, ensuite, la rivière aux Castors presque jusqu'à sa source, il s'approche du lac La Biche, mais il n'accède pas au bassin hydrographique de l'Athabasca, qui n'est qu'à une vingtaine de kilomètres. De ce point culminant, il revient vers le bras nord de la rivière Saskatchewan. La grande ressource du pays est le castor. Au cours de son passage, Pink en profite pour amasser autant de pelleteries qu'il peut transporter. Depuis des millénaires, dans cette contrée, le castor érige des réseaux de barrages et de réservoirs qui longent et remontent la plaine au point qu'au début du XXe siècle, il est encore possible de la traverser en canot en suivant les dédales des petits plans et cours d'eau[3]. À la suite de la visite de Pink, une vive chasse au « pélu » est déclenchée et l'espèce est vite décimée. L'endroit était déjà connu par les Cris des bois et les Dénés, qui y passaient en saison, ainsi que par les premiers engagés des compagnies de fourrure et leur progéniture métisse[4]. Mais avec l'arrivée permanente des voyageurs et l'érection des forts des diverses compagnies le long de la rivière Saskatchewan du Nord et dans les alentours, le castor disparaît du paysage pendant presque un siècle et n'y revient que vers 1940[5].

---

2. Edward J. McCullough and Michael Maccagno, *Lac La Biche and the Early Fur Traders*, Canadian Circumpolar Institute and Alberta Vocational Institute, Lac La Biche, Archeological Society of Alberta, 1991, p. 29; W.L. Morton, *A History of the Canadian West*, p. 278; *Historical Atlas of Canada : From the Beginning to 1800*, Vol. 1, R. Cole Harris, ed., Geoffrey Matthews, cartographer/designer, University of Toronto Press, 1987, pl. 58.

3. Un vieux Cri de la réserve de Lac-la-Selle expliquait comment, lorsqu'il était jeune homme, il se rendait facilement de Saint-Paul jusqu'à la réserve en canot, une distance d'une trentaine de kilomètres, chassant et pêchant en chemin et ne mettant presque jamais le pied sur terre. Témoignage de Germaine Champagne.

4. Quelques anciens toponymes attestent de leur présence, comme celui de lac de l'Œil-du-Hibou (Owlseye Lake) attribué à un ancien voyageur canadien qui, au XIXe siècle, y avait pris sa retraite et étonnait les Cris par l'acuité de sa vision la nuit.

5. C'était alors une occasion mémorable de voir ces créatures dans leur habitat naturel, car elles ne s'y trouvaient que par endroits isolés. Témoignage de Germaine Champagne.

Lorsque les colons s'installent dans le canton, la présence des innombrables lacets d'eau témoigne de cette domination plusieurs fois millénaire du territoire par le castor. Les vestiges de leurs savants barrages, qui endiguent chaque bas-fond, sont la hantise des défricheurs, qui n'ont que le choix de s'armer de haches et de dynamite et de s'attaquer aux ruines des basses murailles terreuses et enchevêtrées pour les démanteler. Même pourris et délabrés, les barrages restent une pénible entrave à la bonne culture du sol. On se rappelle que c'est souvent le sujet de conversation sur le parvis de l'église après la messe lorsque les cultivateurs se plaignent d'avoir, encore une fois, à arrêter leurs labours pour défaire un autre de ces anciens monticules sinueux qui s'est camouflé dans le sol au cours des siècles et sur lequel, invariablement, le soc de leurs charrues s'accroche en passant[6].

Saint-Vincent est situé dans la tremblaie canadienne, zone intermédiaire entre les grandes prairies de l'Ouest et la forêt boréale, sur le plus élevé des trois plateaux des plaines, qui varie de 300 à 900 mètres d'altitude. La rive gauche de la rivière Saskatchewan du Nord comporte de grandes prairies fertiles comme celle située au nord-est du lac Saint-Vincent, caractérisée par des terres à parcs, des prairies à foin qui, en saison, se transforment en marais, ainsi que de nombreux lacs glaciaires. Le relief est légèrement ondulé ou plat par endroits. Ici et là, il est mamelonné et des massifs et des buttes surplombent la plaine.

Anciennement, ces collines étaient des points de repère pour les nomades qui traversaient ces prairies et ils les nommaient selon leur usage ou d'après une distinction physionomique quelconque. Ainsi, le lac Saint-Vincent est-il appelé par les Cris « Atimosogan Sakahigan », le lac de la Croupe-du-chien, peut-être à cause des hautes collines qui le surplombent au Sud-Ouest[7]. Mais le nom pourrait aussi bien être dérivé du ruisseau déversoir « Atimoswe Sipiy », la rivière de la Queue-du-chien[8]. Situé sur une rive riante, le ruisseau s'écoulait jadis du fond d'une baie au printemps et le poisson le descendait pour aller frayer. Sur les cartes, le lac est toujours désigné par ce nom cri, mais A.F. Cotton, le premier arpenteur de l'endroit, juge que le toponyme n'est pas approprié et il le renomme « lac Vincent » en l'honneur de son fils. L'appellation « Saint » est un pieux ajout des missionnaires oblats, rappelant aux colons canadiens-français et catholiques le martyr espagnol du III^e siècle et non, comme on pourrait facilement penser, le plus joyeux saint

---

6. Témoignage de Germaine Champagne.

7. Chalifoux, *Historique de la paroisse de Saint-Vincent, 1906-1956*, p. 4.

8. Le ruisseau a conservé le nom du lac, traduit en Dog, Dog Rump ou Croupe-du-chien, mais son nom cri est bien « queue-de-chien ». De nos jours, le lac est beaucoup plus bas et il est rare que le ruisseau coule du lac au printemps, et ce, depuis une trentaine d'années.

patron des vignerons français. (Ayant toujours connu le lac sous ce nom, nous conservons le terme coutumier dans ce travail.) En aval, son ruisseau, qui est toujours alimenté d'autres sources, devient une petite rivière qui descend vers la majestueuse Saskatchewan au fond d'un ravin aux versants raides, lesquels forment par endroits de dangereuses falaises.

Autrefois, durant la belle saison, cette grasse prairie située entre la rivière Saskatchewan du Nord et la rivière aux Castors attirait les troupeaux de bisons et autres gros gibiers. Des cornes de bisons, des outres de pemmican, des pointes de flèches, des marteaux et des haches de pierre ont été recueillis en grand nombre, vestiges laissés par les anciens chasseurs, qui attestent de cette vieille richesse faunique. On a aussi trouvé des objets de traite tels qu'une très ancienne hache de facture française et des débris d'armes à feu[9]. Ainsi, on comprend que les Amérindiens qui fréquentent ces lieux profitent des meilleurs endroits de chasse utilisent la technique « d'entrappement » ainsi que celle du « saut dans le vide ». Vers 1930, un immense amas de cornes et d'os de bisons et de caribous se voit encore à l'est de la prairie de Saint-Vincent et témoigne des millénaires de cette activité. La seule référence écrite relative à ce site, à part le nom Hornpile Lake laissé tel quel par les arpenteurs, est la mention qu'en fait Charles Chalifoux dans son écrit sur la paroisse Saint-Vincent[10].

Jadis, durant la migration annuelle vers les prairies du Nord, des troupeaux de bisons revenaient vers la région du lac Saint-Vincent et continuaient au-delà de la rivière aux Castors. Quittant les grandes plaines du sud de la Saskatchewan et de l'Alberta, ils remontaient le long du plateau à l'est du ravin de l'Atimoswe, évitant les pentes escarpées et dangereuses de cette vallée. Au point d'accès de la prairie de Saint-Vincent, leur route traversait le déversoir marécageux d'un petit lac, celui du Tas-de-Cornes, officiellement Hornpile Lake, qui formait une vallée peu profonde où les castors entretenaient un barrage. Le gros gibier passait par ce couloir étroit où le barrage servait de pont. Assoiffé et sentant l'eau du lac, le gibier était facilement apeuré par les chasseurs et s'enlisait dans les marais ou les bourbiers qui l'entouraient où on abattait les bêtes avec des lances.

---

9. Une très vieille hache, probablement du XVIIIe siècle, a été trouvée par Louis Champagne, oncle de l'auteure, en dessous des débris d'un squelette de bison; il la conserve toujours. Maurice Destrubé décrit sa découverte d'un fusil à pierre dans *Pioneering in Alberta*, p. 74-75. Le Musée historique de Saint-Paul conserve une petite collection du genre.

10. Chalifoux, *Historique de la paroisse de Saint-Vincent, Alberta*, p. 4. Nous avons signalé le site à l'Archeological Survey of Alberta, par qui il est connu, mais sans avoir été répertorié officiellement. D'autres sites ont été signalés au même bureau; ils se trouvent en bas des précipices de l'Atimoswe où des accumulations d'ossements témoignent de l'usage de la technique du « saut de bison ».

Des débris d'os de bisons et de panaches de wapitis et de caribous jonchent encore les rives de ce petit lac, mais le grand amas d'os et de cornes auquel fait référence le père Chalifoux n'y est plus[11]. Les os qu'on trouvait partout sur les plaines ont été ramassés et charriés à des points de vente dès l'arrivée du chemin de fer. On se souvient du terminus qu'on a appelé « Pile of Bones » (Tas d'os) avant qu'il ne devienne la ville de Regina. Les voyageurs de passage à cette époque font souvent la remarque que le sol de la prairie est jonché d'os de bisons blanchis par le soleil et qu'ici et là, ils aperçoivent au loin des monticules blancs, comme celui de Hornpile Lake. La collecte de ces ossements est une des grandes préoccupations du père Thérien, qui veut établir une coopérative pour les Métis dans la région de Regina, ce qui leur permettrait d'avoir un petit revenu après la disparition du bison. On suppose que la pratique de cueillette des os a persisté ailleurs dans les Praires canadiennes; on sait que les premiers colons les ramassaient pour gagner quelques cents. Ils servaient à la fabrication de divers produits chimiques, en particulier des explosifs, et durant la Première Guerre mondiale, une campagne consacrée à l'effort de guerre a fait nettoyer les derniers lieux du genre.

Si les ossements ont plus ou moins disparu ailleurs, cela n'est pas le cas dans le sous-sol de Hornpile Lake, où les bourbiers en abritent toujours; ces endroits dangereux sont sagement évités par les vaches qui se méfient de ces pièges de vase. Les fermiers font aussi très attention en cultivant leurs champs, car autrefois, les environs étaient recouverts par un grand lac. En ces lieux, ils déterrent constamment des os et des panaches, lesquels témoignent de divers gibiers qui seraient considérés comme de véritables trophées de chasse de nos jours, mais qui risquent aussi de briser leurs machines aratoires dispendieuses. Dans cette région, le passant peut encore constater la présence de beaucoup d'ossements dans les tas de pierres qui bordent les champs.

Au XIX^e^ siècle, les prairies grasses recherchées par le bison sont aussi appréciées des dirigeants locaux des compagnies de traite de fourrure. Par endroits, au nord de la rivière Saskatchewan, se trouvent des prairies à foin entourées de bois, idéales pour garder les chevaux en sécurité contre les tribus amérindiennes guerroyantes du sud de la rivière, dont les jeunes braves se gagnaient des mérites à les chaparder. De plus, puisque que la région subissait une période prolongée de grands froids, au point de considérer ce temps comme « le petit ère glacial », les boisés offraient une protection appréciable contre le climat. On sait qu'en 1800, Peter Fidler, facteur de la

11. Destrubé fait mention de la vente d'os dans *Pioneering in Alberta*, p. 86-88.

CBH au lac La Biche, fait reconduire les montures de son poste pour qu'elles hivernent aux abords de Buckingham House, sur la rive gauche de la branche nord de la rivière Saskatchewan, non loin de ce qui est aujourd'hui Elk Point[12]. Quelques années plus tard, le facteur de Buckingham House fait garder des chevaux près du lac du Pont (devenu Bangs Lake au XX^e^ siècle après l'installation d'un colon métis de ce nom), dans un endroit riche en foin et abrité des vents d'hiver, un peu à l'est de la vallée de l'Atimoswe, à une cinquantaine de kilomètres de la rivière Saskatchewan et, en 1814, Gabriel Franchère, au cours de son long voyage du Pacifique vers l'Est du pays, rencontre les gardiens et leurs chevaux[13]. Après avoir longé pendant plusieurs jours la pénible rivière aux Castors, sinueuse, boueuse, embarrassée de bois mort et de barrages, infestée de taons, de moustiques, de brûlots et de mouches noires, c'est avec soulagement que l'expédition abandonne ses canots et emprunte une demi-douzaine de montures pour traverser les hautes collines qui séparent les eaux du fleuve Churchill de celles de la rivière Saskatchewan du Nord.

Une soixantaine de kilomètres au sud-ouest du lac du Pont, niché dans les collines boisées, se trouve le lac La Selle. Son nom est indicatif d'un lieu de pâturage des chevaux des traiteurs de fourrures qui remontent la Saskatchewan au XIX^e^ siècle ainsi que pour ceux des gens libres et des Métis qui essaiment dans la région et qui privilégient le cheval comme mode de transport[14]. En aval du lac La Selle, il y a un passage à gué sur la rivière Saskatchewan qui, avant d'être connu comme Brosseau par les Canadiens français, s'appelle la traverse Desjarlais, nom encore utilisé par les anglophones lors de la colonisation. Destrubé en fait mention dans ses mémoires et il l'attribue nom à Antoine Desjarlais, un voyageur qui menait des caravanes de chevaux pour la CBH (et

---

12. Juliette Champagne, *Lac La Biche, op. cit.*, p. 34, citant Alice M. Johnson, ed., *Saskatchewan Journals and Correspondence : Edmonton House, 1795-1800; Chesterfield House, 1800-1802*, London, The Hudson's Bay Record Society, 1967, p. 216.

13. Gabriel Franchère, *Relation d'un voyage de la côte du Nord-Ouest de l'Amérique septentrionale, dans les années 1810, 11, 12, 13 et 14*, Montréal, C.B. Pasteur, 1820, p. 249-250, CIHM/ICMH séries de microfiches, #35176.

14. Roberta Hursey signale trois noms toponymiques pour cet endroit : « lac de la Cache », le cri Unechekeskwapewin, « formes noires assises sur le lac », et « lac de la Selle » (Saddle Lake). Le terme cri est attribué à une disette qui oblige les Cris à pêcher sur la glace; les pêcheurs massés sur le lac auraient ressemblé à des selles, interprétation que nous trouvons douteuse. Un terme comme « la Selle » est indicatif d'un endroit où les traiteurs de fourrures métis gardent et sellent leurs chevaux. Le même nom (ainsi que La Montée) se retrouve aux endroits qui ont un usage semblable. Roberta Hursey, *Heritage Hunter's Guide to Alberta Museums*, Edmonton, Brightest Pebble Publishing Ltd., 1996, p. 279; voir aussi Juliette Champagne et Joseph Le Treste, *Souvenirs d'un missionnaire dans le Nord-Ouest canadien*, p. 199.

pour lui-même) au XIXe siècle dans cette région[15]. Le lac La Cache en amont est un autre indice de l'usage de ce couloir pour le transport des marchandises vers le lac La Biche et le portage Assiniboine sur la rivière Athabasca.

À cette époque, le cheval est le meilleur moyen de transport. Étant donné les riches provisions de foin et la quantité négligeable de neige sur ces plaines sans cesse balayées par le vent, une technique originale est utilisée en hiver : le harnachement des chevaux à des toboggans. Il semble y avoir qu'une seule mention documentaire de ce mode de transport, celle de l'ancien traiteur de fourrures William Moberly qui décrit en détail son usage[16]. Sans doute une innovation des voyageurs canadiens, devenus gens libres, ou de leur descendance, la technique consiste en ce qu'un cavalier tienne en bride quatre ou cinq chevaux, chacun traînant un toboggan; une dizaine de cavaliers peuvent ainsi mener une quarantaine de chevaux. Les toboggans en lisses de bouleau font quatre mètres de longueur, ce qui permet de stabiliser les chargements de 75 kilogrammes – paquets de pemmican, de gras ou de fourrures – et les caravanes couvrent de 50 à 70 kilomètres par jour, ce qui est considérable. Jusqu'en 1831, les employés de la CBH déposent de cette façon les denrées essentielles aux brigades du Nord, dans une cache située au portage à l'Orignal près de la rivière aux Castors; durant l'été, les brigades de canots de la CBH du Petit-lac-des-Esclaves et du bassin du fleuve Churchill viennent les chercher pour l'hiver suivant[17]. On suppose que ces caravanes de chevaux décrites par Moberly traversent les prairies près du lac Saint-Vincent, comme toutes les régions entre les montagnes Rocheuses, fort des Prairies (fort Edmonton), fort Assiniboine, lac La Biche, portage La Loche et fort Pitt (La Montée), car la charrette de la Rivière-Rouge n'est pas utilisée dans la haute prairie. Il est aussi possible que cette technique primitive de transport avec les toboggans, particulière aux prairies de l'Ouest, ait persisté dans la région du lac Saint-Vincent et de Saint-Paul, où de nombreuses familles métisses se sont incorporées aux colonisateurs. Elle n'est pas utilisée par les colons pour le travail, car ils ont de meilleurs moyens, mais plutôt comme un divertissement quelque peu périlleux[18].

---

15. Destrubé, *Pioneering in Alberta*, p. 76; Giraud mentionne aussi Antoine Desjarlais dans *Le Métis canadien*, p. 1011, 1013, 1052.

16. Les traîneaux à chiens servent surtout dans la forêt boréale où les lacs poissonneux abondent. Moberly décrit la méthode chevaline de transport, encore en usage vers 1860, dans *When Fur Was King*, London, J.M. Dent and Sons, 1929, p. 76-77.

17. Ce portage est en aval de la Jolie Butte et en amont du lac à l'Orignal; Franchère l'indique comme « la cache du vieux Nadeau » à la fourche de la rivière aux Castors et de la rivière à l'Orignal, *Relation d'un voyage*, p. 247-248.

18. Les enfants de notre entourage s'y adonnaient à cœur joie, le toboggan attaché avec une corde à la queue du cheval. Obligatoirement monté par le meilleur cavalier du

Après 1856, la prairie du lac Saint-Vincent devient aussi un lieu de passage vital des missionnaires oblats. Obligés de ravitailler eux-mêmes leurs missions florissantes du Nord-Ouest canadien, ils embauchent des guides métis pour leur indiquer une route carrossable à partir du fort Pitt sur la Saskatchewan jusqu'au lac La Biche. La construction d'un entrepôt à cet endroit va leur permettre de fournir les denrées essentielles à leurs missionnaires qui s'établissent progressivement dans les régions en amont des rivières La Paix, Athabasca et Mackenzie[19]. Le fort Pitt est alors le « terminus », à la forêt boréale, du transport par charrettes. Pour se rendre au lac La Biche, les guides prennent en grande partie la piste qui longe l'Atimoswe, celle qu'empruntaient jadis les bisons et les chasseurs aborigènes : la route commence au fort Pitt, en aval sur la Saskatchewan, remonte vers le Nord-Ouest, rejoint l'Atimoswe, le traverse au vétuste barrage de castors, au lac du Tas de Cornes, qui sert de pont pour les charrettes[20]. Ils poursuivent en direction du passage à gué de la Jolie Butte sur la rivière aux Castors, où la piste se prolonge jusqu'au lac La Biche[21]. Déjà en 1810, Alexander Henry notait dans son journal l'utilisation de cette piste à l'embouchure de l'Atimoswe,

---

groupe, le cheval traînait une ribambelle d'enfants qui se cramponnaient au toboggan. Au galop, le délire de vitesse avait ses désagréments : les premiers passagers devaient endurer une grêle aveuglante de neige, de glace et de cailloux. Tous étaient appelés à freiner de temps à autre, risquant de foncer dans les pattes du cheval lors de certaines descentes plus glissantes que d'autres, sans parler du danger des sabots. À part notre clan qui le pratiquait avec brio, sous le risque de censure de certains de nos parents qui désapprouvaient ce passe-temps téméraire, aucun récit local ne fait mention de ce mode de transport qui est maintenant désuet.

19. Joseph-Étienne Champagne, *Les Missions catholiques dans l'Ouest canadien (1818-1875)*, Ottawa, Éditions des Études oblates, Scolasticat Saint-Joseph, 1949, p. 100-103, 109-111; Juliette Champagne, *Notre-Dame-des-Victoires, Lac-La-Biche, 1853-1963, Entrepôt et Couvent-pensionnat*, Edmonton, Interpretative Matrix and Narrative History, Lac La Biche Mission Historical Society and Historic Sites Services Alberta Culture and Multiculturalism, 1992, p. 35-36; Raymond Huel, « La mission Notre-Dame-des-Victoires du lac La Biche et l'approvisionnement des missions du Nord : le conflit entre Mgr V. Grandin et Mgr H. Faraud », *Western Oblate Studies 1/Études oblates de l'Ouest 1*, Western Canadian Publishers, 1989, p. 17-36.

20. Témoignage de Georges Wilkowski dont la famille habite la région immédiate depuis le début du siècle. Il nous a expliqué le circuit de la route qui traverse sa propriété. Seulement des bribes de la piste ont été inscrites sur les cartes géographiques.

21. Le passage à gué de la Jolie Butte sur la rivière aux Castors est connu des voyageurs qui remontent la rivière en canot. Quoique mentionné en 1819 et en 1824 dans un récit de voyage de George Simpson, gouverneur de la CBH, l'endroit précis de l'emplacement a été oublié depuis. Mais au cours de nos recherches sur la mission Notre-Dame-des-Victoires, nous avons pu le rétablir. La soumission que nous avons présentée à cet égard au Geographical Names Programme de l'Alberta Historical Resources Foundation Board a été acceptée en 1997.

sur la rive gauche de la rivière Saskatchewan, écrivant : « Two freemen left us at Dog Rump River to go for their things at Red Deer Lake [lac La Biche][22] ».

L'exploit de l'ouverture de cette route par les oblats, qui devance les entreprises commerciales, et le succès de la grande mission Notre-Dame-des-Victoires au lac La Biche, portail des missions du Grand Nord, sont propagés par les prédicateurs au moyen de la presse de l'époque. La mission de lac La Biche devient un lieu légendaire dans les cercles catholiques francophones, une région phare[23]. Dans les *Annales des Oblats de Marie-Immaculée*, il est possible de suivre les voyages des missionnaires dans ces régions, généralement dépeintes comme « glaciales » et certainement isolées. Leurs lettres à cet organisme, et à d'autres périodiques de la presse religieuse, générèrent un soutien financier important de la part des catholiques de l'est du Canada, de la France et de la Belgique et elles contribuèrent aussi au recrutement de nouveaux missionnaires et frères convers. La renommée de la mission du lac La Biche persiste presque jusqu'à nos jours, même si l'usage de la route (et de la mission entrepôt) a cessé en 1889, aussitôt que des moyens de transport modernes ont été disponibles d'Edmonton jusqu'à la rivière Athabasca.

Quelques années plus tard, le projet des oblats de la colonie de Saint-Paul-des-Métis devient l'objet de publicité dans les cercles catholiques pour la collecte de fonds de soutien. Lorsque les colons s'installent dans les alentours de Saint-Vincent, les sillons laissés par les roues des charrettes sur la vieille piste sont encore visibles et l'histoire de l'aventure oblate et du passage des caravanes sur cette route leur est racontée par les anciens missionnaires et les vieux Métis de la région. Le père oblat Gustave Simonin, qui vient dire la messe aux premiers colons, connaissait et utilisait cette vieille piste pour se rendre au lac La Biche. Certains témoignages sur l'état du territoire vers 1860 ne peuvent venir que de la transmission orale faite par les missionnaires à leurs ouailles. René Mahé nous a parlé d'un grand feu sur la prairie qui aurait fait des ravages dans la région vers 1860. La sapinière sur la ferme paternelle, un des plus anciens boisés dans cette contrée, a été épargnée de l'incendie grâce aux barrages de castors et aux plans d'eau qui l'entouraient.

22. Eliott Coues, ed., *New Light on the Early History of the Greater Northwest*, « The Manuscript Journals of Alexander Henry and David Thompson », Vol. II, *The Saskatchewan and Columbia Rivers*, Minneapolis, Ross and Haines 1897, 1965, p. 609.

23. Dans *Souvenirs*, le père Joseph Le Treste note l'importance de cet endroit dans la mentalité des catholiques en racontant comment son compagnon naïf s'imagine que Lac-La-Biche est une grande ville, « puisqu'on en parlait tant et si souvent », p. 96. Il donne aussi une description détaillée de cette route, qu'il remonte à pied en 1884, suivant une caravane de missionnaires, p. 85-107.

Plusieurs récits dans les *Missions* font mention de feux de prairie durant ces années qui retiennent les voyageurs pendant des semaines, faute de pâturage pour les bêtes de trait.

Depuis, dans la mémoire collective des gens de la place, le souvenir de cette piste persiste. Encore visible par endroits, des portions sont restées en usage, surtout en hiver, jusqu'à la construction de bons chemins modernes[24]. La route passe devant la grange sise dans la cour de la ferme d'Alexandre Mahé et, un jour, celui-ci a trouvé enfouie dans le sol une vieille hache dont l'œil est cassé, un modèle qui n'était pas du tout d'usage courant. Il l'a associée aux caravanes missionnaires, ce qui a suscité chez lui un intérêt encore plus poussé pour ce sujet[25]. La même source nous a fait part que, depuis, la « hache des missionnaires » a été perdue, fort probablement lors d'un incendie sur la ferme. On se souvient aussi des passants métis, qui ont longtemps continué d'emprunter la vieille route et qu'on reconnaissait de loin à leur allure particulière, car ils marchaient à petits pas rapides, telle la marche athlétique de compétition, traversant ainsi des distances prodigieuses[26] (de Lac-La-Biche à Saint-Paul [150 km], du lac Froid au lac Sainte-Anne [300 km]).

Comme mentionné auparavant, lors de la fondation de la colonie de Saint-Paul-des-Métis, plusieurs familles d'éleveurs mènent leurs troupeaux aux prairies de la région. Entre autres endroits, ils s'installent autour du lac Saint-Vincent et vers l'est de la paroisse, région connue sous le nom de Flat Lake (le lac Plat). Après l'ouverture du territoire en 1907, certains d'entre eux rabattent leurs troupeaux vers les terrains publiques de la Couronne dans le coin de la rivière aux Castors et ailleurs. Ils prennent aussi des *homesteads* : les familles Poitras, Garneau et Laboucane deviennent collectivement propriétaires de très grandes superficies de terrain[27]. Une informatrice questionnée sur la présence de différentes couches sociales, en particulier de familles de souche métisse dans la paroisse Saint-Vincent, nous répond avec effusion : « Mais, il n'y avait pas de différence, ils étaient des cultivateurs comme nous[28] ! » Dans la région de Saint-Vincent, les premiers installés sont les plus à l'aise financièrement. Le donateur du premier calice à

---

24. Des cartes géographiques précisant ce chemin se retrouvent avec la documentation connexe de *Notre-Dame-des-Victoires*. La route servait encore durant l'hiver pour livrer du grain au terminus du chemin de fer à Mallaig; le passage se faisait bien avec des chevaux et des traîneaux et puisque le chemin traversait les terres de biais, cela donnait un raccourci appréciable. Témoignage de René Mahé.

25. *Ibid.*

26. Témoignage de Germaine Champagne.

27. Drouin, *Joyau dans la Plaine*, p. 202-204.

28. Témoignage de Laura Forrend.

la paroisse est membre de ce groupe par alliance : James Brady, natif d'Irlande, époux d'Archange Garneau, fille du patriarche métis Laurent Garneau[29]. C'est chez les Brady que Mgr Legal s'arrête pour dîner lorsqu'il est question de créer la paroisse Saint-Vincent, car ils ont une belle et grande maison.

## Les débuts de la colonisation dans la région du lac Saint-Vincent

Lors de l'ouverture des cantons autour du lac Saint-Vincent, en 1907, les colonisateurs sont tous plus ou moins sur un pied d'égalité en ce qui concerne le développement agricole. Tout est à faire et aucun accès au marché n'existe. Lorsqu'Alexandre Mahé arrive en 1909, presque toutes les concessions du canton, 60 dans le rang 9, sont déjà prises et il est heureux de se faire indiquer une terre libre au sud-ouest de la section, où est installé Limoges qui habite sur le quart nord-est de la dixième section.

Le système de quadrillage des terres de l'Ouest canadien est relativement simple. Chaque *township* est divisé en 36 sections, qui à leur tour sont divisés en 144 quarts de section[30]. Des chemins sont tracés ou prévus sur chaque côté des sections, mais au début, ils ne le sont que tous les deux milles, d'Est en Ouest. Par contre, un chemin nord-sud dessert chaque *homestead*, soit à l'est ou à l'ouest du quart. Huit quarts de section sont réservés à la vente pour financer les écoles locales (normalement les carreaux 8 et 26). Sept quarts appartiennent à la CBH, qui les vendra éventuellement. Sans lacs, marais ou tourbières, en théorie, un canton comprend 129 quarts de section désignés *homesteads* ou seulement la moitié de ce nombre lorsque les droits de préemption sont en vigueur. L'emplacement géographique de chaque quart de section est précisé par son orientation nord-sud et est-ouest sur la section, les numéros de ce carreau, *township* et rang suivis de la qualification du méridien. Par exemple, le *homestead* d'Alexandre Mahé est identifié comme le quart sud-ouest, 9e section, 60e canton, 9e rang à l'ouest du quatrième méridien, qui est abrégé en S-O, 9-60-9, à l'ouest du 4e. Puisque le quatrième méridien s'adonne à être la frontière entre la Saskatchewan et l'Alberta, cette ferme est située à 6 *townships* (qui sont six milles de large) multipliés par 9 (rangs), c'est-à-dire à 54 milles de là.

---

29. Chalifoux, *Historique*, p. 7; Mary Shypanski, « Garneau, Édouard », *Souvenirs*, p. 223-226.

30. Équivalent du terme anglais *township*, le canton a une superficie de 36 milles carrés, 6 milles de large sur 6 milles de long, et est divisé en 36 carreaux égaux. Ces sections (ou carreaux) d'un mille carré sont ensuite divisées en quatre, chacune mesurant un demi-mille de côté et formant des quarts de section. Les termes canton, carreau, section et quart sont utilisés par les francophones, mais les termes anglais leurs servent également, comme nous le faisons aussi dans ce travail. Voir l'annexe 1, « Plan d'un canton ».

Dans le cas du *township* 59-9, douze concessions au moins sont perdues à cause du lac Saint-Vincent. Cela ne devrait laisser que 117 terres qui pourraient être prises comme *homesteads*, mais 126 le sont, ce qui fait une colonisation très serrée et restreint dès le début la possibilité des propriétaires d'agrandir leurs exploitations[31].

## Prises de *homesteads*[32]

| Cantons | 59-9 | 60-9 | 61-9 |
|---|---|---|---|
| 1907 | 70 | 28 | |
| 1908 | 30 | 26 | 2 |
| 1909 | 25 | 12 | 14 |
| 1910 | 19 | 18 | 3 |
| 1911 | 5 | 17 | 12 |
| 1912 | 5 | 8 | 10 |
| 1913 | 6 | 5 | 18 |
| 1914 | 4 | 3 | 10 |
| Total | 164 | 117 | 69 |

Sur ces *homesteads*, il y a un grand nombre d'annulations; entre 1907 et 1910, dans ce canton, nous en avons compté 47[33]. Nous les attribuons au manque d'expérience des colons, qui se découragent et partent surtout à cause de l'éloignement du chemin de fer et de la non-viabilité de ces exploitations qui n'ont aucun accès au marché.

En 1908, *Le Courrier de l'Ouest*, hebdomadaire de langue française publié à Edmonton, proclame que, depuis un an, 150 familles canadiennes-françaises sont installées dans la paroisse Saint-Vincent[34]. Nous avons consulté les cartes compilées par le comité historique de la paroisse Saint-Vincent sur les noms français afin de vérifier l'exactitude de ce propos. À vrai dire, si la paroisse n'est pas encore officiellement érigée, c'est une « paroisse mère » qui inclut une douzaine de cantons qui s'étendent depuis six milles au nord de la colonie de Saint-Paul-des-Métis jusqu'à la rivière aux Castors,

31. APA, Homestead records, microfilm, bobine 56.

32. *Souvenirs*, p. 88, 91; *Mémoires précieuses*, pages de garde.

33. *Ibid.*

34. APA, Fonds oblats, 71.220/6434, notes d'Éméric Drouin, *Le Courrier de l'Ouest*, 15 octobre 1908. La paroisse Saint-Vincent est officiellement instaurée en 1912.

soit une trentaine de milles, de long en large (900 $mi^2$). Le curé faisait des visites de mission aux agglomérations naissantes de la région et lorsque la paroisse est officiellement érigée en 1912, le territoire mesure 12 milles de long en large (144 $mi^2$)[35].

Les cartes du comité historique de Saint-Vincent indiquent que des 100 *homesteaders* du canton 59-9, (sur un potentiel de 126), environ 80 portent des noms français[36]. Dans le canton 60-9, qui n'a qu'une cinquantaine de *homesteaders* en 1908, s'installent une centaine de familles de langue française[37]. Dans le canton 61-9, où les terres se prennent plus tard, 81 des concessionnaires portent des noms français[38]. Parmi les colons francophones figurent des Français et des Belges. Certains affirment que le père Thérien et le père Le Clainche de Saint-Paul-des-Métis leur auraient conseillé de se placer à proximité de leurs concitoyens franco-européens, dans la région de Thérien, au lieu de se mêler aux colons de souche canadienne-française, pensant qu'ils s'adonneraient mieux ensemble[39]. Cela est possible, mais il faut tenir compte qu'il n'y a plus de terres libres près de la colonie et que les Français arrivent un peu plus tard que les autres[40]. Quoi qu'il en soit, seulement deux Franco-Européens s'installent dans le canton 59-9, tandis que dans les cantons 60-9 et 61-9, c'est au moins une douzaine chacun.

Le sol vierge est extrêmement fertile et les premières récoltes sont prometteuses, mais les cultivateurs ont toujours le grand problème du transport des céréales au marché. Le chemin de fer le plus près est le Canadien Northern

---

35. « St-Vincent devient paroisse », *Souvenirs*, p. 36.

36. Nous avons compté de façon assez générale. Il n'est pas toujours possible de se fier au nom. Il faut savoir, par exemple, que les familles Okyenhart du *township* 60-9 sont franco-belges. Jack Greene est franco-américain et parle français avec un accent anglais d'après *Le Courrier de l'Ouest* du 15 mars 1909. Son épouse, franco-américaine aussi, est la sœur d'Edmond Brosseau, propriétaire d'un hôtel à la traverse Brosseau (Desjarlais) sur la Saskatchewan, dont le fils s'installe à Saint-Vincent. On sait que la femme de James Brady (un Irlandais) est Archange Garneau, une métisse francophone, fille de Laurent Garneau. Par contre, alors que plusieurs Métis portent des noms français, Cardinal, Desjarlais, Gladu ou autres, certains d'entre eux ne parlent que le cri.

37. « Compilation du plan du *township* 60, rang 9, à l'ouest du quatrième méridien », *Souvenirs*, p. 91.

38. *Mémoires précieuses*, pages de garde.

39. Témoignage de Germaine Champagne concernant les frères Mahé de Sainte-Lina, venus en Alberta en 1911, poursuivant leur migration depuis leur arrivée de la Bretagne à Wauchope en Saskatchewan avec l'abbé Jean Gaire, une dizaine d'années auparavant. Le 18 mai 1911, *Le Courrier de l'Ouest* rapporte qu'ils prennent deux *homesteads* et achètent cinq quarts avoisinants [dont une section d'école] avec l'intention de faire l'élevage de chevaux à grande échelle.

40. Témoignage de Germaine Champagne.

(CN) qui passe à Végreville, nécessitant une excursion de quatre jours pour charrier le blé au terminus. Impossible de faire un profit, il en coûte probablement plus cher de charrier le blé qu'il n'en vaut. Il n'y a pas encore de pont sur la Saskatchewan, seulement un service de traversier, ce qui complique le voyage durant le gel à l'automne et la débâcle au printemps. Plusieurs lignes de chemin de fer sont prévues pour « l'Alberta Nord ». Mais en 1907, même si les routes ont été arpentées, la construction n'est pas commencée.

Beaucoup de cultivateurs qui arrivent dans l'Ouest ne connaissent rien à l'agriculture. Nos informateurs de Saint-Vincent nous ont raconté des histoires invraisemblables, mais typiques de ce qui s'est passé alors un peu partout au début de la colonisation[41]. On nous dit qu'un Montréalais, gérant de banque, avant de venir quérir sa fortune dans l'Ouest, avait décidé qu'il y avait de l'argent à faire en se spécialisant dans l'élevage de veaux à Saint-Vincent, lesquels il pensait acheter pour presque rien et nourrir au lait condensé. Mais, bien sûr, ses veaux n'ont pu profiter d'un tel régime alimentaire et les vaches en « fer blanc » étaient plus dispendieuses qu'il ne le pensait. Son échec a fait rire les voisins : l'ancien banquier n'a même pas su compter le nombre de boîtes de lait qu'il fallait pour nourrir un seul veau ni les frais pour acheter tant de boîtes.

Un autre arrivant, fier de la belle terre noire de son *homestead*, décide qu'il ne fera que de la culture maraîchère. Il défriche un lopin de terre et plante des tomates. Vers la fin de l'été, de fait, il peut se vanter d'avoir une très belle récolte de grosses tomates rouges. Mais pour les vendre, il doit les charrier au terminus à Végreville; les fruits délicats ne supportent pas les secousses et la chaleur du voyage sur le long chemin cahoteux. Arrivées à destination, ses tomates sont en purée, complètement abîmées, et il doit les jeter. Le pire est que si convaincu qu'il était de l'avenir de la culture des tomates, il n'avait pas semé de blé comme ses voisins, plus pragmatiques que lui, et en raison de son imprudence, il perdait le profit de sa première année. D'après nos informateurs, le pauvre homme en fut tellement découragé qu'il sombra dans la dépression et plusieurs mois plus tard, il s'enleva la vie.

Tout en s'occupant du développement de leurs fermes, les premiers arrivés dans la région du lac Saint-Vincent veillent à l'établissement d'une paroisse, pas seulement pour le soin de leur âme, mais aussi de spéculation financière. Autour de l'église se place l'infrastructure villageoise habituelle : bureau de poste, magasins, artisans et, on l'espère, peut-être aussi la gare du chemin de fer. Dans le plan des cantons, aucun endroit n'est prévu pour le chef-lieu, ce qui a pour effet de stimuler l'esprit spéculateur des colons par-

41. Témoignages d'Alphonse Brousseau et de René Mahé.

tout dans l'Ouest canadien. Il faut bien construire un village quelque part et on comprend qu'une compétition existe à cet égard; chacun doit se dire : « Autant que cela se fasse chez-moi. »

Généralement, il faut attendre que le chemin de fer arrive pour décider de l'emplacement du chef-lieu, car les gérants des compagnies de chemin de fer connaissent bien la fièvre spéculative et savent la dompter. Plus d'une fois, les spéculateurs, qui font grimper les prix de façon astronomique dans les villages naissants, sont déjoués. Les colons de la région de Saint-Vincent n'ont pas à chercher très loin pour en voir l'exemple; arrivés par Végreville et obligés d'y aller pour vendre leurs produits et faire leurs achats, ils voient le grand détour de la voie ferrée que le CN a construit sur la prairie pour éviter de payer les prix forts des spéculateurs de terres. Tel Mohamed allant à la montagne, les villageois de Végreville ont dû déménager leurs commerces pour s'approcher de la gare et bâtir un nouveau village.

En 1907, les colons de Saint-Vincent se construisent une petite et très solide église, qui fait aussi office de presbytère. Les paroissiens offrent à leur curé une résidence en bois équarri, lambrissée de planches, avec un toit recouvert de bardeaux, ce qui est bien meilleur que ce qu'ils ont eux-mêmes – la plupart vivent encore dans de simples cabanes aux toits de tourbe[42]. En septembre 1908, Mgr Legal fait la demande officielle d'une dizaine d'acres, à cet emplacement, pour la nouvelle paroisse. Elle se situe près du lac, sur une petite butte qui offre une vue panoramique de la grande plaine à l'Est, directement à l'Ouest de chez Louis Maillet, qui tenait là un petit magasin et le bureau de poste depuis septembre 1907[43]. On appelle l'endroit la Butte-à-Maillet, mais en réalité, le sommet est sur la terre voisine, celle de Pierre Malo, arrivé en 1909. Les dix acres réservées pour l'église sont aussi sur le quart de Malo, endroit que le père Gustave Simonin avait choisi en 1907 pour sa beauté. Plus tard, lorsque Maillet décide de partir, Malo prend en charge le bureau de poste de Lac-Saint-Vincent et, localement, la colline prend le nom de Butte-à-Malo[44]. Les nouveaux paroissiens sont si pauvres qu'ils ont bien de la difficulté à entretenir leur curé, même s'ils font de leur mieux. En deux ans, trois curés y séjournent, dont un, constatant l'état primitif de la région, ne reste que le temps de dire une messe du dimanche et de confesser quelques paroissiens. Ce dernier, le « curé d'un dimanche », nommé

42. « Saint-Vincent, la paroisse », *Souvenirs*, p. 32.

43. APA, Homestead records, microfilm, bobine 56, Pierre Malo file, Department of the Interior, 2 April 1930, re : Special grant to La corporation épiscopale catholique romaine de Saint-Albert, nº 2252; « Saint-Vincent, la communauté », *Souvenirs*, p. 15.

44. Témoignage d'Anna Piquette-Martin lors d'une conversation enregistrée le 30 octobre 1995.

Poitras, venait de Montréal, où il avait été vicaire. S'aventurant dans l'Ouest après avoir misé ses économies dans le boulevard de Salaberry à Saint-Paul-des-Métis, il découvre à son arrivée que sa propriété au nom grandiose est un marais[45]. En 1909, la question du déplacement du chef-lieu cause un grand émoi chez ceux qui ont investi dans les premiers travaux de la paroisse. Le curé doit aussi ressentir des anxiétés, car Alexandre Mahé note dans la lettre à son frère, que : « Sur les entrefaites, le curé un type extraordinaire, au ventre de caoutchouc avec en plus une gorge garnie d'éponges nous quitte, laissant tout en plan[46]. » La décision finale de l'emplacement du chef-lieu de la paroisse appartient à Mgr Legal; cela prend quelque temps et lors de la rédaction de la lettre durant l'hiver 1910, la décision n'a toujours pas été prise.

Alexandre Mahé arrive dans la région du lac Saint-Vincent le dernier jour d'avril 1909 et il note que l'unique magasin vient de fermer[47]. Étant un des premiers à s'installer, Louis Maillet a presque complété les trois ans de résidence requis sur son *homestead.* En 1910, il obtient son titre de propriétaire; officiellement, il disait encore tenir un magasin en août 1909[48]. Mais il est probable qu'en perdant sa bonne situation près de l'église, il s'est désintéressé de ce projet. Quoi qu'il en soit, en décembre 1909, il cède la charge du bureau de poste. L'année suivante, *Le Courrier de l'Ouest* mentionne qu'il est de passage dans la région avec l'abbé J.-A. Ouellette, prêtre colonisateur, et qu'il accompagne des agronomes anglophones venus donner des conférences dans les localités canadiennes-françaises[49]. Il conserve sa propriété pendant un certain temps, mais il finit par la vendre. Le cas Maillet illustre comment, en se mettant à l'agriculture, tous visaient à obtenir le titre de propriétaire de leur *homestead.* Une fois qu'ils l'avaient en main, ils pouvaient continuer à cultiver la terre, ou la vendre, comme ils le voulaient. L'argent de la vente leur permettait de se lancer dans d'autres activités économiques.

En attendant de pouvoir profiter de la vente de ses récoltes, tenir un petit magasin, pour celui qui en avait les ressources financières, était une excellente façon de s'en sortir. À ce sujet, Alexandre Mahé écrit :

> Quand un maître de poste – un colon comme les autres – disposait d'un petit capital – disons une centaine de dollars – ce qui était rare, ou – ce qui était plus rare encore – était avantageusement connu d'un marchand de gros, il

45. *Souvenirs*, p. 33-34.

46. Lettre à Louis Mahé.

47. *Ibid.*

48. APA, Homestead records, microfilm, bobine 56.

49. *Le Courrier de l'Ouest*, 1er août 1911.

vendait généralement quelques articles d'épicerie et de ménage; autrement pour se procurer du tabac et des allumettes, par exemple, il fallait aller à la ville[50].

En se plaçant près de chez Limoges, il est sans doute influencé par les rumeurs selon lesquelles une voie du chemin de fer serait bientôt construite dans la région; la gare devait être située sur le terrain de David Gervais, sur le quart sud-ouest de la section dix, à l'est de la propriété de Limoges, non loin d'où Alexandre Mahé a bâti son premier magasin[51]. À cette date, Gervais devait aussi espérer que le chef-lieu paroissial se place sur sa terre.

Déjà en juillet 1907, le père Thérien est à peu près certain qu'un chemin de fer passera dans cette région et il fait des plans en conséquence : « Je le saurai au retour de M. Cross d'Europe, je jetterai un groupe de colons à la Rivière Castor sur le chemin du Lac La Biche où se trouvent les familles de Hupé[52]. » C.W. Cross, ministre de la Justice de l'Alberta, est alors à Londres pour convaincre les grands financiers d'investir dans les chemins de fer de la province. Dans les régions, on attend le dénouement avec impatience. *Le Courrier de l'Ouest* rapporte une réunion tenue à Saint-Paul-des-Métis, en janvier 1909, au sujet d'une pétition préparée en faveur d'un chemin de fer

> [...] devant aller d'Edmonton jusqu'à la province de la Saskatchewan, c'est-à-dire, devant atteindre tous les centres de colonisation placés au Nord de la Saskatchewan; tous les cultivateurs et la population en général étant dans l'impossibilité de prospérer, vu le manque total de communications[53].

Le scandale du Alberta and Great Waterways Railway (A&GWR) éclate en 1910 et constitue la première des grandes déceptions des colons qui ont choisi de s'installer dans la région de Saint-Vincent.

Localement, on a oublié cette affaire et même les livres d'histoire n'en font aucune référence : mais en 1954, Alexandre Mahé s'en souvenait encore très clairement et avisait le futur historien de ne pas le négliger. « Cet historien, en fouillant les journaux publiés à Edmonton à l'époque de 1909 devra consacrer au moins un chapitre au fameux Great Waterways actuellement le chemin de fer d'Edmonton à Waterways[54]. » Puisque L.G. Thomas y dévoue

50. IRFSJUA, Alexandre Mahé, « Quand ils voient leur prêtres à eux », manuscrit inédit, s.d.

51. Germaine Champagne, « Alexandre Mahé (1880-1868) », *Souvenirs*, p. 301-303.

52. APA, Fonds oblats, Éméric Drouin, « Notes Drouin », A. Thérien à Mgr É. Legal, 3 juillet 1907.

53. Notes Drouin, extraits du *Courrier de l'Ouest*, 4 février 1909, Fonds oblats, APA.

54. Isidore Cassemottes, « Épilogue, Autrefois St-Paul-des-Cris... Diocèse de St-Paul aujourd'hui », *La Survivance*, 3 novembre 1954.

une bonne partie de sa thèse de doctorat, il n'est pas nécessaire de lui accorder plus que quelques paragraphes[55].

En 1910, la crise de l'A&GWR conduit la jeune province d'Alberta au bord de la faillite et le gouvernement libéral, mené par A.G. Rutherford, est obligé de démissionner. D'après Thomas, c'est l'événement critique dans l'histoire politique de la province, lequel l'endettera pendant bien des années[56]. Par une loi promulguée en 1907, la province garantissait les obligations de l'A&GWR. Le financement des chemins de fer était la responsabilité du gouvernement fédéral, mais les gouvernements de plusieurs provinces de l'Ouest croyaient qu'il était essentiel de s'imposer localement. Il fallait à tout prix encourager le développement du réseau de transport pour desservir les marchés où les colons écoulaient leurs denrées, ce qu'eux-mêmes réclamaient haut et fort.

Alors, la province d'Alberta se porte garante des obligations, ce qui facilite leur vente sur les marchés financiers tout en offrant des conditions très avantageuses aux compagnies à chartes qui veulent se lancer dans la construction de chemins de fer. Des entrepreneurs albertains fondent une compagnie qui est achetée par deux financiers américains et devient le A&GWR. Le premier ministre de la province, A.G. Rutherford, et ses ministres de la Justice portent peu d'attention à sa structure. Une somme de plus de sept millions de dollars est recueillie sur le marché international, mais la construction n'avance pas pour autant. On se rend compte que la compagnie ne remplit pas les conditions de son contrat et qu'elle vide les caisses de plusieurs milliers de dollars, tandis que seulement quelques kilomètres de remblais sont construits. Tout commence à s'effondrer en février 1910. Le premier ministre se retrouve dans l'embarras et il doit démissionner ainsi que plusieurs membres de son cabinet. L'affaire traîne, puisque la province veut garder l'argent des bons et créer une nouvelle compagnie. Elle est amenée devant les tribunaux et, en 1912, le Conseil privé de Londres juge en faveur des actionnaires; la province se voit dans l'obligation de remettre la somme. La confiance du public envers ses élus en sera ébranlée et, en conséquence, le Parti libéral provincial ne prendra plus de force. Une dizaine d'années plus tard, il sera complètement défait.

---

55. L.G. Thomas, *The Liberal Party in Alberta : A History of Politics in the Province of Alberta, 1905-1921*, Toronto, University of Toronto Press, 1959.

56. Des quelque sept millions de dollars recueillis pour rencontrer les obligations de l'AG&W, la moitié de cette somme a été utilisée pour payer les intérêts et avec la nationalisation des chemins de fer en 1917, l'Alberta a continué à payer les intérêts pour un chemin de fer qui ne lui appartenait plus, Thomas, *The Liberal Party in Alberta*, p. 58-94, 190-191.

Plusieurs portions de la voie de l'A&GWR sont arpentées entre 1906 et 1910[57]. L'espoir qu'un chemin de fer rejoigne la région est omniprésent et l'historien du Canadian Northern, Ted D. Regehr, rappelle que la promesse de sa construction est une des stratégies de choix des politiciens lors de leurs campagnes[58]. Il est facile pour eux de gagner le soutien de l'électorat en convainquant une compagnie de chemin de fer de préposer une équipe à la construction de quelques milles de remblais, une faveur que le politicien élu pourra repayer en largesses. Mahé décrit l'usage de cette tactique dans sa région, manœuvre qui se passe probablement aux élections législatives de 1913 :

> Même en une élection le bon candidat qui devait remporter la victoire réussit le tour de force de construire un chemin de fer du lac la Biche au lac Froid. L'entreprise marchait rondement grâce à l'abondance de la main-d'œuvre. Le vote étant gagné, les travaux arrêtèrent subitement. N'empêche que ceux qui croyaient voir dans cette activité fébrile une gigantesque manœuvre électorale passaient pour avoir « une araignée qui leur grattait le Coco »[59].

Le remblai qui figure sur une carte de 1921, à une trentaine de kilomètres au nord de Saint-Paul-des-Métis, près de la rivière aux Castors, en direction de Sainte-Lina, est probablement construit entre 1909 et 1912. Le branchement est censé venir d'Athabasca Landing, tandis que la ligne principale doit se rendre à Fort McMurray en passant par le village de Lac-La-Biche. La bifurcation doit donner accès aux forêts de la vallée de la rivière aux Castors, la traversant en direction Sud-Est, s'allongeant vers l'Est et remontant jusqu'au lac Froid. Les rails ne sont jamais posés. En 1954, ces plans avaient été oubliés depuis longtemps, comme le mentionne Alexandre Mahé, « Actuellement maints fermiers de la région de Ste-Lina se demandent quel sorcier a bien pu couper leurs terres de déblais et de remblais qui n'enlèvent pas une cent noire à leurs feuilles de taxes[60]. »

Les Albertains sont loins de s'être remis de la faillite de l'A&GWR lorsque que l'économie de la Première Guerre mondiale est fatale à la compagnie de chemin de fer du Canadian Northern, dont les lignes desservent le

---

57. « The Railroad – Background by Frank Bouvier », *Lac La Biche, Yesterday and Today*, Lac La Biche, 1975, p. 28; *Liberal Party in Alberta*, p. 98-99.

58. Ted D. Regehr, *The Canadian Northern Railway : Pioneer Road of the Northern Prairies, 1895-1918*, Toronto, MacMillan of Canada, Maclean-Hunter Press, 1976, p. 239-240, 461.

59. Isidore Cassemottes, « Autrefois Saint-Paul-des-Cris », *La Survivance*, 3 novembre 1954.

60. Isidore Cassemottes, « Autrefois Saint-Paul-des Cris... Diocèse de St-Paul aujourd'hui », *La Survivance*, 20 octobre et 3 novembre 1954.

nord des prairies : nationalisée en 1917, elle est incorporée au Canadien National. Les travaux se poursuivent. En 1918, une ligne venant du nord-est d'Edmonton est rendue à Spedden, une quarantaine de milles à l'ouest de Saint-Vincent; l'année suivante, une équipe de bénévoles de Saint-Paul-des-Métis construisent la bretelle qui rejoint Abilene, où se fait la bifurcation vers le Nord-Est, une vingtaine de milles à l'ouest de Saint-Vincent.

La route que suivra le chemin de fer dans la région de Saint-Vincent est le sujet de discussions animées, de pétitions et de spéculations jusqu'en 1928. Les collines accidentées au nord-ouest du lac Saint-Vincent forment des obstacles importants ainsi que les hauteurs au sud du lac de l'Orignal, car la route doit se diriger vers Bonnyville pour aboutir au lac Froid. On cherche de préférence un paysage plat, mais tel que mentionné, les compagnies de chemin de fer essayent toujours de déjouer les spéculateurs. Aussi, il est possible que des influences politiques entrent en jeu. À Saint-Vincent, le chemin de fer tant espéré ne passera pas par le village. La « trahison » est si flagrante qu'un des promoteurs locaux s'évanouit en pleine réunion publique en entendant l'éloquent discours de son voisin qui a subitement changé son fusil d'épaule et plaide pour une route plus au nord du village[61] (et plus près de sa propriété). Et, en effet, en 1928, la ligne du CN passe dans des zones où il n'y a pas de villages, créant de nouvelles agglomérations tous les six milles. C'est ainsi que sont fondés les villages de Mallaig, le « nouveau » Thérien, et de Glendon, situés au nord de Saint-Vincent dans des *townships* qui se sont, au fil du temps, peuplés de colons heureux de profiter des belles terres de la prairie, où jadis venaient paître les troupeaux de bisons.

## Alexandre Mahé, colon et marchand

Au printemps 1909, Alexandre Mahé s'établit dans la région du lac Saint-Vincent. Il ne tarde pas à choisir et à faire inscrire sa concession à son nom, puisqu'il y a toujours le risque que quelqu'un prenne la même. Pour montrer que le terrain est occupé et pour construire sa maison, il abat une soixantaine d'épinettes. Il écrit à son frère : « Je n'en couchai pas beaucoup par terre en une journée, une quinzaine tout au plus et j'avais diablement mal aux mains; ça allait quand même[62]. » Ensuite, il retourne à Edmonton, où il achète des marchandises pour son magasin et, après quelques semaines, il enregistre son choix au bureau des Terres[63]. Nous supposons qu'il porte sur lui, en venant de France, une somme d'argent liquide, mais qu'il a aussi des

61. « Ernest Chartrand », *Souvenirs*, p. 175.

62. Lettre à Louis Mahé.

63. Il s'inscrit le 28 mai 1909. RM, « Dominion Lands Interim receipt, 37757 ».

épargnes à la banque. Aussitôt qu'il sélectionne sa terre, il doit transférer des fonds de sa banque française à une banque d'Edmonton, probablement la Banque canadienne de commerce, avec laquelle il fait toujours affaire en 1922[64]. Il est possible que le transfert de fonds prenne quelque temps, en tout cas, il semble avoir séjourné à Edmonton pendant plusieurs semaines en mai 1909.

Il revient dans la région du lac Saint-Vincent au début de juin et il commence à creuser une cave pour sa maison, « ce qui fut l'affaire de quatre jours[65] ». Il l'érige sur la terre de Limoges, où elle servira de magasin et de résidence. Il a les moyens d'engager deux hommes pour l'aider à construire sa cabane en rondins, mais il pose lui-même le toit de mottes de terre. Il creuse un puits : « Du diable ce fut une rude corvée. Je dus plus d'une fois prendre mon courage à deux mains pour en venir à bout. Heureusement, je trouvai de l'eau en abondance à une profondeur de deux mètres cinquante[66]. » Après, il s'accorde une petite journée de vacances pour pêcher avec des voisins, « une pêche merveilleuse[67] ». Ils reviennent avec trois sacs de poissons.

La maison n'est même pas terminée lorsque ses marchandises arrivent. Dans la demi-heure qui suit, il sert son premier client. La clientèle ne manque pas et il remarque que « les Canadiens et les Américains ne sont point économes », ce qui est bon pour les affaires d'un petit marchand général comme lui[68]. Malgré le succès initial de son commerce, il demeure réaliste quant aux difficultés à venir : « En tout cas, il ne faudrait pas croire arriver à la fortune (ça peut se voir et ça se voit) mais seulement à gagner sa vie largement tout en étant son maître. Mais je le répète encore les débuts sont pénibles. Il est cependant rare de voir un homme énergique et travailleur regretter d'être venu au Canada. Pour ma part, j'en connais pas[69]. »

Quelques reçus de cette première année ont survécu. Il fait ses achats de marchandises chez Revillon Frères à Edmonton et du 3 décembre 1909 au 18 août 1910, il dépense 1 271,71 $ en quatre transactions; l'achat le plus important est fait au mois de juin 1910 pour un montant de 563,22 $[70].

---

64. RM, lettre de J. Roy, gérant de la Canadian Bank of Commerce, Saint-Paul-des-Métis, à Alexandre Mahé, 15 juillet 1922.

65. Lettre à Louis Mahé.

66. *Ibid.*

67. *Ibid.*

68. *Ibid.*

69. *Ibid.*

70. RM, « Divers reçus ».

Ouvrir un magasin pouvait être très profitable, mais il fallait aussi avoir le crédit et les finances nécessaires pour assurer un inventaire suffisant ainsi que les ressources permettant d'attendre le paiement des clients suivant la vente de leurs récoltes.

Finalement, en 1910, l'emplacement pour l'église de la paroisse Saint-Vincent est définitivement choisi : à deux milles au sud de chez Limoges et à seulement trois milles de l'ancienne place souhaitée par les gens du lac. Tout se décide lorsque Olivier St. Arnault, qui s'est fixé sur la concession S.O.3-60-9, se met à tenir un gîte d'étape, où les passants s'arrêtent pour abreuver et laisser reposer leurs chevaux, pour se réchauffer et manger[71]. Son *stopping-place* marche encore plus rondement lorsque Alda, son épouse et une formidable cuisinière, arrive du Québec. St. Arnault achète alors cinq acres de terrain de son voisin Horace Lacourse et les deux spéculateurs offrent deux parcelles de cinq acres au diocèse pour l'église paroissiale[72]. Leurs dons sont acceptés et la maison-chapelle est déménagée sur la propriété donnée par Lacourse. Joseph Gervais, arrivé en 1910, ouvre un magasin chez St. Arnault[73]. Son épouse, Malvina Denis, obtient l'année suivante la garde du bureau de poste que l'on nomme Denisville en son honneur. Lorsque le bureau de poste de Lac-Saint-Vincent sur la Butte-à-Malo est fermé en 1918, celui de Denisville prendra le nom de Saint-Vincent[74].

Le nouvel emplacement fait le bonheur de certains, mais pas de tous. Le terrain est très bas, au point qu'un marais, vestige d'un ancien barrage de castors, couvre une grande partie des cinq acres données par Lacourse. On se souvient que Louis Martin, un des premiers arrivés, est très mécontent de cette décision et que pour le restant de ses jours, il peste ouvertement au sujet du *slough* du père Lacourse (localement, ce terrain est toujours désigné ainsi) où sont situés l'église et le cimetière, dans lequel il jure qu'il ne sera jamais enterré; il aurait préféré le joli promontoire près de chez lui, bien drainé, avec sa vue panoramique sur la plaine vers l'Est. Lors de son décès en janvier 1922, sa famille honore ses derniers souhaits et l'inhume bien au sec

71. Denise St. Arnault, « St. Arnault, Olivier », *Souvenirs*, p. 395.

72. « Saint-Vincent, la paroisse », *Souvenirs*, p. 36.

73. Gervais prend le quart S.O.4-60-9 comme concession, mais il construit aussi un bâtiment de 60 pieds sur 30 pieds, qui lui sert de résidence, sur la terre de St. Arnault. Lorsque Gervais meurt, le 21 juillet 1913, âgé de 63 ans, sa veuve garde le magasin pendant un an et demi puis elle le vend à Arthur Lafleur et s'en retourne à Montréal. Tout en s'occupant du magasin, Gervais avait obtenu le titre de propriété de sa concession, que sa veuve vend aussi en partant, *Souvenirs*, p. 18, et « Mariages, décès/Marriages, Burials » (des registres paroissiaux de Saint-Vincent), *ibid.*, p. 434.

74. *Souvenirs*, p. 15, 21-22.

dans le cimetière de Saint-Paul, loin du bas-fond qu'il méprisait tant de son vivant[75]. En fait, le *slough* du père Lacourse reste un problème pour les paroissiens pendant bien des années : l'eau suinte constamment de la cave de l'église construite en 1933, ce qui est la principale cause de sa démolition, à peine quarante ans plus tard. Au cimetière, il n'était pas exceptionnel qu'un cercueil flotte dans une fosse qui, du jour au lendemain, s'emplissait d'eau, au plus grand chagrin, on l'imagine, des proches du défunt[76]. Ce n'est qu'avec l'arrivée des technologies modernes que le terrain a finalement été drainé adéquatement.

Le nouvel emplacement du chef-lieu n'a rien d'avantageux pour les paroissiens installés au sud et à l'ouest du lac qui se trouvent, à leur tour, très éloignés de l'église. Quant aux dix acres réservées pour la construction d'une église sur la Butte-à-Malo, elles doivent être remises au ministère de l'Intérieur, car elles n'ont pas été utilisées depuis le déplacement de la première chapelle. En 1920, Pierre Malo et son épouse pétitionnent afin de pouvoir acheter cette parcelle qui est sur le quart de section qu'ils ne peuvent pas utiliser. Mais leur démarche est ignorée, car en 1929, la Corporation épiscopale de Saint-Albert n'a toujours rien fait en ce qui concerne la remise du terrain. Finalement, en avril 1933, à la suite de plusieurs lettres à cet effet, le titre est transféré et les choses se règlent lorsque les Malo obtiennent enfin le droit d'acheter la parcelle[77]. Entre-temps, en 1932, une grande croix de chemin commémorative en épinette rouge, en mémoire de l'emplacement de la première église de la paroisse, avait été érigée par le curé Avila Lepage sur la butte[78]. En plus, on n'oublie pas l'endroit où a été célébrée la première messe, considéré comme le berceau de la paroisse; situé au bord du lac, c'est un endroit de pique-niques paroissiaux[79]. Cette parcelle de terre est rachetée par le diocèse de Saint-Paul, vers 1954, pour en faire un camp d'été longtemps connu localement comme « le camp Ad Hoc[80] ».

Nous supposons que durant le court été 1909, Alexandre Mahé se met à défricher et à déboiser sa terre, comme il doit le faire d'après la loi. Puisqu'il a un peu d'argent de côté, il achète une charrue et une paire de bœufs pour

---

75. *Souvenirs*, p. 36; *Mémento, cimetière St-Paul Cemetary*, Projet centenaire du Musée de Saint-Paul, 1996, p. 31.

76. Témoignage de René Mahé.

77. APA, Department of the Interior, Dominion Lands Office, Pierre Malo file 1392036, 22 August, 1929, 2 April, 1930, 15 April, 1930, microfilm.

78. « L'abbé Lepage – 1930-1933 », *Souvenirs*, p. 42.

79. Une photo du pique-nique de la Saint-Jean-Baptiste de 1916 illustre ce genre d'activités, *Souvenirs*, p. 21; voir photos en annexe.

80. Témoignages de Jean et Cécile Michaud, 16 août 1994.

le « cassage », travail trop pénible pour des chevaux. Son poème « Souvenirs, testament et prière du vieux défricheur » et la « Note » qui l'accompagne démontrent qu'il goûte amplement l'expérience de colon défricheur[81]. Durant l'hiver 1909-1910, il obtient un permis pour couper des arbres sur les terres libres de la Couronne; il les fait scier au moulin de Brunelle, qui est alors à Bangs Lake, à une trentaine de kilomètres à l'Est[82]. Seul, il n'avance pas bien vite : son permis lui donne droit à dix milles pieds de planche et il n'en coupe que quinze cents pieds linéaires. Mais c'est mieux que rien; la planche doit lui servir pour le plancher, des étagères et la fabrication de quelques meubles pour son logis.

Pendant qu'il rédige sa lettre à son frère Louis, il ressent les désavantages d'être seul et il écrit :

> Il y a certainement un avenir à se tailler ici, et si nous étions à deux, nous aurions un bon atout en main. [...] À deux on peut se couper du bois, le faire scier et se bâtir pour presque rien. Si je puis tenir d'ici là, mon nom sera bon pour obtenir autant de marchandises que peu importe qui, et j'aurai l'avantage d'avoir ma clientèle faite et de connaître les gens, de sorte qu'un concurrent ne pourra nullement me nuire[83].

Il reçoit le soutien dont il a tant besoin lorsque sa fiancée, Joséphine Nayl, vient le rejoindre. Au début de septembre 1910, elle quitte le Michigan pour venir en Alberta et il la rencontre au terminus de Végreville. En se rendant à Saint-Vincent, ils s'arrêtent au presbytère de la paroisse Saint-Paul-des-Métis. Le curé est le père oblat Jean-Marie Le Clainche, qui vient d'Elven dans le Morbihan, à une trentaine de kilomètres de Josselin; il unit le couple dans le mariage lors d'une petite cérémonie, le lundi 12 septembre, dans une voix qui conserve les assonances du pays vannetais[84]. Il n'y a pas d'argent pour le luxe; leur voyage de noce est celui qu'ils font de Saint-Paul-des-Métis à leur magasin-résidence de Saint-Vincent.

L'introduction du poème « Souvenir, testament et prière du vieux défricheur » utilise la métaphore de l'amante pour la hache du défricheur, comme l'épée est la dulcinée du chevalier; l'image qu'évoque Alexandre Mahé

---

81. Isidore Cassemottes, « Souvenirs, testament et prière, et Note », *Le Travailleur*, 14 janvier 1943. [Annexe 6].

82. RM, « Dominion Crown Timber Office », 28 juillet 1910.

83. Lettre à Louis Mahé.

84. Jean-Marie Le Clainche était dans l'Ouest canadien depuis 1904. Surnommé l'« Apôtre des Métis », il œuvra à Saint-Paul durant presque toute sa carrière, à l'exception du temps de son service militaire, en France, de 1916 à 1919. Il est décédé en 1952 dans cette ville, Carrière, *Dictionnaire biographique des Oblats de Marie-Immaculée au Canada*, p. 278.

laisse entendre que les nouveaux mariés savent profiter de leur intimité[85]. D'office, cette partie du poème concerne une bonne hache, outil tant indispensable aux déficheurs, dont ils ont vérifié la qualité de l'acier avant d'en faire l'achat, ce qui n'empêche pas l'image quelque peu érotique d'être inspirée de la vie du poète[86]. On ne peut qu'y penser lorsqu'il poursuit : « De ce jour lointain, presque oublié/Je n'eus plus que toi pour ma bien aimée[87]. » Ailleurs, il évoque l'image de l'épouse, maîtresse de maison, comme la gardienne des champs et des toits, semblable à la déesse du foyer et de la maison, qu'il affirme être une ancienne tradition gauloise, où la femme, ou une statuette de femme, était la gardienne du foyer[88].

Quoi qu'il en soit, maintenant épaulé par son épouse qui s'occupe du magasin et de la maison lorsqu'il travaille aux champs, Alexandre Mahé peut mieux se concentrer sur le défrichement, car la bonne saison est très courte. Pour faciliter son travail et remplir les exigences de la loi, il construit une deuxième petite cabane à l'intérieur de son quart, aussi rapprochée du magasin que possible, c'est-à-dire presque au centre du carreau[89]. Normalement, pour des raisons bien pratiques, les colons construisent toujours leur maison aussi près de la route que possible; il est rare que l'emplacement d'une ferme soit choisi à cause d'un plus joli point de vue, puisque tout chemin privé menant à la maison doit être tracé et entretenu par son propriétaire. De plus, cela empiéterait sur le terrain arable et de bons chemins sont déjà prévus dans le plan du quadrillage des terres.

La petite cabane d'Alexandre Mahé, à un demi-mille du chemin, n'est prévue que comme logement temporaire et elle n'est pas visible de la route. Il est probable que les premiers travaux de défrichage qu'il effectue sur sa terre sont aussi faits sur le terrain du milieu de la section et qu'ils ne sont pas visibles du chemin. Pour se conformer aux règlements de résidence de la loi sur les *homesteads*, ils occupent le leur autant que possible : souvent, son épouse doit passer la nuit seule à la cabane pendant qu'il reste au magasin, et

---

85. Isidore Cassemottes, « Souvenirs, testament et prière », *Le Travailleur*, 14 janvier 1943.

86. Premièrement, on soufflait sur la lame (du souffle de mon haleine) et on observait la buée pour un effacement régulier. Le colon donnait ensuite une chiquenaude sur le taillant, tout en le mettant à l'oreille et écoutant son diapason (ton cœur me dit en langage muet; tu me contas en une langue sans mot/Sous le baiser et la caresse de mes yeux mi-clos). Un ton juste indiquait une bonne hache. Ce sont des techniques encore en usage pour vérifier la qualité moléculaire de l'acier.

87. Isidore Cassemottes, « Souvenirs, testament et prière ».

88. Isidore Cassemottes, *Sainte Anne et ses Bretons*, p. 21, 33-34.

89. RM, Documents du *homestead* d'Alexandre Mahé, A. Nelson, assistant secretary to Alexander Mahe, esq., Denisville, Alberta, 2 May 1912.

elle le fait sans crainte. Ils tiennent compte du nombre de journées qu'ils passent dans cette résidence et ils ont raison d'agir ainsi, car en 1911, ils reçoivent un avis de l'agent des terres leur disant qu'ils vont perdre la leur si aucune amélioration n'y est faite[90]. Il est probable qu'un voisin convoite cette terre, qui semble en friche; il n'y a rien de plus simple que de déposer une plainte et ensuite de réclamer le quart pour soi[91]. Sans aucun doute, la concurrence pour obtenir une terre est féroce, mais durant cet été 1911, une telle plainte s'avère être un sérieux coup bas, car le *homesteader* français est gravement malade[92].

Sa concession est un terrain presque plat, qui penche légèrement vers l'Est. Depuis la disparition du castor et du bison, qui jadis gardaient en marge les bosquets de peupliers têtards et de saules sur cette prairie, l'écologie de la région a changé et les peupliers se sont multipliés. En 1910, le déboisement est pénible et il faut commencer à la hache avant de pouvoir le faire avec le soc de la charrue. Celle-ci bute constamment sur les racines et, chaque fois, il faut arrêter les bœufs pour les couper avec la hache et les arracher du sol. Les bœufs, harcelés sans cesse par les mouches noires et les brûlots, doivent être menés durement, tandis que le cultivateur, recouvert d'une voilette en tulle et portant des gants de coton, doit avoir la force de manier derrière eux sa « charrue trop légère et beaucoup trop basse pour les régions boisées[93] ». Parfois, les animaux vindicatifs se vengent de la rudesse de leur maître en l'arrosant « d'une... encre malodorante et passablement indélébile[94] ». Il arrive que les bêtes affolées entraînent avec elles la charrue et vont se réfugier dans les joncs du lac où on ne voit alors que leurs naseaux. Laissées en liberté la nuit, les plus futées se cachent dans les halliers le matin venu et elles savent baisser la tête pour taire le tintement de leur clochette à l'approche de leur maître; celui-ci est obligé de faire bien des détours inutiles avant de les récupérer pour le travail quotidien.

Le climat ardu de cette région ne laisse qu'une période de cinq à six semaines chaque année pour faire le cassage de la terre et les colons se démènent pour en profiter. Un jour, en plein milieu d'une rude étape de défrichage avec ses bœufs et sa charrue, épuisé et n'en pouvant plus, Alexandre Mahé s'arrête pour souffler. En grande sueur, il s'allonge sur les mottes pour se reposer pendant quelques instants et reprendre ses forces. La saison n'est

---

90. *Ibid.*, 28 mai 1909 au 29 décembre 1914.

91. Témoignage de René Mahé.

92. Arthur Champagne nous a transmis ce renseignement qu'il tenait de René Mahé.

93. Alexandre Mahé, « Souvenirs, testament et prière, et Note », *Le Travailleur*, 14 janvier 1943.

94. *Ibid.*

pas être très avancée, car on dit que le sol est encore passablement froid. Mais sa petite sieste devient un sommeil profond et il se réveille quelques heures plus tard, complètement transi. Affaibli, il développe une toux qui tourne en pleurésie, ce qui l'oblige à rester alité pendant une très longue période. Son épouse s'occupe du magasin et de la correspondance avec le ministère de l'Intérieur pour défendre leur droit de concession.

Un voisin lui suggère de voir un médecin s'il a envie de s'en sortir. Il écoute ses conseils et se fait soigner par le docteur Aristide Blais à l'Hôpital général d'Edmonton. On lui enlève une côte et on lui pose un drain dans le dos, une intervention très sérieuse à l'époque. Son médecin lui prépare un certificat attestant de son mauvais état de santé, ce qui lui donne un sursis pour le *homestead*[95]. En 1940, lorsque le docteur est nommé au Sénat canadien, Alexandre Mahé envoie une courte lettre à *La Survivance* pour le féliciter et il fait référence à ce temps :

> Ceux qui aux jours déjà lointains de 1911 et 1912 s'attendaient d'un jour à l'autre à ma fin ont dû parfois se demander quel magicien ou quel thaumaturge avait bien pu transformer un squelette, d'où la vie s'échappait à vue d'œil, en un homme bien vivant qui vient d'aborder la soixantaine et commence assez gaillardement sa seconde jeunesse[96].

Sans doute, les soins du médecin y sont pour quelque chose, mais ceux de son épouse, probablement autant. La preuve qu'elle veillait à la santé de son mari : pendant très longtemps, les matins d'hiver, lorsqu'on ne chauffait qu'au bois et que les maisons n'étaient pas isolées comme aujourd'hui, c'est elle qui se levait la première pour allumer le feu, tandis qu'elle obligeait son époux à rester au lit, bien au chaud, en attendant que la pièce se réchauffe suffisamment[97]. Vers l'été 1912, il commence à se remettre, car il s'active au magasin. Une photo prise cette année-là montre un homme affaibli par la maladie et encore courbatu, tandis qu'une prise en 1916 montre qu'il a retrouvé la forme. Mais il lui faudra correspondre pendant quatre ans avec le ministère pour justifier de son occupation du sol et faire la preuve de ses journées de résidence sur le *homestead* avant de finalement avoir droit aux lettres patentes[98]. Il obtient son titre de propriété en janvier 1915, presque sept ans après son installation, alors que, normalement, trois années auraient dû suffire.

---

95. RM, « Documents du *homestead* », K. Mackenzie, secretary, Department of the Interior, April 11, 1912.

96. Alexandre Mahé, « La Tribune libre », *La Survivance*, 28 février 1940.

97. Témoignage de Germaine Champagne.

98. RM, « Documents de *homestead* », Alexandre Mahé, Esq., de N.O. Côté, Land Patents Branch, Ottawa, 29 December 1914, avec une note de la main d'Alexandre Mahé : « Réclamé le 6 janvier 1915 ».

Heureusement que le couple a le magasin qui génère un certain revenu, car la ferme n'est pas encore rentable. Malgré la concurrence des magasins du village de Saint-Vincent, durant trois ans, ils continuent à servir les clients à leur commerce chez Limoges. En 1912, ils décident de le déplacer à deux milles plus au nord, à Thérien, qui fait encore partie de la paroisse Saint-Vincent. Comme nous l'avons mentionné, un bon nombre de Français et de Belges sont installés dans les cantons au nord de Saint-Vincent, mais ce n'est pas le motif du déplacement. Encore une fois, des rumeurs courent qu'une ligne du chemin de fer passera par cet endroit, où on ne trouve qu'une petite école et un bureau de poste. En 1912 ou 1913, car les sources se contredisent, il achète huit acres de terrain de Joseph Chartrand, au coin sud-ouest du carreau 27-60-9, au carrefour des quatre chemins[99].

Comme dans le cas de Limoges, Chartrand a tout à gagner en encourageant l'exploitation d'un magasin, essentiel au développement d'un village. Arrivé en Alberta en 1908, c'est lui qui livre le courrier du bureau de poste de Saint-Paul vers le Nord, ce qui influence probablement l'établissement d'un tel bureau à Thérien, où il habite[100]. Alexandre Mahé monte probablement avec lui lorsqu'il se rend à Saint-Vincent pour la première fois. En tant que postillon, Chartrand voyage sans cesse, transportant des passagers ainsi que des marchandises pour ses voisins, ce qui était une bonne façon d'avoir un revenu supplémentaire. En 1910, il participe à la création d'une école à Thérien, car il a une jeune famille. En 1912, il est toujours solidement appuyé par son épouse. Il possède une trentaine de bêtes à cornes et une douzaine de chevaux, il cultive une soixantaine d'acres et il vient de se construire une grande maison. Vers la fin de 1913, par contre, il subit un revers de fortune. Son épouse meurt des suites d'un accouchement et il se retrouve seul avec leurs huit enfants en bas âge. Il décide de retourner avec eux à Sainte-Agathe-des-Monts, au nord de Montréal, pour les confier à sa famille. Il vend les effets de sa ferme aux enchères et il trouve un locataire pour sa terre et sa maison. Avec le départ de Chartrand, le hameau de Thérien perd son plus enthousiaste promoteur. Il est possible qu'Alexandre Mahé ait loué la terre de Chartrand pour la cultiver, puisqu'elle est attenante au magasin[101].

---

99. Germaine Champagne, « Mahé, Alexandre (1880-1968) », *Souvenirs*, p. 303; Élise Chartrand-Déry, « Chartrand, Joseph et Augustine (Desjardins) », *Mallaig-Therien*, p. 339; René Mahé, « Old Therien's First Stores », *ibid.*, p. 131.

100. Dans la biographie familiale, la fondation du premier bureau de poste est attribuée à Joseph Chartrand. D'autres sources précisent que le premier maître de poste est Eugène Guertin. Élise Chartrand-Déry, *ibid.*, p. 338-340; René Mahé, *ibid.*, p. 123, 131-132.

101. Il fait un petit remboursement en 1917, et la façon dont il est noté dans le registre du magasin laisse entendre qu'une plus grosse somme aurait été payée auparavant, possiblement la location de la terre. RM, Alexandre Mahé, « Livre de comptes ».

Chartrand revient en Alberta en 1915 avec les plus âgés de ses enfants; il reprend sa terre et sa maison, mais il a perdu sa niche économique. C'est la guerre et les prix ont augmenté. Après avoir racheté des chevaux et des vaches ainsi que de la machinerie agricole de base, il doit endurer trois mauvaises années, des gelées précoces, de la grêle, de la sécheresse et la rouille du blé. En décembre 1917, il emprunte 185 $ à Alexandre Mahé, qu'il rembourse en partie en nature, dix dollars de planches et dix dollars en argent. Il règle la somme en un versement, probablement après avoir vendu sa terre en 1918 (la date n'est pas indiquée dans le livre de comptes). Comme il n'en peut plus, il cherche fortune ailleurs. Le cas Chartrand démontre comment un homme prudent et entreprenant peut tout de même se retrouver perdant à une époque où les conditions de vie sont extrêmement précaires.

En s'installant à Thérien, Alexandre Mahé se construit un magasin et une maison. Sur une photo prise par un commis voyageur vers 1915, on le voit à la droite de son épouse devant leur magasin en bois équarri, aux coins en queue d'aronde. L'affichage est bilingue et en majuscules : « A. MAHÉ, MAGASIN GENERAL STORE » (voir photos en annexe). Une maison à étages, faite de planches, est construite en 1913 avec l'aide d'un voisin; les hommes calculent chacun leur temps, ce qui semble indiquer un échange d'heures de travail[102]. La charge du bureau de poste de Thérien est libérée en 1914; les Mahé la prennent, mais ils la cèdent en 1916 la trouvant trop accaparente.

Les clients de leur magasin sont surtout des gens des environs. Dans son dernier registre, en 1917, 101 y sont répertoriés, parmi lesquels 63 portent des noms français. Étant donné les longues distances et les rares moyens de transport, très peu de gens viennent de Saint-Vincent où, depuis deux ans, deux établissements se font concurrence. Le magasin Mahé sert aussi une clientèle de passants, car la route tout juste devant mène aux chantiers de la rivière aux Castors où l'on prend beaucoup de bois pour la région, alors en pleine construction. Quelques trappeurs métis des forêts au Nord sont aussi des clients ainsi que certains entrepreneurs qui, profitant des terres libres de la Couronne dans la vallée le long de la rivière, y font de l'élevage à grande échelle. En échange de marchandises, ces derniers gardent le bétail d'Alexandre Mahé, puisqu'il n'a pas encore construit suffisamment de clôtures sur sa concession pour le garder lui-même[103].

---

102. Cette notation, inscrite à la dernière page du livre de comptes, est chronologiquement la première du livre. La construction commence le lundi 15 septembre 1913; les hommes s'arrêtent le dimanche et ils terminent le jeudi 24, quatre jours plus tôt que les deux semaines prévues pour faire le travail. Alexandre Mahé a travaillé beaucoup moins d'heures que son collègue, *ibid.*

103. Témoignage de René Mahé.

Nous n'en savons pas beaucoup sur les années de la guerre 14-18. Si la santé d'Alexandre Mahé avait été bonne, il est probable qu'il serait parti combattre lui aussi, car il voyait l'importance de venir en aide à la France[104]. Mais, en 1914, il obtient un certificat médical qui l'exempte de l'appel aux armes, obligatoire pour tout Français valide. Au Canada, au début du conflit, les fermiers et les éleveurs sont considérés comme essentiels à l'effort de guerre, mais contrairement à beaucoup d'émigrants d'ailleurs en Europe, un traité signé entre la France et le Canada oblige tous les Français à rejoindre leur régiment en France[105]. C'est ce que font volontiers beaucoup d'entre eux. D'après les commentaires recueillis sur des cartes postales envoyées à des amis et conservées dans la collection Mahé, certains semblent presque heureux de rentrer dans leur pays, confiants et convaincus d'aller mettre fin à cette guerre qui s'éternise[106]. Des deux frères Le Jéloux, Étienne est appelé et tué en 1918. Julien est resté au Canada pour s'occuper de leurs terres, mais en 1926, ne pouvant plus endurer cette vie de solitaire depuis la mort de son frère, il retourne en France et se trouve une compagne dans sa contrée natale de Pontivy[107]. Un autre Breton, Mathurin Guevello, qui est venu au Canada avec les frères Le Jéloux, n'y revient pas et on le croit disparu à la guerre. Durant ce temps, bon nombre de jeunes célibataires canadiens-français de la région, tout comme d'autres Canadiens de diverses origines, s'enrôlent dans les forces armées canadiennes.

Alexandre Mahé s'occupe de la ferme de deux de ses amis, les colons français Jules Sancenot et Jean Poilvé, voisins l'un de l'autre, partis ensemble pour le combat. Les cartes postales envoyées en 1915 par Poilvé ont été conservées par la famille Mahé. En partant, Poilvé loue sa terre à un voisin, Charles Marthoz, et ses courtes missives laissent voir sa préoccupation pour ses récoltes, son bétail et sa ferme :

> Donnez-moi des nouvelles de mes animaux ou s'ils sont vendus avec les outils. Je me porte très bien. Nous sommes convaincus de la victoire et après nous aurons une paix bien méritée. Votre ami qui ne cesse de penser à son Canada ! Jean[108].

Les messages de Poilvé sur les cartes sont très brefs; on comprend par certaines lettres que toutes les missives adressées à ses amis ne passent pas la censure militaire. Les deux amis combattent côte à côte pendant quelque

---

104. Témoignage de Germaine Champagne.

105. Pénisson, « L'émigration française au Canada (1882-1929) », *L'émigration française*, p. 57.

106. Témoignage de René Mahé et collection de photos de Germaine Champagne.

107. Il s'agit des parents de Cécile Le Jéloux, épouse de René Mahé. Cécile Mahé, « Le Jéloux, Julien et Cécile (Juino) », *Mémoires précieuses*, p. 577-578.

108. GC, Jean Poilvé à A. Mahé, 10 juin 1915.

temps, mais en 1915, Sancenot est envoyé à Notre-Dame-de-Lorette où il meurt au combat; il n'a que 33 ans. Plus tard, Poilvé est gazé et, après la guerre, il ne peut pas reprendre le travail de la ferme. Il revient pour vendre son bien et s'occuper des affaires de Sancenot; ensuite, il rentre en France, où il épouse la veuve de son frère qui a de jeunes enfants et a besoin de son soutien. C'est alors qu'Alexandre Mahé achète la terre de Sancenot, principalement pour remettre de l'argent à la famille du défunt, elle aussi dans le besoin, en France. De cette période, la collection familiale comprend une dizaine de cartes postales des frères d'Alexandre Mahé et de son beau-frère Gustave Boutteny, appelés à combattre, et qui reçoivent, durant ce temps, des lettres et des paquets de provisions envoyés par les Mahé de l'Alberta. Louis Mahé est blessé en 1915 et il perd un œil[109].

Malgré la guerre, en Alberta, le commerce ne cesse pas et, au magasin, Alexandre Mahé embauche souvent du personnel local. Plusieurs jeunes femmes des alentours y trouvent du travail[110]. Il en vient à préférer que son épouse n'y travaille pas parce qu'elle a le cœur tendre et vend trop de marchandises à crédit aux pauvres gens qui ne pourront jamais payer. Un ami français, Jean Péchinet, travaille très souvent pour lui, participant à la bonne tenue des livres. Même après la vente du magasin, il continue, faisant surtout du transport[111]. Lorsque la petite Germaine Mahé apprend à écrire, ses parents ouvrent un des registres du magasin à une page écrite par Péchinet et elle doit recopier l'écriture soignée de cet ancien banquier de Lyon devenu fermier prospère[112].

Venu au Canada en 1909, Jean Péchinet habite dans le canton voisin, à une douzaine de milles au nord-ouest de la ferme des Mahé de Saint-Vincent. En 1912, ses vieux parents viennent de France pour le rejoindre et ils prennent une concession à côté de celle de leur fils. Célibataire, il habite avec eux tandis qu'il s'occupe de mettre en culture leur *homestead*. De temps à autre, puisqu'ils habitent loin de l'église, les vieux Péchinet viennent passer la nuit du samedi soir chez les Mahé afin d'assister à la messe dominicale à l'église de Saint-Vincent, et plus particulièrement pour faire leurs pâques. Puisque Péchinet faisait souvent du transport, les gens le connaissaient bien. Aujourd'hui, les seuls qui s'en souviennent n'étaient alors que de petits enfants, et ils conservent un très bon souvenir de lui, car il avait toujours des bonbons pour eux quand il s'arrêtait dans les fermes pour abreuver ses chevaux.

---

109. GC, Photo de la remise des médailles devant l'Hôpital des Invalides, 9 septembre 1915.

110. Témoignages d'Anna Piquette et de Laura Forrend.

111. RM. « Livre de comptes », 10 janvier 1920.

112. Témoignage de Germaine Champagne.

Péchinet était un fermier sobre, calme et prospère, que tous appréciaient. Sa terre très boisée avait exigé de lui beaucoup de travail épuisant, mais en 1930, il avait 200 acres de blé, ce qui était considérable. Ce sont alors les premières années de la Crise, et voilà que quelque chose en lui se brise ou se casse. Les membres de la communauté sont stupéfiés lorsqu'ils découvrent par une chaude journée d'août qu'il a tué ses vieux parents avec un fusil à plomb et qu'il s'est suicidé à son tour. Apparemment, il avait écrit à sa sœur en France pour l'aviser de son malheureux projet[113]. Son comportement était parfois excessif. Gilbert La Rue, rédacteur du *St. Paul Journal*, note que durant une période de travail ardu, il avait passé trois semaines sans dormir. Ce journal donne une description détaillée de la scène du malheur et le rédacteur clame haut et fort qu'il s'agit d'une histoire d'amour et que, d'après lui, la résidence des Péchinet ne mériterait que d'être brûlée pour effacer les traces de ce crime affreux[114]. *La Survivance* ne dit mot du drame, mais y fait référence le 13 novembre lorsque Victor Bachoffer, ami et voisin de Péchinet, vient s'occuper de la succession du défunt à Edmonton. Ceux qui ont voulu nous en parler ne l'ont fait qu'avec une très grande tristesse.

En 1930, les conditions étaient difficiles : le blé ne valait plus rien ni le bétail; impossible de vendre ou de partir. Pour un homme seul, le travail de la ferme devait être énorme et la vie était rude pour ces gens habitués à la vie mondaine et aux conforts de la ville. Péchinet était pourtant là depuis vingt ans, il avait des moyens, il possédait une automobile, sa ferme était prospère et, de plus, le chemin de fer n'était pas loin. Ce drame, incompréhensible en 1930, le reste encore aujourd'hui. Les journaux de l'Ouest canadien de l'époque sont pleins de tragédies semblables, très souvent chez les célibataires. Les difficultés restaient les distances, l'isolement, le climat, les récoltes souvent décevantes ou, comme avec la crise de 1929, l'impossibilité de vente sur les marchés internationaux.

En 1917, le magasin de Thérien devient moins profitable pour Alexandre Mahé et les conditions se dégradent lorsqu'un autre marchand se fixe dans le hameau. Il a toujours craint d'avoir à faire face à « un concurrent galetteux qui se mettrait dans l'idée de venir s'installer à côté de moi[115] ». Le pire est que certains clients vont chez le nouveau venu et négligent leurs créances chez leur ancien marchand qui leur a fait crédit pendant tant d'années. Il a déjà subi une perte d'environ 6 000 dollars depuis qu'il tient le magasin[116]. L'arrivée de la concurrence est la goutte qui fait déborder le vase

113. Témoignage de Germaine Champagne.

114. *St. Paul Journal*, 17 septembre 1930.

115. Lettre à Louis Mahé.

116. Témoignage de René Mahé.

et le temps est venu de laisser tomber cette affaire. En capitaliste engagé, le poète laisse s'exprimer « Le vieux défricheur » à ce sujet :

> Cela n'empêche, aujourd'hui comme autrefois
> Qu'aux revenus il faut dépenses ajuster.
> Et se dire pour de bon, une seule fois
> Que capital et revenu ensemble mangés
> Assurant à tout coup durable pauvreté
> Pauvreté et perpétuelle indigence [...][117].

Avec le temps, le chemin de fer s'était beaucoup rapproché de la ferme Mahé et l'agriculture commençait à se rentabiliser dans la région. En 1914, au terminus de Port Arthur, le blé numéro un se vend 1 $ le minot; en 1916, le prix augmente à 1,83 $; en 1917, il est à 2,20 $ et grimpe jusqu'à 2,51 $ en 1920[118]. À cette époque, les terres des alentours de Saint-Vincent ne donnent presque jamais de blé numéro un, mais on classe du deux et du trois, de moindre valeur, mais valable, tout de même. La grande richesse des Prairies canadiennes est alors son blé et le livre de comptes de la ferme d'Alexandre Mahé indique très clairement que c'est la seule culture d'intérêt. Le terminus du chemin de fer est maintenant à moins d'une journée de route et l'agriculture commence enfin à devenir profitable. Aussi décide-t-il de fermer son commerce et de s'y concentrer.

Le bâtiment du magasin est vite vendu à une voisine du village de Thérien, Maria Godelaine, une Franco-Belge qui veut s'essayer dans le commerce[119]. À Saint-Vincent, Ovila Martin vient d'acheter le magasin du père de feu Narcisse Saint-Jean, du même village, et il achète le stock du magasin Mahé[120]. On suppose que cette vente se fait en partie à crédit, puisque durant les années qui suivent, les employés de la ferme sont de temps à autre payés en marchandises du magasin de Martin[121]. Durant l'hiver, profitant de la neige qui rend le transport plus facile, la maison est déménagée de Thérien, montée sur quatre traîneaux et tirée par huit chevaux, à la terre de Saint-Vincent[122]. Elle est placée près du chemin qui longe l'ouest de la propriété. Le livre de comptes du magasin a alors un nouvel usage; le fermier y écrit la première d'une série de notes qu'il y inscrira au fil des ans, telle la valeur de la ferme lors du déplacement.

---

117. Isidore Cassemottes, « Souvenir, testament et prière du vieux défricheur », *Le Travailleur*, 12 janvier 1943.

118. Fowke, *The National Policy and the Wheat Economy*, Table VII, p. 200.

119. René Mahé, « Old Therien's First Stores », *Mémoires précieuses*, p. 131; Sylvia Gascon et Gabrielle Dirk, « Godelaine, Antoine Joseph and Maria », *ibid.*, p. 464.

120. « Nouvelles recrues et expansion », *Souvenirs*, p. 20.

121. RM, Alexandre Mahé, « Livre de comptes ».

122. Germaine Champagne, « Alexandre Mahé (1880-1968) », *Souvenirs*, p. 303.

## Valeur, *homestead* et ferme, janvier 1917[123]

| | Valeur |
|---|---|
| *Homestead* (160 acres) | 1 150 |
| Blé (70 minots) | 50 |
| 1 cheval rouge, 8 ans | 75 |
| 1 vache | 60 |
| 1 génisse | 30 |
| 1 veau | 25 |
| Faucheuse et râteau à foin, charrue à casser et charrue double | 140 |
| Total | 1 530 |

Le résumé n'inclut pas la valeur totale de ses entreprises. Nous savons, par exemple, qu'une vingtaine d'animaux sont gardés par des éleveurs de la rivière aux Castors[124]. On suppose qu'il a aussi de l'argent à la banque, mais le montant n'est pas cité.

Le magasin est initialement, pour Alexandre Mahé, une très bonne stratégie d'adaptation. Le commerce lui permet de survivre pendant les longues années précédant l'arrivée du chemin de fer dans la région. Mais aussitôt que l'agriculture devient viable, il le laisse tomber en faveur de la ferme. Il a subi des pertes financières considérables avec le magasin et il va essayer de récupérer les créances impayées autant que possible. L'ancien marchand ne semble pas garder de rancune; plus tard, il écrit dans une rubrique à *La Survivance* que les Canadiens français « sont des bons payeurs ». Les grands obstacles du terrain et de l'isolement ayant été surmontés, ce cultivateur tâche maintenant de profiter des avantages du sol fertile de sa terre et de prospérer. C'est ce qu'il est venu faire en Alberta et malgré un délai un peu plus long que prévu, il espère toujours réussir. Encore une fois, il va retrousser ses manches et se remettre au travail.

123. RM, Alexandre Mahé, « Livre de comptes ».

124. Témoignage de René Mahé.

# Chapitre V

## Le cultivateur et sa ferme 1917-1956

Dans les archives publiques de l'Ouest canadien, les séries de documents qui concernent les fermes sont très rares. En général, ils n'existent que pour de grandes exploitations pour lesquelles la tenue rigoureuse des comptes était essentielle à la bonne gestion de leurs affaires. Mais durant sa longue carrière comme agriculteur, Alexandre Mahé a aussi tenu un livre de comptes et divers reçus ayant rapport à son magasin et à sa ferme ont été conservés. Seul pour travailler sa terre et ne pouvant se fier qu'à ses propres ressources et à son intelligence pour réussir, il lui est essentiel d'assurer la rentabilité de ses initiatives. Déjà, il est habitué à la tenue rigoureuse de livres dans le commerce et de continuer à le faire pour les finances de sa ferme est pour lui un réflexe normal. C'est ainsi que le dernier livre de comptes du magasin Mahé devient, au fil des ans, un registre de comptes de la ferme Mahé. Ce document inusité nous permet de prendre connaissance de quelques-unes des stratégies que le fermier Mahé utilise pour développer sa terre[1].

Ce vieux livre délabré est une relique de famille, il est le dernier d'une série de registres numérotés, mais le seul qui a été conservé; nous avons eu la permission de le reproduire pour cette étude. Les renseignements qui y sont inscrits sont passablement hétéroclites, mais une lecture attentive révèle des informations au sujet des expériences d'Alexandre Mahé concernant la gestion de sa ferme et les techniques, parfois innovatrices, qu'il met en œuvre.

---

1. RM, « Livre de comptes ». De ce document, nous avons rédigé « Mise en contexte d'un livre de comptes du milieu rural franco-albertain : le cas d'Alexandre Mahé de Saint-Vincent, 1909-1945 », Variations sur un thème : la francophonie albertaine dans tous ses états, sous la direction de Nathalie Kermoal. *Salon d'histoire de la francophonie albertaine,* (Edmonton, 2003).

Des informateurs de la région nous ont assuré que ses réussites ont eu une grande influence sur les autres cultivateurs de la communauté rurale de Saint-Vincent, qui l'imitèrent une fois que les preuves du succès de ses nouvelles entreprises furent démontrées. Encore une fois, les sources orales et les bribes documentaires servent à compléter les lacunes du vieux registre.

## Le règlement des dettes au magasin

Durant l'hiver 1917-1918, lorsqu'il ferme son magasin, Alexandre Mahé inscrit les noms d'une centaine de clients qui lui sont redevables dans un registre presque neuf, ce qui prend quelque vingt pages[2]. Au cours des années qui suivent, le registre sert encore pour noter le nom de ses employés et leur salaire, les recettes de la vente du bétail et du grain de quelques saisons, les comptes détaillés de la culture de certains champs, des travaux de « cassage » des terres et des ouvrages saisonniers. Typiquement, il contient des colonnes de chiffres avec un nom et une courte explication ici et là. Il est rare qu'il y ait des notations de plus de deux phrases. La dernière note, extrêmement brève, date de 1947.

Puisque Alexandre Mahé a lui-même étudié et, on suppose, enseigné l'agriculture dans sa jeunesse, il est possible qu'il ait eu comme arrière-pensée d'utiliser le registre comme manuel pour ses enfants, qui observaient, de temps à autre, leur père occupé à tenir les comptes. On remarque que le nom du petit René, âgé de huit ans, y est inscrit sur une page comme « engagé », à côté des autres employés de la ferme. Le travail du garçon consiste à s'occuper d'un veau, à qui il doit donner à boire une ration de lait écrémé, matin et soir. En échange, son père lui donne le veau et l'enfant pourra éventuellement le vendre à son profit. En consultant le livre de comptes avec notre informateur, il nous a immédiatement montré et expliqué le sens de cette très courte notation. Il connaissait très bien le texte, presque « par cœur », pour l'avoir lu et relu en entier, souvent, et avoir revu dans son imagination le sens des activités qui y sont décrites, mais sans pour autant avoir envie de tenir un tel livre[3]. En examinant ce registre, on constate que les cas sont clairs et bien expliqués et on comprend aisément les calculs.

Le livre n'a jamais été tenu systématiquement pour toutes les activités de la ferme. Généralement, les sujets ne sont notés que pendant deux ou trois ans, le temps pour le propriétaire de juger si l'initiative est rentable. Seule la liste des employés semble avoir été tenue à jour sans interruption. Les premières entrées sont très détaillées, depuis les menus achats faits pour les employés jusqu'aux avances et aux salaires, tandis qu'une vingtaine d'an-

2. *Ibid.*

3. Témoignage de René Mahé.

nées plus tard, les dernières notations ne consistent qu'en deux ou trois lignes contenant le nom de l'employé et sa paye. Pendant un certain temps après la vente du magasin, n'ayant pas totalement écoulé les stocks, Mahé note la vente de quelques articles assortis : un habit, des attelages, du liniment, du linge pour bébé, un traîneau valant 37 $, un essieu de voiture. Mais pour lui, le temps du marchand général est vraiment terminé et ce genre de transaction ne persiste pas.

Le premier sujet du livre de comptes concerne les dettes des clients au magasin qui, après cinq ans passés à Thérien, sont considérables : au début de 1918, la somme s'élève à 3 777,54 $. Tel que mentionné dans le chapitre précédent, il nous a été dit qu'Alexandre Mahé a subi une perte d'environ 6 000 $ durant les neuf années où il a tenu son commerce[4]. L'achat à crédit est alors pratique courante, mais il est entendu que les clients doivent payer régulièrement. Ils sont incités à le faire assez rapidement par l'imposition d'un taux d'intérêt de neuf pour cent sur le montant de la dette à chaque trimestre. Après la fermeture du magasin, de nombreuses dettes ne seront jamais complètement remboursées, même s'il fait son possible pour retrouver les débiteurs. Il récupère au moins 1 160,12 $ durant les années qui suivent, et probablement plus, puisque la rentrée de fonds n'est pas toujours précisée dans le cahier.

Généralement, nous voyons que les clients remboursent leurs dettes quand et comme ils le peuvent. En 1929, commentant la visite de vendeurs de machines agricoles dans la région, Alexandre Mahé précise que « nos Canadiens sont lents pour acheter, mais fidèles et exacts à payer; en un mot, ce sont de mauvais clients pour... les collecteurs et le sherif[5] ». Beaucoup de paiements sont faits en nature et, souvent, il s'agit du remboursement d'une bien petite somme due. Si nous prenons en considération qu'un employé de ferme n'est payé que trois dollars par jour, ce qui peut sembler ridicule aujourd'hui, mais qui a un pouvoir d'achat considérable à l'époque, il faut comprendre qu'un montant d'argent qui nous semble infime est important et qu'il conserve sa valeur. L'un rembourse 50 $ sur une dette de 88,58 $ en travaillant à la construction de la nouvelle écurie de la ferme en 1918. Un autre rembourse 4,40 $ en travaillant aux « battages » de la moisson d'octobre 1918 sur la ferme Mahé. Une dette de 11,60 $ est payée en blé et on paie aussi avec de l'orge, de l'avoine, des piquets de clôture, des planches, des madriers, du sciage de bois et, parfois, avec du bétail. Dans une ferme, la saillie d'une vache a sa valeur; un cas est noté comme remboursement. Durant le mois de février 1918, un travail communautaire comble une dette de

4. *Ibid.*

5. Correspondant (Alexandre Mahé), *La Survivance*, 4 avril 1929.

17,45 $ : il s'agit du transport d'une charge de planches pour la construction de la nouvelle église paroissiale de Saint-Vincent. Le cahier des syndics de la paroisse précise que la valeur du charriage depuis la rivière aux Castors jusqu'à Saint-Vincent est de dix à quinze dollars la charge, selon que la planche est sèche ou encore verte[6].

Un huissier de Saint-Paul est embauché pour récupérer les dettes impayées, mais il n'arrive cependant pas à les collecter toutes. Quelques anciens clients s'éloignent et disparaissent dans des villes ou des régions éloignées. Typiquement, une dette d'une vingtaine de dollars, dont les intérêts majorent le montant, persiste plusieurs années. Vers la fin de 1920, il note : « Cette [dette] payé[e] en partie inutile de poursuivre plus loin la collection[7]. » Le problème est que beaucoup des anciens clients sont si pauvres qu'ils ne peuvent absolument rien payer. En remerciement du crédit que Joséphine Mahé lui avait accordé au magasin, une cliente démunie lui donne un couvre-lit qu'elle a crocheté en fil de coton blanc[8]. À l'époque, le fil ne coûtait presque rien et le travail de ses mains était vraiment la seule chose que cette pauvre cliente pouvait offrir en compensation. Germaine Champagne a raconté ce fait il y a bien des années de cela, probablement afin d'inspirer à l'enfant turbulente que nous étions un peu de respect pour cet objet fragile, témoignage des difficultés initiales de la colonisation dans l'Ouest canadien.

Puisque le livre de comptes d'Alexandre Mahé est un document privé, sans obligation de comptabilité externe, il arrive que certaines sommes remboursées à l'amiable ne soient pas notées. Sur la liste des effets dus le premier janvier 1917, une valeur totale de 734,76 $, figure une dette de 300,63 $ – ce qui est à l'époque une somme très importante. D'après les notes, rien n'indique qu'elle a été remboursée. Mais puisqu'il s'agit de la dette d'un bon ami de la famille, l'idée qu'il n'aurait pas remise une telle somme a semblé absurde à nos informateurs, qui n'ont entendu que du bien de cet homme et ils sont d'avis qu'elle a été réglée[9].

On remarque qu'après la fermeture du magasin, il arrive à Alexandre Mahé de prêter des sommes d'argent, car les créances ne sont pas toutes celles du magasin. On note un prêt de 150 $ au début janvier 1918, pour une période de trois mois, à neuf pour cent d'intérêt, qui est remboursé à temps avec un paiement qui consiste en deux vaches, 75 $ la vache, soit le

6. APA, Fonds oblats, 71,220845, Comptes rendus des syndics de Saint-Vincent, paroisse Saint-Vincent, 6 janvier 1917.

7. RM, « Livre de comptes ».

8. Témoignage de Germaine Champagne.

9. Témoignages de Germaine Champagne et de René Mahé.

prix courant. Huit autres cas sont notés, des sommes allant de 96,10 $ à 185,20 $. Il n'est pas le seul dans la région à prêter de l'argent. Une informatrice nous a raconté comment, en 1909, son époux, alors un colon inexpérimenté qui vient d'arriver du Québec, frais émoulu d'études en pharmacie qu'il abandonne au grand dam de sa mère, emprunte 2 000 $ d'un usurier local pour s'installer sur une terre, la dernière qui reste dans la région, et la moins bonne[10]. Le tarif de « dix sur cent par an » sur le principal ronge ses profits, qui sont en tout temps minces, car il avait pris une terre dont personne ne voulait : c'était une terre basse, sablonneuse et boisée et, de plus, humide et propice aux gelées, que jamais il n'arriva à drainer correctement pour qu'elle devienne rentable. Il est toujours aussi endetté en 1918 lorsqu'il se marie et si le jeune couple essaye de s'en sortir, c'est presque peine perdue. Aux yeux de l'épouse, leur créancier, un voisin – le « vieux sarpent », comme elle l'appelait – les attendait lorsqu'ils revenaient du marché après avoir vendu une truie ou une vache et il happait régulièrement la somme entière. À la longue, leur créancier, vieillissant, vend la dette et ils doivent continuer à payer le nouvel usurier. Vers 1930, après vingt ans de paiements, le fermier reçoit 2 000 $ en héritage de sa mère, somme qui est complètement utilisée pour amortir la dette.

De temps à autre, certains cultivateurs se découragent, retirent leur épingle du jeu et vendent à l'encan leur ferme et leurs effets afin d'en retirer un peu d'argent pour aller recommencer ailleurs. Pour les fermiers des alentours, c'est toujours une bonne occasion de s'acheter des outils à bon marché, mais il faut aussi dire qu'ils fréquentent souvent les encans de leurs voisins par solidarité. Pour un créancier, c'est également le bon moment de récupérer l'argent de la dette, car en ce jour, il est certain que le fermier en aura dans ses poches. En 1918, Alexandre Mahé est présent lorsqu'un cultivateur vend sa ferme à l'encan et, justement, celui-ci lui rembourse le tiers de la somme qu'il lui doit. Le restant est payé par un voisin qui assume la responsabilité de la dette (probablement en compensation d'un achat) et la rembourse vers la fin octobre de la même année[11].

Les relations d'Alexandre Mahé avec ses anciens clients restent bonnes et les transactions commerciales avec eux se poursuivent, quelle que soit leur origine ethnique. De la centaine de clients qui sont nommés dans le livre de comptes, le tiers ne sont pas Français, car dans la région, il y a des Américains, des Britanniques, des Ukrainiens, des Polonais et autres. Le cas de Nove Palmer illustre quelque peu ces bonnes relations. Venu d'Oklahoma en 1910, il habite un peu au nord de ce qui deviendra, vers 1928, le village

10. Témoignage d'Anna (Brousseau) Piquette-Martin, Saint-Paul, 10 mai 1995.

11. RM, « Livre de comptes », 18 juin 1918.

de Glendon, à quatre milles du « Vieux Thérien[12] ». Tout en cultivant sa terre, Palmer augmente son revenu en faisant du défrichage, du « cassage », du « fretage », en tenant un relais pour les diligences et en fournissant des chevaux pour le transport commercial. Bien qu'aucune notation dans le livre de comptes ne le confirme vraiment, il est probable que, comme Péchinet, Palmer fasse du transport pour le magasin de Thérien tout en y étant client. Lorsque Mahé ferme son magasin, c'est Palmer qui prend la concession « Imperial Oil » et qui en devient le distributeur à son relais de Glendon. À l'époque, cela n'est qu'une toute petite affaire; ce n'est qu'avec l'augmentation des automobiles et des tracteurs à essence que ce genre de commerce prend plus d'importance. Rien n'indique une transaction financière dans leur entente et il est possible que l'arrangement se soit fait à l'amiable[13].

En août 1922, Palmer fait des travaux de défrichage [cassage] pour Alexandre Mahé : 52 acres sur un quart à Thérien, acquis d'Albert Limoges. La date exacte de cet achat est inconnue, mais en 1919, lors de son mariage, ce dernier y habitait toujours[14]. Pour le « cassage » de la terre, Palmer facture sept l'acre pour un total de 224 $. Comme paiement, il prend la moitié de la somme en marchandises du magasin Martin à Saint-Vincent et, étant fermier lui-même, il prend quatre cochonnets de la ferme Mahé à trois dollars chacun. Le restant, soit 100 $, lui est acquitté en « argent ou par chèque[15] ».

Ces quelques exemples nous font comprendre qu'Alexandre Mahé accepte de régler les dettes de ses clients du magasin en valeur équivalente de travail. Cela lui évite des dépenses pour payer les employés dont il a grand besoin. Il accepte aussi le troc d'objets, d'animaux et de produits dont il a toujours besoin à la ferme – piquets, orge et avoine. Ainsi, l'investissement fait dans le magasin est récupéré quelques années plus tard à la ferme.

## L'agrandissement de la ferme Mahé

Parfois, Alexandre Mahé profite des occasions qui se présentent pour augmenter la superficie de sa ferme. Déjà avant 1922, il obtient la terre de Limoges à Thérien, laquelle est située à quatre milles de sa ferme de Saint-Vincent. Cette propriété est éloignée, mais elle lui est encore relativement accessible. Par contre, celle de Sainte-Lina, à six milles de la ferme, qu'il

---

12. « Nove Ellis Palmer », *So Soon Forgotten : A History of Glendon and Districts*, Glendon Historical Society, 1985, p. 768-769.

13. « Draying in Glendon », *ibid.*, p. 16.

14. « Bonnyville – Mariage », *L'Union*, 20 juillet 1919; Albert Limoges est un des fils de la famille qui a invité Alexandre Mahé à installer son magasin sur sa propriété de Saint-Vincent en 1909.

15. RM, « Livre de comptes ».

achète à la suite du décès de Sancenot dans les tranchées de France, est beaucoup plus loin. La terre est excellente; le défrichage est avancé et la qualité du sol est bonne, mais son éloignement occasionne beaucoup d'inconvénients, surtout en ce qui concerne le déplacement des outils aratoires, car ils ne sont pas faits pour voyager et ils doivent être traînés sur les chemins ou démontés, ce qui prend un temps précieux[16]. De plus, puisque les déplacements ne se font qu'avec des chevaux, c'est assez lent. Ce n'est guère mieux avec l'arrivée des premiers tracteurs, car ces machines lourdes aux grosses roues crénelées en acier défoncent les petits chemins mous des campagnes et il n'est pas possible de voyager en tout temps.

Souvent, de bon matin lors d'une journée ensoleillée, Alexandre Mahé part de sa ferme avec son attelage de chevaux et son équipement et il arrive à Sainte-Lina une heure et demie plus tard, sous une pluie battante; il est dans l'impossibilité de faire son travail et il revient bredouille : il a perdu sa journée. En 1921, il n'avait toujours pas payé les redevances d'impôts municipaux sur cette terre, et ce, depuis trois ans, délai maximal de grâce. Il est loin d'être le seul, une cinquantaine d'autres fermiers du canton sont dans la même situation, car 1920 est une année de dépression économique. Une annonce de la municipalité de Saint-Vincent est publiée dans le *St. Paul Star* pour faire connaître quelles propriétés seront vendues aux enchères publiques si les impôts ne sont pas réglés avant la date limite[17]. Remettre aux derniers jours le paiement des taxes est alors, tout comme aujourd'hui, une façon bien justifiable de réduire un peu ses pertes et de jouer avec son capital. Mais les impôts sur la terre de Sancenot sont payés à temps, puisque l'année suivante, son propriétaire est en mesure de la louer.

Durant ce temps, un quart de section directement à l'est de la ferme Mahé est mis en vente, à la suite du départ de son ancien propriétaire, Marcel Nault, qui l'a cédé à ses créanciers. René Mahé nous a parlé de cette propriété et du débat qui a eu lieu entre les voisins qui voulaient l'acheter. La proximité de cette terre intéresse son père qui sait qu'un autre voisin, pour qui elle est aussi attenante, a « l'œil dessus », car il a une grande famille et des garçons en âge de s'installer[18]. Ne voulant pas offusquer ce voisin, il lui demande à plusieurs occasions, à la sortie de la messe ou en le croisant au village, s'il a l'intention de l'acquérir; il lui laisserait bien volontiers la priorité. Mais feignant le désintérêt, le voisin lui répond toujours que non, insistant à voix haute : « Je la laisse faire ! J'en voudrais pas, quand même qu'ils me la donneraient, j'en voudrais pas ! j'en voudrais pas ! » Dans sa tirade, il

16. Voisey, *Vulcan*, p. 134.

17. « Tax Sale List », *St. Paul Star*, August 25, 1921.

18. Témoignage de René Mahé.

déprécie la qualité de la terre autant que possible – sablonneuse, rocheuse, « gêleuse » – en somme, une terre qui ne vaut rien : « rien que de la roche, rien qu'une grande roche ! »

Ce n'est, bien sûr, qu'une ruse. Il désire ardemment la propriété, mais il n'a pas l'argent nécessaire pour l'acheter au prix du marché et il caresse sans doute l'espoir de l'obtenir sans bruit aux enchères publiques de la municipalité, pour un petit pain, tout comme son voisin Mahé. Comme les autres fermiers de la région, ils savent bien que les propriétaires par intérim, des avocats de Saint-Paul, se lasseront de payer les impôts sur une terre qui ne se vend pas, car ils en détiennent un grand nombre dans la même situation. Il est bien possible que la propriété soit cédée à la municipalité un jour, mais entre-temps, il est préférable que personne d'autre ne s'y intéresse et ne vienne créer de la concurrence lors de l'encan municipal. Dans la région, un quart de section vaut 1 600 $. Dix dollars l'acre semblent peu, mais sans le chemin de fer, le marché reste figé et dévalué. Voisey nous informe qu'en 1917, un quart de section se vend 4 000 $ (25 $ l'acre) dans le sud de la province où le marché est actif et que des montants de 45 $ à 90 $ l'acre sont payés de temps à autre[19].

En 1923, la compagnie foncière de Saint-Paul trouve finalement un preneur pour la terre de Nault. En entendant cette nouvelle, Alexandre Mahé est très déçu d'avoir tardé et gâché sa chance d'acheter la propriété, car sans doute, il attendait lui aussi les enchères municipales annuelles. Cependant, il revient à l'attaque et propose un échange de la terre de Sancenot contre celle de Nault. Il reconnaît que la terre de Sancenot est de bien meilleure qualité que celle où il est présentement installé, mais il a déjà tant investi dans sa ferme qu'il préfère ne pas déménager[20]. Chez Sancenot, il a 70 acres de très bonne terre déjà « faite », c'est-à-dire défrichée et mise en culture, tandis que cinq acres à peine ont été « cassées » sur celle de Nault ! Puisque la valeur courante du défrichage est de 10 à 12 $ l'acre, il s'agit d'une économie de plus de 700 $ en temps ou en salaire. Le nouvel acheteur comprend immédiatement les avantages de l'affaire et il accepte l'échange sans se faire prier, surtout parce qu'il est aussi facile pour lui de s'installer à un endroit qu'à un autre. De plus, il sait que dès l'été suivant, il pourra immédiatement profiter des gains de sa première récolte. Il devient un fermier prospère, initiative et bonne fortune aidant. Quelques années plus tard, la nouvelle ligne de chemin de fer tant attendue et tant désirée pour Saint-Vincent traverse sa propriété et la gare la plus rapprochée est construite à Mallaig, à deux milles de sa ferme.

---

19. *Vulcan*, p. 133 et 138.

20. Témoignage de René Mahé.

L'acquisition de la terre de Nault, même si elle est encore en friche, permet à Mahé d'augmenter la superficie de sa propriété sur le lot voisin et c'est ce qui compte pour lui. Le terrain est plat et penche un peu vers l'est, ce qui le protège des vents dominants et asséchants du Nord-Ouest. Boisé, il sera défriché au fil des ans. Quant aux pierres, vestiges de l'ère glaciaire, certains endroits en ont plus que d'autres et, il est vrai, cette terre en avait beaucoup, mais avec le temps, une à une, les plus grosses ont été ramassées. Finalement, la technologie moderne aidant, le terrain a été complètement nettoyé de ses roches avec un ramasse-pierres mécanique[21].

En nous racontant l'histoire de cette transaction foncière de son père, notre informateur imite l'accent et les expressions du voisin, en riant de bon cœur. Puisqu'il n'a que cinq ans lors de l'échange, il a dû réentendre l'histoire de nombreuses fois. C'était au tour du voisin d'être déçu de se voir privé de la terre qu'il convoitait depuis si longtemps. Lors des discussions après la messe ou au magasin général, il se plaignait à qui voulait l'entendre du fait qu'elle aurait dû être sienne, gémissant : « C'était à moi que ça revenait! c'était à moi[22] ! » Sans doute, sa peine était-elle réelle. L'un de ses fils nous a raconté le deuil qu'en fit son père, qui n'avait alors pas les moyens de l'acquérir, terre sur laquelle il souhaitait installer un de ses garçons[23]. Notre informateur attribue d'ailleurs l'occasion manquée à la lourde perte financière de l'hiver 1919-1920. Un autre informateur de la paroisse nous a raconté comment, bien des années plus tard, il avait aussi hésité longuement avant d'acheter une terre que le même voisin convoitait en secret et dont-il disait être de mauvaise qualité, « rien que du sable ». Finalement, le jeune fermier se décida et il l'acheta; enfin propriétaire, il examina son bien pour trouver que la terre était bonne partout et qu'il n'y avait même pas de sable !

Depuis son arrivée, la famille Brousseau s'était associée avec des voisins, les La Chevrotière, qui faisaient l'élevage du bétail sur les terres libres de la Couronne, dans la vallée de la rivière aux Castors. Le processus d'installation sur une ferme exigeait la construction de clôtures, sans lesquelles les animaux pouvaient s'éloigner et même se perdre. Mais celles-ci, essentielles, coûtaient cher et l'argent était rare. Au début, il était possible d'en faire quelques-unes avec des perches et de l'écorce de troncs d'arbres, rebut du sciage de la planche. Les perches étaient plus rares, surtout dans la prairie où on trouvait principalement du tremble qui n'était pas durable. Et si elles ne coûtaient pas grand-chose, les clôtures de « croûte » étaient beaucoup moins

---

21. Témoignage de Louis Mahé.

22. Témoignage de René Mahé.

23. Témoignage d'Alphonse Brousseau.

solides que celles en fil de fer barbelé fixé sur des piquets, généralement faits d'épinette rouge; de plus, elles n'étaient bonnes que pour de petits enclos et les animaux avaient tendance à les défoncer. N'empêche que les construire prenait du temps, ce qui empiétait sur la mise en culture des champs. Ainsi, en attendant de pouvoir investir de l'argent dans la construction de bonnes et solides clôtures en fil de fer barbelé, les colons faisaient garder leurs animaux en troupeaux par des entrepreneurs locaux qui s'adonnaient à l'élevage du bétail. Cela pouvait être une niche assez lucrative, puisque garder un grand troupeau n'était pas beaucoup plus compliqué que d'en garder un petit; de fait, c'était plus efficace et sécuritaire. Il suffisait d'avoir deux ou trois jeunes hommes qui aimaient la vie de plein air et les chevaux et d'avoir accès à des terres de pâturage sans ambages, telles celles de la Couronne. Chaque fermier marquait ses animaux au fer rouge pour les distinguer des autres et ils les laissait aux soins des *cowboys*.

Depuis l'arrivée des familles Laboucane, Poitras et Garneau avec leurs grands troupeaux de chevaux et bestiaux, en 1896, on pratiquait l'élevage dans la région, et ce, jusqu'au rude hiver 1919-1920. Cette saison fut très dure, avec ses froids extraordinaires et, surtout, ses accumulations de neige, ce qui demeure tout de même assez rare dans les Prairies. On dit que dès le 8 octobre, la neige tomba en abondance et resta au sol jusqu'au début mai[24]. Généralement, dans ce coin de pays, durant l'hiver, il y a des redoux, souvent causés par le *chinook*, ce vent du Pacifique qui s'élève et franchit les Rocheuses et qui, en quelques heures, fait disparaître la neige et découvre le sol, ce qui permet aux animaux de se nourrir facilement. Le redoux qui survint en octobre 1919 fut écourté par un froid qui transforma la couche de neige fondante en une épaisse croûte de glace, immédiatement recouverte de plusieurs bordées de neige. Ce grand froid persista et les animaux n'arrivèrent plus à défoncer la neige et la glace pour s'alimenter. À l'époque, la plupart des fermiers comptaient sur le foin sauvage des marais pour fournir le gros du fourrage aux bêtes, mais les petites réserves qu'ils avaient en meulons cette année-là étaient loin d'être suffisantes pour faire hiverner leurs troupeaux.

En conséquence, la majorité des éleveurs de la région ont été ruinés; seulement les mieux installés, ou les plus chanceux, ont réussi à s'en sortir. C'est ce qu'on raconte d'un éleveur local, malade de la grippe espagnole, qui avait vendu son troupeau au complet l'été précédent pour aller se faire soigner à la clinique Mayo à Chicago; il revint l'été suivant, sa santé remise et sa

24. « Les années de la crise », René Mahé, *Souvenirs*, p. 469-471.

fortune intacte, avec les moyens de s'acheter des bêtes pur sang[25]. Dans la région de Saint-Vincent, les familles Brousseau et La Chevrotière perdent une grande partie de leur troupeau à cause du froid et elles vendent le reste à perte. René Mahé précise qu'un embargo américain en vigueur sur les animaux du Canada faisait qu'une bête qui valait 100 $ à l'automne n'en valait plus que 15 au printemps.

L'autre problème est que dans l'Ouest canadien, après la Première Guerre mondiale, les fermiers ressentent surtout le manque de wagons pour expédier leur bétail aux marchés de l'Est. Déjà, les compagnies de chemin de fer donnent la priorité à la livraison du blé, mais la plupart des cultivateurs des régions septentrionales des Prairies font une culture mixte; ils utilisent les céréales abîmées par les gelées précoces, si fréquentes dans les débuts de la colonisation, pour nourrir leurs animaux, car autrement, ces récoltes seraient perdues. Alors cet hiver-là, les fermiers se retrouvent rapidement avec de grandes quantités de bétail et le marché est vite saturé. Ils se précipitent tous au même moment pour se débarrasser des animaux qu'ils ne peuvent plus nourrir à cause des conditions climatiques désastreuses. Maurice Destrubé, un éleveur du coin, décrit dans ses mémoires les efforts herculéens qu'il doit faire durant l'automne 1919 pour vendre une bonne partie de son troupeau. Il est un des chanceux, il réussit malgré de nombreuses complications; entre autres, il doit soudoyer au prix fort le conducteur d'un train du CN afin d'obtenir les dix wagons nécessaires pour transporter son troupeau à Edmonton, auquel il évite ainsi le voyage à pied de 200 kilomètres et une perte de poids importante, ce qui aurait considérablement réduit ses profits[26].

Une courte annotation griffonnée dans le livre de comptes d'Alexandre Mahé confirme qu'en 1918, il fait garder vingt-deux têtes par les « ranchers de la rivière Castor[27] ». Il vend ces animaux en 1919. Le passage du troupeau, qui s'arrête pendant la nuit dans la cour de la ferme Mahé, est resté gravé dans la mémoire de René, qui n'était qu'un bambin à l'époque[28]. Il nous a expliqué qu'un spéculateur américain était passé, achetant tout ce qui restait dans la région, et qu'il reconduisait ce grand troupeau à Edmonton pour le vendre. Aujourd'hui, presque quatre-vingts ans plus tard, ce souvenir est encore vivant. Quel spectacle impressionnant pour cet enfant, le flot de plusieurs centaines de bêtes, tournoyant dans la cour de la ferme, beuglant et se bousculant; et le lendemain, les voir partir menées par leurs gardiens !

---

25. Témoignage d'Alphonse Brousseau
26. Destrubé, *Pioneering in Alberta*, p. 132.
27. RM, « Livre de comptes » et témoignage de René Mahé.
28. Témoignage de René Mahé.

Malgré les crises économiques et les services encore médiocres du chemin de fer, les conditions s'améliorent lentement dans le Nord-Est de l'Alberta. Sur sa ferme, Alexandre Mahé progresse tranquillement et il continue d'agrandir sa propriété. En 1923, il possède deux quarts attenants, ce qui lui donne 320 acres (134 hectares) d'un seul tenant. Il exploite aussi l'ancien quart de Limoges à Thérien. De plus, il fait l'acquisition d'un quart de section aux enchères publiques de la municipalité en 1928. Située directement à l'ouest de la ferme Mahé, de l'autre côté du chemin, cette terre avait appartenu à un *homesteader* qui, voulant poursuivre une carrière d'hôtelier, avait hypothéqué sa terre pour construire un petit hôtel à Saint-Vincent, le deuxième du village[29]. Si on en juge par les quelques mentions faites dans le *St. Paul Journal*, ses affaires allaient bien pendant un certain temps. Mais en 1926, lorsque la route de la ligne du chemin de fer est définitivement tracée, on sait alors qu'elle ne passera pas à Saint-Vincent, il vend son hôtel et abandonne sa terre aux créanciers. Faute d'acquéreur, ces derniers préfèrent ne pas payer les taxes sur la propriété et ils la cèdent à la municipalité qui la met aux enchères publiques[30].

C'est ainsi qu'en 1928, Alexandre Mahé acquiert son troisième quart attenant. Il se rend à l'encan pour enchérir sur son voisin, avec qui il avait et a toujours eu de très bonnes relations. Une note crayonnée à l'endos du chèque encaissé atteste la vente : « Nous étions deux acheteurs, Joseph Brochu dont la dernière offre fut de 435 $. Je fis une mise de 437 $ et la terre me resta[31]. » Le terrain est traversé par un ravin, ce qui gâche en grande partie sa valeur productive. Il est très rocailleux et il a des réserves de sable à fleur de sol. Mais n'importe, on y trouve aussi de grands boisés, et on se chauffe alors au bois. De plus, ce genre de terre est utile pour le pâturage des bêtes, quoique quelques grands prés sont propices à la mise en culture. Avec cet achat, Alexandre Mahé possède une section, c'est-à-dire 640 acres, dont trois des quarts sont à proximité l'un de l'autre. Plus tard, il a l'occasion d'acheter un cinquième quart de section d'un autre voisin, le coin nord-ouest du carreau neuf, ce qui fait une section de terre complète au même endroit[32].

En 1928, la ferme Mahé est d'une superficie largement supérieure à la moyenne dans la région, quoique d'autres la dépassent de beaucoup. À une trentaine de kilomètres à l'Est, les frères Destrubé, financés en partie par leur

---

29. Témoignage de René Mahé.

30. « Pool room at St. Vincent changes hands », *St. Paul Journal*, October 28, 1926.

31. RM, « Chèque affaire Préfontaine », 6 avril 1927.

32. *Map of the Municipal District of St. Paul no. 86*, C.B. Atkins, A.& D.L.S., municipal surveyor and engineer, 505 Agency Building, Edmonton, Alberta, s.d. (env. 1945).

père, un banquier de Londres, possèdent 2 000 acres sur lesquelles ils font de l'agriculture et de l'élevage à grande échelle[33]. En 1926, seulement 57,5 pour cent des fermes de l'Alberta ont une superficie de plus de 200 acres, tandis qu'en Saskatchewan, où le sol est plus aride et où la monoculture est de règle, 70 pour cent des fermes ont plus de 200 acres, la moyenne étant de 389[34].

Alexandre Mahé garde la terre de Limoges à Thérien jusqu'en 1937 et il la donne en cadeau de noces à sa fille[35]. Un article, qui ne semble pas avoir été écrit par lui, publié dans les pages de *La Survivance*, décrit la fête, et la donation, à la maison paternelle :

> Parmi les nombreuses décorations aux couleurs délicates, on apercevait un peu de tricolore pour rappeler la « doulce France » de M. Mahé. Un nom aussi français que celui de champagne méritait bien lui aussi une petite touche française dans le décor. Les cadeaux affluaient de partout, mais il y en avait un qui semblait bien petit et de peu d'apparence, il avait tout de même une portée étendue. En effet M. Mahé remit à sa fille une piastre, mais c'était simplement pour faire changer de nom, chez le notaire, un quart de terre qu'il lui donnait[36].

Pour les nouveaux mariés, qui habitent à cinq milles au sud de la ferme Mahé, la terre de Limoges, située à plus de dix milles de leur résidence, est un peu trop loin. Malgré cela, ils essaient de la cultiver pendant quelques années, mais finalement, le couple constate que, comme dans le cas de la terre de Sancenot, cette propriété est trop éloignée pour qu'elle leur soit vraiment rentable. En 1943, ils la vendent et réinvestissent la somme dans une terre attenante à leur propriété, à leur plus grand avantage.

## Mise en valeur de la ferme

Il est certain qu'au début de la colonisation, la plupart des colons ne commencent qu'avec le plus simple des outillages : une hache et une charrue à bœufs. Dans un documentaire de l'Office national du film, *C'est l'nom d'la game*, réalisé par Sylvie Van Brabant, sur la succession des fermes de la paroisse Saint-Vincent, quelques anciens se remémorent comment, faute de

---

33. *Pioneering in Alberta*, p. 123.

34. Chester Martin, « Dominion Lands Policy », Vol. II, *Canadian Frontiers of Settlement*, Edited by W.A. Mackintosh and W.L.G. Joerg, Toronto, The Macmillan Company of Canada Limited, St. Martin's House, 1938, New York, Krause Reprint, Millwood, 1974, p. 500-501.

35. Témoignage de Germaine Champagne.

36. « Saint-Vincent », *La Survivance*, 1er décembre 1937.

moyens, ils ont battu leurs premières récoltes de blé au fléau, ce qu'ils admettent était faisable pour quelques minots, mais terriblement éreintant pour de grandes quantités[37]. Tout comme dans le film, les annotations dans le livre de comptes d'Alexandre Mahé démontrent comment les méthodes agricoles évoluent rapidement dans la région. Plusieurs pages du registre sont consacrées aux frais relatifs à la mise en culture d'un nouveau champ et aux profits de quelques années en succession. On comprend qu'avant de compter des profits de l'agriculture, il déduit ses dettes et les frais de mise en valeur de la propriété.

Le défrichage commence avec le déboisement du terrain à la hache, vient ensuite un nettoyage du sol où les grosses pierres sont enlevées, tandis que les racines sont coupées et arrachées; les souches plus tenaces sont dynamitées. Après le premier passage de la charrue, le sol doit être encore mieux labouré et nivelé. Il faut ensuite y passer un pulvérisateur à disques, (ou herse à disque), qui traîne des herses à dents. Puisque le climat est trop froid pour faire des semailles à l'automne, elles sont toujours faites au printemps, ce qui exige un léger labourage du champ avant de pouvoir procéder. Les herses à disques sont alors traînées derrière le semoir pour bien ensevelir les graines.

Chacune de ces tâches prend un temps précieux et, entre 1920 et 1925, Alexandre Mahé note les comptes spécifiques à plusieurs de ses champs, variant d'une superficie de 22 à 70 acres. Au début, ce sont des frais de mise en valeur et des calculs sur le rendement. En 1922, 10 acres de « cassage » donnent 22 minots l'acre, tandis que 60 acres semées sur le chaume ne donnent que 13,5 minots l'acre[38]. Le chiffre d'affaires de la ferme est tenu seulement en 1925 et en 1926, années où le fermier note les frais de transport du blé de la récolte de l'été 1925. En 26 voyages, 1 712,5 minots sont transportés, valant en moyenne 1,09 $ le minot, pour un revenu de 2 476,70 $. Seuls les frais d'entreposage à l'élévateur sont notés.

---

37. Montréal, Office national du film du Canada, 1977, 53 min., son., coul., 1/2 po.

38. A. Mahé, « Livre de comptes ».

## Blé, livre de comptes d'Alexandre Mahé, 1920-1921

| | Débits | Crédits |
|---|---|---|
| 15-26 mai Ensemencé 22 acres, 1,5 minots (m.) à l'acre = 33 minots et 1,75 $ l'acre | 57,75 $ | |
| 12 acres labour d'été à 8 $ l'acre | 96,00 $ | |
| 10 acres labour printemps à 5 $ l'acre | 50,00 $ | |
| semailles | 30,00 $ | |
| coupage | 33,00 $ | |
| mâtage du grain | 8,00 $ | |
| ficelles [30 cents l'acre] | 6,60 $ | |
| battages 525 m. à 12 sous | 63,00 $ | |
| charroyer au marché 426 m. à 10 ¢ le m. | 42,60 $ | |
| 11 février 1921 vendu 426 m. à 1,53 $ m. | | 651,80 $ |
| Reliquat en grainerie 99 m. à 1,43 $ m. | | 141,55 $ |
| Solde au crédit | 406,40 $ | 793,35 $ |
| Rendement à l'acre, labour d'été : | | |
| Fife Prime, rendement 32 m. l'acre (a.)(sujet à la rouille à discontinuer), sur jachère d'été | | 24,08 $ a. |
| Preston, 27,5 m. a., jachère printemps | | 20,69 $ a. |
| Preston, 19,70 m. a., jachère printemps. Ce blé quoique semé tard à fort bien mûri en 99 à 101 jours | | 14,82.5 $ |
| Le minot revient à 75.25 ¢. | | |

Alexandre Mahé n'est certainement pas le seul cultivateur qui désire connaître précisément ses pertes et ses profits. Mais ceux qui tiennent des livres sur l'état financier de leur exploitation sont rares; la plupart se fient à leur mémoire. C'est le cas de Léon Brousseau qui, même s'il ne sait pas lire, compte et calcule avec habileté et retient très exactement les chiffres et l'état de ses finances[39]. Sa situation illustre bien les profits qui peuvent se faire dans la culture du blé avec un peu de chance. En 1923, il achète un quart et, la première année, il défriche et met en culture 28 acres. Cette récolte lui rapporte 1 600 minots de blé, c'est-à-dire 57 minots l'acre, ce qui lui permet de payer immédiatement sa terre au complet[40]. Il s'agit certainement d'un

39. Il pouvait faire du calcul mental plus rapidement que ses fils ne pouvaient le faire par écrit. Témoignage de Marie-Claire Brousseau, 9 mai 1995.

40. « Léon Brousseau », *Souvenirs*, p. 144.

rendement très élevé, car la moyenne était beaucoup plus basse. Mais, généralement, les premières récoltes étaient très bonnes en raison de l'extrême fertilité du sol; par contre, le rendement baissait par la suite et il fallait mettre les terres en jachère pour les améliorer. Durant les dix ans suivants, malgré la crise économique, Brousseau ajoute de 15 à 20 acres de culture par an et il réussit à acheter l'équipement essentiel à sa ferme ainsi qu'une voiture Chevrolet Touring 1926[41]. Malgré son analphabétisme, ce cultivateur sait faire fructifier son bien.

L'attention portée aux détails peut aussi faire une grande différence dans les profits. En 1918, dès qu'il se consacre exclusivement à l'exploitation de sa terre, Alexandre Mahé note qu'il possède un crible. Cet outil simple permet de nettoyer le grain de semence et d'enlever les mauvaises graines, la folle avoine, la moutarde, le sarrasin, entre bien d'autres, ce qui donne un meilleur rendement. En nettoyant le grain pour le vendre, on augmente sa valeur sur le marché. Des voisins viennent parfois faire cribler leur blé, service pour lequel il demande un léger montant d'argent.

D'après les indications dans le livre de comptes, on voit que durant les années 1920, Alexandre Mahé préfère semer des variétés de blé certifié, des cultivars Preston, Marquis, Fife Prime et Rubis, ce que ses voisins ne font que rarement. Cette semence coûte plus cher, mais elle en vaut le prix, car les nouvelles variétés poussent plus rapidement et sont plus résistantes aux fléaux. Aussi, la récolte peut se vendre en tant que semence certifiée, ce qui est rentable, puisque la demande locale existe, évitant de la sorte les frais de transport au marché comme c'est le cas pour le blé ordinaire. Tel que noté dans le tableau qui précède, en 1920, il en coûte 1,75 $ le minot et il dépense 57,75 $ pour semer 22 acres. Lorsqu'il vend sa récolte, même s'il n'obtient que 1,53 $ le minot pour 426 minots, il semble satisfait du revenu total, soit 651,80 $ avant les dépenses. Il ne note pas, cette année-là, la qualité du blé qu'il vend. Par contre, il constate que si le Fife Prime est un très bon producteur (32 minots l'acre comparativement à 27,5 minots pour le Preston), il est peu résistant à la rouille du blé, un petit champignon qui attaque la surface des tiges et des feuilles, ou au charbon du blé, qui attaque le froment et les graminées; il vaut mieux cesser sa production.

Saint-Vincent est à la limite septentrionale de la prairie. Les journées sont longues et ensoleillées durant l'été, ce qui assure la croissance rapide des céréales. Alexandre Mahé sème du blé Preston dans ses champs; c'est une variété développée sur les fermes expérimentales du gouvernement fédéral

41. *Ibid.*

au Manitoba, beaucoup plus au Sud, où elle mûrit en 111 jours[42]. Il en compare la performance sur ses terres avec les données officielles et il note qu'elle y mûrit en 99 à 101 jours. En 1922, il sème du Marquis, résistant à la rouille. Il cultive aussi du Rubis, variété qu'il pense être fort prometteuse.

Selon les recettes de la ferme en 1925 et en 1926, le premier chargement de blé est livré au terminus de Ashmont, un voyage d'une quinzaine de milles, par des chemins de neige avec des traîneaux et des chevaux. De qualité numéro deux au début, le blé est jugé numéro trois pour la demi-douzaine de chargements qui suivent, ce qui fait baisser le prix. Le restant est livré à Saint-Paul, aussi à une quinzaine de milles de la ferme Mahé, où il est presque entièrement jugé de troisième qualité. Cela pouvait varier d'un élévateur de grains à l'autre, mais les acheteurs se mettaient souvent d'accord pour contrôler les prix. Alexandre Mahé livre deux autres chargements de blé, jugés numéro cinq, à Owlseye, à une dizaine de milles de distance[43]. Il s'agirait ici de la production d'environ 85 acres à un rendement minime de 20 minots l'acre.

Nous savons qu'Alexandre Mahé ne vend jamais sa production entière, mais qu'il se réserve du grain de semence pour l'année suivante, ce qui suppose qu'il sème toujours au moins une centaine d'acres en culture de blé. Il doit en avoir presque autant en culture de céréales comme l'avoine, essentielle à l'entretien des chevaux, ainsi que l'orge qui, préparée en moulée avec du blé, est l'aliment quotidien des animaux de la ferme. Cela ne représente pas une grande superficie selon nos normes modernes, mais elle est considérable pour l'époque et pour la région, surtout lorsque la culture se fait encore exclusivement avec des chevaux.

Peu de renseignements sont donnés au sujet des animaux de la ferme Mahé entre 1925 et 1926, outre la notation de la vente de 23 cochons et d'une vache pour un montant de 500 $ d'une recette de 1 976,85 $, incluant la vente des céréales. En ajoutant 65 $ pour la vente de la crème, le total des recettes est de 2 041,85 $. Les chevaux remplacent les bœufs comme bêtes de somme vers 1915[44]. Dix ans plus tard, sur les routes, les chevaux

---

42. A.S. Morton, *History of Prairie Settlement. Frontiers of Settlement*, Vol. II, *Canadian Frontiers of Settlement*, Edited by W.A. Mackintosh and W.L.G. Joerg, Toronto, The Macmillan Company of Canada, 1938, Krause Reprint, Millwood, New York, 1974, p. 148.

43. Le blé était mesuré d'après son volume et non son poids, lequel variait en fonction de l'humidité. À l'époque, les charges moyennes de blé étaient d'environ 65 à 70 sacs d'un minot pesant une quarantaine de livres (18 kg); un traîneau plein pesait environ 2 600 livres (1 181 kg), probablement le poids maximum pour un attelage de deux chevaux.

44. Un Vieux Colon, « Note explicative de Souvenirs, testament et prière d'un vieux défricheur », *Le Travailleur*, 14 janvier 1943.

commencent à se faire remplacer par des automobiles et, dans les champs, les tracteurs sont de plus en plus utilisés. Mais les chevaux vont rester longtemps en service, car ils sont encore utiles pour le transport, surtout en hiver. Les premières automobiles n'ont pas de chauffage à l'intérieur et il est presque impossible de s'en servir durant les grands froids, les produits antigel n'existant pas encore. Le transport par traîneau est rapide, les chemins sont lisses et les voyages sont plus courts, puisqu'on traverse les lacs gelés et qu'on coupe à travers les champs. Ainsi se fait presque tout le charriage des céréales aux élévateurs, celui du bois de chauffage et de planches des chantiers. Il arrive que pour de petites visites familiales entre voisins, et en l'absence d'une carriole, le *stone-boat*, une solide plate-forme en bouleau qui sert au ramassage des pierres des champs durant l'été, rende service en hiver en guise de toboggan traîné par les chevaux pour plus facilement trimballer petits et grands[45]. Même s'ils possèdent un tracteur, la plupart des fermiers gardent leurs chevaux, car ils rendent encore de précieux services pour la fenaison et le battage des céréales. On ne cultive pas de foin domestique dans les champs avant les années 1950 et, à cette époque, on fauche le foin des nombreux marais qui s'assèchent presque en entier vers la fin de l'été. Rien de mieux pour faire le fauchage, le râtelage et le charriage que des chevaux qui peuvent passer dans les endroits où le sol est encore passablement mou et souvent détrempé. De même, la récolte des céréales dépendait encore des équipages de chevaux, attelés aux grands chariots appelés *racks* dans les Prairies; ils apportaient les chargements de bottes de blé liées à la batteuse mécanique. Ainsi, la documentation à laquelle s'ajoutent les souvenirs, nous permet de mieux suivre la mécanisation des fermes de l'Ouest canadien et, en particulier, celles du milieu francophone.

## Employés à la ferme

Nous savons qu'à la ferme Mahé, il y a presque toujours eu un employé sur place pour aider aux travaux quotidiens. En 1919, en dehors du temps des semailles et des récoltes, deux employés sont mentionnés, mais pas au même moment. Au printemps 1921, un « homme à gages » est embauché à 35 $ par mois; mais en juin, son salaire augmente à 50 $ par mois, à la condition qu'il reste sur la ferme jusqu'à l'automne. Durant les « battages », lorsque les journées sont extrêmement longues et le travail très exigeant, les gages augmentent à trois ou quatre dollars par jour. Parfois, le fermier Mahé fait de petites avances de salaire à son employé, lui achetant des objets essentiels ou payant son compte au magasin. Dans ce cas est noté l'achat d'une

45. Témoignage de Germaine Champagne.

montre (1 $), d'un *strap* à rasoir (1,75 $), d'un paquet de tabac (12 cents), de deux paquets de cigarettes (30 cents). Ces objets sont alors déduits du salaire.

Dans l'Ouest canadien, « l'homme à gages » est normalement pris en charge pour la saison. Certains fermiers ne font jamais d'avance sur salaire, mais à la ferme Mahé, cela arrive assez fréquemment[46]. Plusieurs des employés reviennent travailler d'année en année, ce qui, d'après nous, indique que les relations entre employeur et employés doivent être satisfaisantes. Parfois, ce sont des voisins qui travaillent sur la ferme Mahé; dans plusieurs de ces occasions, on note l'échange d'un outil contre du travail ou un autre service. C'est le cas pendant une saison de battages, non datée, où les journées d'un voisin sont payées avec un concasseur d'une valeur de 25 $ et « 3 chaises à l'église pour deux mois de valeur de 2,05 $[47] ».

Durant la Crise, les salaires chutent. En 1930, sur la ferme Mahé, un employé travaille toute l'année pour 365 $, et il y revient pour quelques mois en 1931 et en 1932. Si un dollar par jour semble peu, il faut se souvenir qu'en ce temps, tout travailleur doit se considérer chanceux d'avoir un emploi. Être nourri et logé pendant ces terribles années est appréciable, surtout lorsque, dans les villes, il faut faire la queue à la « soupe populaire ». On sait que sur la ferme Mahé, les « hommes à gages » prennent leur repas avec la famille et ont leur propre chambre dans la maison. L'arrangement est différent pour les équipes de « batteux » à l'automne, qui, à cause de leur grand nombre, sont normalement logés dans un autre bâtiment prévu à cet effet. Par contre, ils prennent leurs repas à la maison.

Les employés de la ferme ne sont pas toujours francophones ni même anglophones. Parmi plus de la quarantaine de noms notés, il y en a un lithuanien et d'autres à consonances hongroise, polonaise et ukrainienne. En 1943, l'équipe qui accompagne la moissonneuse semble composée presque entièrement de personnel cri de la réserve amérindienne du lac Castor, près du lac La Biche. Il est possible que durant ces années de guerre, le service militaire et des emplois plus lucratifs aient éloigné les jeunes hommes qui généralement composent les équipages des alentours. L'embauche d'Amérindiens (parfois de Métis) n'est pas extraordinaire, au contraire, mais il faut signaler qu'ils ne figurent pas parmi les hommes à gages de tous les jours notés dans le livre de comptes de la ferme Mahé. C'est tout à fait typique de ce qui se fait dans la grande région. Un certain nombre d'Amérindiens quit-

---

46. John Herd Thompson, « Bringing in the Sheaves : The Harvest Excursionists, 1890-1929 », *CHR*, LIX, 4, 1978, p. 482-485.

47. Alexandre Mahé, « Livre de comptes ».

tent leur réserve en saison afin d'aller travailler pour les fermiers des alentours. Généralement payés le salaire minimum, ils font surtout des travaux comme du « débroussaillage », de l'« érochage » des champs au printemps ou durant l'été et participent aussi aux moissons. On dit qu'ils profitent du beau temps pour reprendre un peu un mode de vie nomade, s'éloigner des réserves ainsi que des colonies métisses, et vivre sous la tente avec leur famille. Sans doute, il le font aussi pour gagner un peu d'argent. Ils ne sont généralement pas logés par l'habitant et puisqu'ils vivent en famille, ils préparent leur propre nourriture. Nous constatons d'après le livre de comptes Mahé que le fermier leur vend des produits de la ferme, tels que de la viande et des pommes de terre.

Germaine Mahé garde de bons souvenirs des employés. Elle se rappelle un Hongrois qui y était resté quelques années, qui lui avait montré des jeux de pliage de papier et lui avait fabriqué de simples jouets en bois pour l'amuser[48]. Elle se souvient aussi d'un employé avec lequel on avait eu, au début de son séjour, de grandes difficultés de communication, puisqu'il ne parlait pas un mot de français ni d'anglais. Elle raconte que, pour alléger l'isolement de son engagé, un dimanche après-midi, son père l'a conduit en automobile chez un de ses compatriotes. Tout en leur permettant de résoudre quelques difficultés de communication entre employeur et employé, la visite a soulagé ce réfugié de la Première Guerre mondiale. Ils y sont retournés plusieurs fois, geste fort apprécié par l'employé.

Les quelques historiens qui se sont penchés sur l'histoire des travailleurs de ferme de l'Ouest canadien donnent parfois l'impression que l'employeur était un exploiteur qui payait le salaire minimum, le retenait jusqu'au dernier jour de l'engagement et limitait les contacts de l'homme engagé avec sa famille (repas et logement à part[49]). Dans le cas d'Alexandre Mahé et de ses employés, s'il y a eu des problèmes, le seul indice que nous en avons relevé dans le livre de comptes est une note concernant une amende de deux dollars infligée à un homme qui a utilisé les chevaux et un wagon sans autorisation. Le fait que quelques employés notés dans le livre ne terminent pas le mois n'indique pas forcément un conflit; cela peut être attribuable au manque de travail. Si celui en milieu rural semble être moins bien payé que celui en milieu urbain, il y a lieu de tenir compte du fait, qu'à la ferme, l'employé est logé et nourri. Une fois le travail terminé, il reçoit la somme qui lui

48. Témoignage de Germaine Champagne.

49. Thompson, « Bringing in the Sheaves », p. 467-489; Cecilia Danysk, « "Showing These Slaves Their Class Position" : Barriers to Organizing Prairie Farm Workers », David C. Jones and Ian MacPherson, eds., *Building Beyond the Homestead : Rural History on the Prairies*, University of Calgary Press, 1985, p. 163-177.

revient d'un seul coup, ce qui peut l'aider à faire un dépôt pour acheter une propriété (ce que certains anciens employés de la ferme Mahé font d'ailleurs). Il arrive aussi, de temps à autre, que des employés prennent des animaux de la ferme en guise de salaire, comme un poulain, une vache, des cochons ou même des lapins, dont ils se servent sûrement à leur propre ferme. Ils ne sont pas tous célibataires; certains ont leur entreprise, mais ils travaillent « en dehors », comme on disait dans cette région, pour arrondir leur fin de mois.

Au début de son installation comme colon, occupé par son magasin, Alexandre Mahé a presque toujours eu des employés sur sa ferme. Lorsqu'il vend son magasin et se consacre uniquement à l'agriculture, il a des employés pour les travaux saisonniers. Lorsque son exploitation prend de l'ampleur, des hommes à gages œuvrent presque à longueur d'année sur la ferme. Durant la Crise, l'argent est rare et, sur la ferme Mahé, étant donné le montant qui est payé aux employés, on a nettement l'impression que certains d'entre eux sont plutôt des réfugiés qui besognent pour être logés et nourris. La ferme donne aussi du travail aux garçons Mahé, surtout à Jean, l'aîné, qui est alors en âge de gagner sa vie, mais qui, en raison de la situation économique désastreuse ailleurs, travaille pour son père.

## Viabilité de la ferme

Tout comme ses concitoyens de l'Ouest canadien, Alexandre Mahé a survécu à la crise des années 1930 et il a réussi à s'en sortir grâce à son extrême prudence et à ses solides ressources financières. Il a de la chance, car partout dans les Prairies canadiennes, des entreprises bien plus vastes que la sienne coulent à pic. Il réinvestit dans sa ferme l'argent qu'il récupère de ses derniers clients du magasin : dès que l'occasion est favorable, il achète du terrain, de préférence à proximité de sa ferme de Saint-Vincent. Mais si ses premiers achats du genre n'y sont pas attenants, il n'hésite pas à troquer une bonne terre contre une moins bonne qui se trouve à proximité afin d'augmenter la superficie de sa ferme, ce qui est pour lui plus avantageux encore. En 1940, la pente périlleuse est presque surmontée. Il a réussi à conserver les trois quarts de terre qu'il possédait en 1928 et il a même pu acheter un quatrième quart attenant[50]. Mais sa « prospérité » est relative; il est loin de vivre dans l'opulence. Comme pour la plupart des cultivateurs des Prairies canadiennes, financièrement, il lui est impossible de faire quoi ce soit. S'il peut acheter une terre en solde, il lui est impossible de la revendre à profit et, tôt ou tard, il va falloir que l'argent rentre.

---

50. *Map of the Municipal District of St. Paul n° 86*, env. 1945.

De l'aide financière du gouvernement fédéral est finalement mise à la disposition des agriculteurs canadiens en 1927[51]. Alexandre Mahé en profite, en 1936, et il emprunte 2 500 $ de la Commission du prêt agricole pour régler ses dettes; les remboursements minimaux, environ 177 $ par an, pendant sept ans, laissent comprendre que ce sont « des années de vaches maigres[52] ». Le renouveau de l'économie commence à se faire sentir vers 1942, une amélioration que très justement et regrettablement, il attribue aux effets de la guerre qui fait rage en Europe[53]. En janvier 1943, il est finalement en mesure de rembourser sa dette : il paie la somme de 531,47 $ en une fois – la recette de la vente d'animaux. Après la Crise, le blé ne vaut plus rien sur le marché international et depuis quelques années, Mahé se consacre à l'élevage, écoulant ainsi sa production de céréales. Au cours de l'année 1943, en cinq versements, il remet 1 350 $, 75 $ de plus que la somme des remboursements qu'il avait faits depuis 1936[54]. L'année suivante, en trois versements, le dernier le 19 avril, il remet ce qui reste de l'hypothèque, c'est-à-dire 847,20 $.

Sa ferme est alors relativement bien mécanisée et il l'exploite avec le cadet de ses garçons tout en embauchant de temps à autre de la main-d'œuvre pour les plus grands travaux saisonniers. Sa bonne situation ne l'empêche pas de s'inquiéter pour l'avenir de ses voisins et de ses collègues moins fortunés qui n'ont pas autant de moyens pour aider leurs enfants à s'établir près d'eux. En 1943 et 1944, dans les pages de *La Survivance*, il poursuit le dialogue avancé au congrès annuel de l'ACFA de 1943 au sujet des coopératives de crédit foncier[55]. Déjà en 1934, comme représentant de son cercle local de l'Association canadienne-française de l'Alberta (ACFA) au congrès général de l'organisation provinciale tenu à Bonnyville, il suggère la création d'une mutuelle d'assurances pour les membres[56]. Il n'en sera rien pour l'Alberta pendant de nombreuses années, mais Paul-É. Gosselin, historien du Conseil de la vie française, rappelle qu'une telle mutuelle joue un rôle important dans les communautés françaises, dont plusieurs hors du Québec, en Acadie, en Ontario et dans les regroupements franco-américains[57].

---

51. Fowke, *The National Policy and the Wheat Economy*, p. 292.

52. RM, Alexandre Mahé, St. Vincent, Alberta, The Canadian Farm Loan Board, May 7, 1936, et notes manuscrites à l'endos du certificat par le même, jusqu'en 1944.

53. « L'état de l'agriculture », A. Mahé, « Lettres au *Travailleur* », *Le Travailleur*, 25 février 1943.

54. RM, A. Mahé, The Canadian Farm Loan Board.

55. Isidore Cassemottes, « À propos des Unités Financières », *La Survivance*, 17 novembre 1943, « Les terres de la Rivière-la-Paix », 19 janvier 1944.

56. APA, Fonds ACFA, 80.226, 1, Congrès général de l'ACFA de 1934, rapports et résolutions.

57. P.-É. Gosselin, *Le conseil de la vie française, 1909-1982*, Québec, Éditions Ferland, 1987, p. 27.

Il faut attendre les années 1950 avant qu'un tel plan ne se réalise en Alberta, alors que la vente des abonnements à *La Survivance* et la cotisation annuelle à l'ACFA sont associées à l'assurance-vie Desjardins. Cela permettra en même temps de renflouer les coffres de l'ACFA, car à cette époque précédant la *Loi sur les langues officielles* au Canada, l'organisation provinciale de la francophonie albertaine ne reçoit aucune subvention de l'État fédéral. En ce qui concerne le crédit foncier, l'idée fera aussi tranquillement son chemin. Le mouvement coopératif était déjà connu des Franco-Albertains. Leur première caisse populaire est fondée à Calgary en 1935 et, en 1939, deux autres naissent, l'une à Sainte-Lina et l'autre à Saint-Paul. Elles seront suivies d'une vingtaine d'autres[58].

À la suite de la crise des années 1930, en écrivant aux journaux de langue française, Alexandre Mahé aborde les problèmes de la pauvreté en agriculture et de la surproduction, situations que les fermiers de l'Ouest canadien connaissaient à fond. Dans les Prairies, malgré les déceptions fréquentes, les immigrants, arrivés la tête bourrée de rêves et encouragés par les promotions extravagantes du gouvernement fédéral, se sont plus ou moins adaptés aux aléas de Dame Nature. Mais ils se retrouvent les victimes impuissantes des hauts et des bas du marché international qui les accule au mur; pour survivre, ils réagissent et s'activent politiquement. L'Ouest canadien devient non seulement le grenier du pays, mais aussi une pépinière de mouvements socialistes. Dans la région de Saint-Vincent, on est au courant de ce qui se passe dans les alentours; Alexandre Mahé y fait allusion en 1942 :

> [...] il semble que l'agriculture ait été toujours la parente pauvre de la société qu'elle fait vivre. Les anciens l'avait confié à l'esclave, le moyen âge au serf, et les temps modernes à quelques parasites anonymes sans intelligence ni cœur. Qu'en fera demain ? Il ne faudrait tout de même pas que les agriculteurs se voient finalement contraints d'organiser eux-mêmes la disette perpétuelle, chose qui n'est pas du tout impossible. La chose se parle depuis quinze ou vingt ans [...] il est bien à craindre que les rêveurs qui jettent déjà les fondations d'un paradis terrestre futur et rapproché ne préparent simplement une nouvelle prochaine hécatombe pire que celle-ci[59].

58. Gratien Allaire, « Les débuts du mouvement coopératif franco-albertain, 1939-1946 », *Demain, la francophonie en milieu minoritaire ?*, Raymond Théberge et Jean Lafontant (dir.), Collège universitaire de Saint-Boniface, 1986, p. 231.

59. A. Mahé, « L'état de l'agriculture », « Lettres au Travailleur », *Le Travailleur*, 25 février 1942.

Sa solution ? Mettre les fous à l'abri et « ne pas les laisser courir le monde comme en 1918[60] ». La région avait sa part de l'élément radical qui prêchait le socialisme ou le communisme[61].

Malgré les incertitudes du marché mondial, Alexandre Mahé est un capitaliste et, sans hésiter, il se prononce sur la crise économique et sur le droit à la propriété privée. Quatre lettres de lui, à ce sujet, sont publiées en 1932 et 1933. La première, écrite en novembre 1932, félicite deux jeunes gens de la région qui ont remporté le premier prix, prestigieux et hautement payant, d'un concours albertain d'élevage de veaux; il précise que leur réussite démontre qu'il est possible pour les Canadiens français d'atteindre les sommets[62]. Mais, bien qu'il soit heureux que les veaux de quelques individus méritoires soient vendus à des prix faramineux à de riches gens d'affaires, il se plaint de l'absence totale d'un marché pour les producteurs. Il a de quoi se plaindre : un autre agriculteur de la région précise qu'en 1919, le prix d'une vache et de son veau baisse de 100 $ la paire à 15 $ et reste à peu près le même jusqu'aux années 1940[63]. Trois autres de ses lettres, rédigées sous le nom de plume Isidore Cassemottes, traitent successivement des causes de la Crise, du droit à la propriété privée – contestant en cela l'honorable Agnes Macphail qui vantait le socialisme – et des idées communistes qui semblent gagner l'appui populaire[64].

Alexandre Mahé n'hésite pas, non plus, à dépenser de l'argent pour mécaniser sa ferme. Vers 1936 ou 1937, il est le premier de la région à acheter un tracteur à essence Hart-Parr d'un marchand de Saint-Paul. Il continue d'utiliser des chevaux pour certains travaux[65]. Bien qu'il possède déjà une moissonneuse-batteuse, c'est une neuve qu'il achète en 1947 et, cette fois, il inaugure la boutique d'un marchand de Saint-Paul qui ne fait que s'établir dans ce commerce et qui n'a même pas eu le temps d'accrocher l'enseigne devant son établissement[66]. La moissonneuse-batteuse est un instrument ara-

---

60. *Ibid.*

61. Témoignage de Germaine Mahé; le père Charles Chalifoux, curé de la paroisse Saint-Vincent pendant une trentaine d'années, en fait mention de temps à autre dans ses rubriques paroissiales à *La Survivance*.

62. Isidore Cassemottes, « Monsieur le rédacteur », *La Survivance*, 16 novembre 1932.

63. Selma (Bachoffer) Strus, « Bachoffer, Valentin and Anna Gabriel », *Mémoires précieuses*, p. 253.

64. Isidore Cassemottes, « La crise jugée par un profane », *La Survivance*, 8 février 1933; « La propriété c'est le vol – Une proposition à M^lle^ Macphail », 14 mars 1933; « Un danger menaçant », 5 avril 1933.

65. Témoignage de Germaine Champagne.

66. Témoignage de René Mahé.

toire révolutionnaire, puisqu'elle permet d'éliminer l'opération coûteuse du battage, qui exige de grandes équipes de « batteux », et maintenant, à deux, il devient possible de faire les moissons efficacement et rapidement.

Son achat cause tout un émoi chez les fermiers de la paroisse Saint-Vincent, car ils observent toujours de près les acquisitions de leur voisin quelque peu d'avant-garde[67]. À l'arrivée de chaque nouvelle machine aratoire dispendieuse, ils s'exclamaient, entre eux, au sujet du « bonhomme Mahé » et de son extravagance. On disait que ce genre d'agriculture ne serait jamais rentable, qu'il était sûr que cela ne marcherait jamais aux alentours de Saint-Vincent et, même, certains allaient jusqu'à dire que c'était de la folie ! Mais malgré leur scepticisme initial, ils surveillaient de près les progrès de leur voisin et lorsqu'ils constataient l'efficacité de sa démarche, tous se précipitaient pour faire comme lui afin de toucher des profits semblables.

Alexandre Mahé est allé dans l'Ouest canadien pour pratiquer l'agriculture. De par sa formation scolaire et professionnelle, il sait comment s'y prendre pour bien gérer son entreprise. Comme il est autodidacte et qu'il aime lire, il puise dans les livres et dans les journaux qui sont à sa disposition des renseignements pour encore mieux faire fructifier sa ferme. Il profite du savoir-faire des fermes expérimentales que le ministère de l'Intérieur opère dans l'Ouest, auprès desquelles les cultivateurs peuvent facilement obtenir de nouvelles variétés de céréales ou de plantes ou, encore, des renseignements concernant l'agriculture propice aux endroits où ils habitent. Il est loin d'être le seul cultivateur à s'y intéresser, car à l'époque, les journaux sont pleins de tels renseignements ou au sujet des achats de bétail pur sang en commun pour améliorer les espèces animales ou de foires agricoles organisées dans les communautés rurales.

Nous avons vu à quel point Alexandre Mahé se renseigne sur le blé. Nous savons qu'il expérimente dans d'autres domaines. Toujours occupé aux travaux de la ferme, il aurait bien aimé avoir quelques beaux rosiers pour orner sa cour, en souvenir de ceux que l'on trouve en abondance dans son Morbihan natal. Mais le temps lui manque pour ce genre de jardinage et cela demeure encore un luxe pour lui que de cultiver des roses, sans compter que pendant bien des années, avant que Georges Bugnet ne développe la rose Thérèse-Bugnet, il n'y a pas de variété qui résiste aux grands froids du Nord-Est de l'Alberta. Durant les années 1940, finalement, il réussit à planter quelques pommiers dans un coin de son jardin, car depuis toujours, aussi, il désirait avoir des pommes, surtout des pommes à cidre, la boisson de prédilection des Bretons à l'époque. Son essai est un échec et ses arbres donnent

---

67. Témoignage de Germaine Gratton.

des petites pommes qui n'ont presque pas de cœur ni de pépins. Curieux de savoir pourquoi les fruits se forment ainsi et pensant qu'il était possible qu'il ait une mutation de la variété – ce qui arrive de temps à autre –, il se renseigne auprès d'un agronome de la ferme expérimentale régionale. Une lettre dactylographiée lui arrive par la poste, dans laquelle ce dernier lui explique que, malheureusement, il ne s'agit pas d'une nouvelle variété, mais de l'effet du climat trop ardu pour l'arbre fruitier. Le grand-père Mahé devait bien s'attendre à une telle réponse, mais lors du dîner dominical en famille, il donne libre cours à son imagination et nous parle du potentiel commercial de la production de bonnes pommes sans cœur[68]. Ses idées nous font rêver, petits et grands, de superbes vergers où les pommiers donnent des quantités de fruits sans perte. Hélas ! il est trop tard pour lui et pour ses pommiers aussi, il n'habite plus la ferme et il ne peut plus s'en occuper, car il a pris sa retraite bien méritée.

Avec les années, ses enfants sont devenus grands. Jean, adopté en 1915 à l'âge de deux ans, ne s'intéresse pas aux travaux de la ferme et, comme tant de garçons de la campagne de sa génération, aux études non plus. Jovial et espiègle, il est doué pour la musique et joue de plusieurs instruments; on se souvient de son talent au violon, à l'accordéon diatonique et à l'harmonica[69]. Il travaille pour son père sur la ferme durant la Crise et, ensuite, il s'installe à Mallaig comme cordonnier. Mais il ne tape pas la semelle très longtemps et il s'enrôle dans l'armée canadienne durant la Deuxième Guerre mondiale et, après la guerre, il revient pour épouser sa fiancée de Thérien. Le couple habite Mallaig et, ensuite, Edmonton, où Jean travaille dans le bâtiment. En 1952, il trouve de l'emploi dans les chantiers de construction de la base militaire de Cold Lake. Grand sportif, il aime pêcher; en juin 1953, on pense que c'est en essayant de rattraper le moteur mal fixé à son bateau qu'il est entraîné dans l'eau du grand lac Froid, où il se noie. Il laisse derrière lui sa veuve et ses trois enfants ainsi que ses parents adoptifs. Son corps est retrouvé intact un mois plus tard; son père rédige lui-même la notice nécrologique de son fils, une des rares à être publiées dans *La Survivance*[70].

Le benjamin des garçons, René, né en 1917, a plus de dispositions pour l'agriculture que son frère et il reste toujours à la ferme de son père, travaillant avec lui et lui succédant lors de sa retraite en 1956. L'unique fille, Germaine, née en 1918, se plaît aux études et elle passe plusieurs années en pension au convent des sœurs de l'Assomption à Saint-Paul, où elle suit son

68. Souvenir d'enfance de l'auteur, vers 1956.

69. Témoignage de Germaine Gratton.

70. Alexandre Mahé, « Thérien », *La Survivance*, 22 juillet 1953.

cours secondaire. Étant la seule fille à la maison, elle aime bien la vie de pensionnaire, où elle se trouve en compagnie de filles de son âge, au lieu de ses deux frères[71]. Dans son analyse de l'éducation et des emplois des jeunes Franco-Albertaines, Anne Gagnon souligne que pour la grande majorité de ces jeunes femmes, « soumises à leurs parents » – comme l'indique la première partie de son titre « Our parents did not raise us to be independent » –, le besoin de contribuer aux finances de leur famille les obligent à quitter l'école trop tôt et à travailler[72]. Sans doute, Germaine Mahé est peut-être plus à l'aise financièrement que beaucoup d'autres jeunes femmes de son milieu, mais comme elles, pour acquérir un peu d'expérience, se préparer à la vie de fermière et, sans doute, gagner un peu d'argent bien à elle, elle travaille pendant un certain temps comme domestique à la grande ferme de la famille Poitras de la région de Saint-Paul, où elle apprend surtout à faire la cuisine. Nous lui avons montré l'article de Gagnon et demandé son avis sur le titre, lequel nous a toujours semblé hors du caractère de la femme rurale que nous connaissons. Elle l'a lu et a simplement commenté que lorsqu'elle a terminé ses études, une telle idée d'indépendance ne lui vint pas à l'esprit, elle n'avait simplement pas du tout envie de quitter la campagne ou de s'éloigner de ses parents pour aller travailler. Peu attirée par la vie dans les villes, elle aime la campagne et veut continuer d'y vivre[73]. Revenue à la maison paternelle pour aider sa mère lors des moissons, elle fait la connaissance de Roméo Champagne, un jeune homme vaillant et fort qui travaille avec une équipe de « battage » et qui habite du côté du lac Saint-Vincent. Elle l'épouse en 1937.

Venu pour cultiver la terre, Alexandre Mahé connaît du succès dans ses affaires domestiques, ce qui lui permet de participer encore plus à la vie de sa communauté. Grâce au bon état de ses finances, il peut agir avec confiance et il a les moyens (et le temps) de participer à des activités sociales, comme rédacteur de rubriques pour les journaux ou comme membre actif et secrétaire du cercle local de l'Association canadienne-française de l'Alberta (ACFA). Il peut se permettre d'aller à Edmonton pour les congrès annuels, avec le président local, de prendre son automobile pour faire le long voyage, un trajet souvent bien difficile à cause du mauvais état des chemins. La bonne gestion des finances de son magasin et de sa ferme rend tout cela possible, et c'est ce qui lui donne la possibilité de mieux travailler avec ses voisins à l'organisation des activités culturelles de leur paroisse.

---

71. Témoignage de Germaine Champagne.
72. Gagnon, « The Work and Schooling of Young Franco-Albertan Women », p. 169.
73. Témoignage de Germaine Champagne.

# Chapitre VI

## Saint-Vincent, paroisse et communauté 1917-1927

Dès son arrivée dans l'Ouest canadien, Alexandre Mahé s'enracine dans sa nouvelle communauté et son pays d'adoption. Déjà, en 1910, il est engagé dans sa promotion, car *Le Courrier de l'Ouest* indique qu'il est disponible pour faire visiter la région immédiate aux colons potentiels[1]. En 1912, trois ans après son installation, il obtient la citoyenneté canadienne et, en conséquence, le droit de vote[2]. En tout temps, il est le porte-parole de ses voisins dans ses articles de journaux, encourageant les colons de langue française à venir se fixer localement. Ses papiers personnels nous renseignent un peu sur l'état d'âme de la francophonie de l'arrière-pays albertain, mais ce sont surtout ses écrits de correspondant aux journaux de langue française de la province (et d'ailleurs) qui nous informent vraiment sur l'évolution de la paroisse Saint-Vincent. Les sources orales nous aident à étoffer les sources documentaires. Ainsi, nous examinons de près la communauté rurale de Saint-Vincent et la participation de ses membres à des projets communs, qu'il s'agisse de construire une église, de se doter d'une bibliothèque publique ou, simplement, de fournir des uniformes et de l'équipement à l'équipe de baseball. Nos ressources peuvent sembler minces, mais il faut surtout se souvenir que les documents qui concernent cette période sont très rares. Les membres de cette communauté ont parfois des divergences d'opinion. S'il est difficile de catégoriser leurs activités sociales comme représentatives de ce

---

1. IRFSJUA, tel que mentionné dans Foisy *et al.*, « Alexandre Mahé : des notes biographiques », Travail de recherche, CA FR 322.

2. GC, « A. Mahé, Certificate of Naturalization », 18 October 1912.

groupe de Canadiens français, elles sont pour nous quelques petits projets de société, menés par les membres les plus militants de cette collectivité francophone de l'Ouest canadien, dont Alexandre Mahé était un actif participant.

## La construction du paysage paroissial

Avec l'arrivée du chemin de fer, l'agriculture dans la région de Saint-Vincent commence à être viable. Les cultivateurs sont encore pauvres, mais ils ont au moins l'espoir que les conditions vont aller en s'améliorant. La majorité des résidents de la paroisse Saint-Vincent parlent le français et sont de souche canadienne-française. Mais les francophones d'origine étrangère, comme Alexandre Mahé, en devenant citoyens canadiens, ils se considèrent aussi comme des Canadiens français et ils prennent leur place au sein de leur nouvelle communauté. Malgré leurs différences, il ne fait aucun doute que la langue française facilite le rapprochement entre tous ainsi que leur foi commune. Ensemble, il leur est plus facile d'obtenir des services en français, non seulement dans le commerce, mais également dans le domaine culturel et particulièrement dans les écoles et les églises. Mais tout n'est pas gagné d'emblée; parfois, il faut se battre et les différences d'opinion n'existent pas uniquement entre les groupes ethniques et linguistiques, mais également à l'intérieur de la francophonie, comme dans le cas des divergences entre un prêtre français et un prêtre de souche canadienne-française, examiné par Bernard Wilhem[3]. Si elle n'est pas exclusivement francophone, la paroisse Saint-Vincent est tout de même très francophone et elle se trouve entourée de collectivités comme elle telles que Saint-Paul-des-Métis, Lafond, Saint-Édouard, Brosseau, Duvernay, Foisy, Brièreville, Sainte-Lina, Thérien, Bordenave, La Madeleine, La Corée, Rivière-Castor, Bonnyville, pour ne citer que les noms qui apparaissent sur une carte de l'époque[4]. Si certains de ces endroits ne sont parfois que le nom d'un comptoir de bureau de poste situé dans un magasin isolé, ces petits centres desservent néanmoins une communauté rurale relativement peuplée, mais dispersée sur la plaine. Puisque les colons d'autres langues et cultures ont toujours eu le droit de s'installer où ils voulaient, les Canadiens français ne sont pas isolés des autres groupes ethniques.

---

3. Bernard Wilhelm, « Le pot de terre contre le pot de fer : la lutte entre Notre-Dame d'Auvergne et Gravelbourg », *À la mesure du pays...*, Jean-Guy Quenneville (dir.), Saskatoon, University of Saskatchewan, 1991, p. 121-132.

4. *Map of St. Paul Des Metis District, Province of Alberta*, Topographical Surveys Office, 1921. Dans cette région, un nom anglais n'est pas toujours indicatif d'une communauté anglophone; Fort Kent, Cold Lake (Lac-Froid) et Mallaig sont des communautés francophones.

Dès le début de la colonisation, les fermiers canadiens-français de Saint-Vincent, malgré leur pauvreté, accordent une grande importance aux activités de l'Église et de la paroisse. Les motivations pour la prière sont nombreuses : obtenir de bonnes récoltes, être épargné de la grêle, de la rouille du blé et du gel précoce, avoir un avenir meilleur, du courage... On fait bénir un échantillon de blé pour le mélanger avec le blé de semence, on érige des croix de chemin autour de la paroisse, on enfouit des médailles dans la terre pour assurer la protection des fermes et on met un rameau béni dans les bâtiments de la ferme[5].

Ce n'est pas seulement aux yeux des Canadiens français que le rôle de la religion prend de l'ampleur. John Lehr et Yossi Katz, dans leur étude sur le paysage culturel des Prairies canadiennes, précisent que les édifices religieux sont pour les colons des emblèmes qui affichent aux passants l'appartenance spirituelle et l'ethnie de la communauté[6]. Puisque l'habitat dispersé, inhérent au système même des *homesteads*, et les difficultés de transport et de déplacements sont un frein à la socialisation, l'église devient un centre important de convergence pour la famille entière. La pratique religieuse, tout en représentant la société et la culture du pays qu'on a quitté, tient un rôle de taille dans ces nouvelles contrées où les infrastructures socioculturelles doivent être recréées. L'église est souvent l'unique endroit où il est possible de goûter aux agréments culturels dont on souhaite pouvoir jouir pleinement lorsque la colonisation sera terminée. Dans les parures du clergé, l'or des vases sacrés, la lecture des Évangiles, la musique et le chant sacré miroite la culture que tous partagent. Dans le contexte primitif où ils se trouvent initialement, l'église prend donc une grande valeur symbolique, probablement beaucoup plus qu'elle ne l'avait fait dans leur pays d'origine.

Alexandre Mahé maintient que : « Les Canadiens français cherchent d'instinct à se grouper de façon à créer une paroisse à eux et y entretenir un prêtre[7]. » C'est une vision de société qui trouve sa source dans les mythes fondateurs de la France : « Les premiers [les colonisateurs français de la région de Trochu] trouvent bon de s'appuyer sur la religion catholique; par raison, par habitude, par instinct; disons plutôt par haute culture générale, ils suivent la méthode des anciens colonisateurs du temps de la royauté[8]. » Il est loin d'être le seul à le dire : le clergé canadien-français utilise ce même discours depuis le temps de M^gr^ Taché.

5. Témoignages de Germaine Champagne, de Laura Forrend et de Germaine Gratton.

6. John C. Lehr and Yossi Katz, « Ethnicity, Institutions, and the Cultural Landscape of the Canadian Prairie West », *Canadian Ethnic Studies*, XXVI, no. 2, 1984, p. 77.

7. IRFSJUA, Alexandre Mahé, « Quand ils voient leurs prêtres à eux ».

8. *Ibid.*

L'église est aussi le lieu de socialisation par excellence. En se rendant à la messe dominicale, les hommes et les femmes peuvent revêtir leur toilette du dimanche et s'éloigner un petit moment du rude train de vie et de l'isolement de leurs fermes. Ils rencontrent leurs voisins, discutent, font des marchés, échangent des services; les célibataires en profitent pour faire la connaissance des jeunes femmes en âge de se marier ou pour se faire inviter à un bon dîner. C'est aussi l'occasion de s'arrêter au bureau de poste et de passer au magasin où, le dimanche, on sert les clients à tour de bras même si, obligatoirement, on ferme la boutique durant la messe. La sortie dominicale peut durer toute la journée. Souvent, les paroissiens les plus éloignés restent pour les vêpres et ils sont reçus chez des amis du village ou du voisinage pour le repas du midi. Dans cette socialisation « à la porte de l'église », Alexandre Mahé voit un élément indissociable de la vie du colon canadien-français :

> [...] un beau jour sans que l'on s'en soit même aperçu, tant la croissance s'est faite au jour le jour, l'on voit surgir un village, une bourgade, avec église d'abord, école, bureau de poste, magasins, couvent, hôpital et un chemin de fer. Tout cela où quelques années auparavant planait seul le grand silence de la solitude absolue. Toutes ces choses considérées un peu comme chimériques, tout au plus réalisables dans un lointain nébuleux, sont devenues possibilités possibles [...] par ces réunions du dimanche à la porte de la petite chapelle de l'église, à l'abri de laquelle, depuis les temps barbares la race française s'est abritée pour assurer sa survivance[9].

À Saint-Vincent, toutes sortes d'activités sont organisées sous l'égide de la paroisse : entre autres, pique-niques, sports, théâtre, visite annuelle du Père Noël aux enfants de la paroisse, qui viennent en grand nombre des recoins les plus éloignés pour l'occasion, bazars, jeux de société. Les paroissiens tiennent à leur église et ils font de leur mieux pour entretenir leur curé, contribuant de leur temps et de leur énergie à la construction des édifices paroissiaux, aux corvées de bois de chauffage et aux travaux d'entretien[10].

Mais la grande pauvreté des colons crée des conditions de vie difficiles. Il arrive que les enfants n'ont ni les vêtements ni les chaussures convenables pour sortir durant l'hiver et, en conséquence, ils ne sortent jamais pendant la saison froide; on nous raconte que pour se réchauffer, le jour, ils se blottissent contre le mur derrière le gros poêle de la cuisine, tout à fait comme des chiots ou des chats et qu'ils sommeillent[11]. De la même source, nous savons que les femmes de la paroisse gardent un attirail de vêtements de circonstance au presbytère pour les petits confirmands et communiants qui arrivent

9. IRFSJUA, Alexandre Mahé, « Quand ils voient leurs prêtres à eux ».

10. « Saint-Vincent – la paroisse », *Souvenirs*, p. 30-51.

11. Souvenir d'enfance de Roméo Champagne, père de l'auteure.

parfois pour ces grands événements vêtus d'une salopette et pieds nus. Dans son roman *La Forêt*, Georges Bugnet décrit les efforts minutieux de l'épouse du colon pour économiser ses quelques robes afin de rester présentable, généralement sans grand succès. Ce sont des situations fréquentes et dans de telles conditions, la prière et les activités du culte deviennent davantage des sources de consolation et d'espoir. C'est ce qu'écrit Alexandre Mahé à ce sujet, mais il ajoute que les finances sont très importantes aussi :

> À ce régime de bagnards comment le courageux finit-il par ne pas succomber ? Il se maintient par l'espérance. Espérance de réussir dans son entreprise, espérance d'améliorer son sort, espérance d'être enfin son maître, espérance surtout de pouvoir un jour caresser entre ses doigts... des liasses de dollars[12].

Mais il y a des limites à l'espoir, même avec la foi, particulièrement lorsque la bourse étriquée ne suffit plus à combler les besoins.

C'est ainsi que certains colons ajoutent au mince revenu de leurs fermes en faisant la vente illégale de spiritueux, trafic qui marche bien en tout temps. Si les plus malins ou les plus chanceux gagnent un peu d'argent, plus d'un se fait arrêter. L'amende minimale est de cent dollars, généralement accompagnée de plusieurs mois de travaux forcés au pénitencier de Fort Saskatchewan. C'est un dur coup pour le paroissien et ses entreprises. Avec beaucoup de tapage, le journal de Saint-Paul informe ses lecteurs des saisies, comme celle survenue au village de Saint-Vincent en 1930 : le propriétaire de la salle publique, bien au chaud chez lui grâce à son alambic qui bouillonne tout doucement, est réveillé de son profond sommeil par les gendarmes qui, sentant la boisson de l'extérieur, défoncent sa porte et découvrent l'alambic en pleine production[13]. Le titre « Moonshine costly, fined 500 Iron Men » annonce une amende de 300 $ pour possession de boisson illégale et de 200 $ pour possession d'un appareil à distillation. La perte du gagne-pain de cette façon abrupte amorce l'effondrement des finances et peut sérieusement miner le bon aboutissement des entreprises familiales, au point de mener parfois les enfants jusqu'à l'orphelinat[14]. Les journaux, surtout locaux, le *St. Paul Star* et le *St. Paul Journal*, mentionnent les vols de chevaux, de bêtes à cornes, de blé et autres, tout en publiant les noms des malfrats lorsqu'ils sont condamnés.

Il arrive que, sans bruit, les victimes se font justice elles-mêmes. À Saint-Vincent, le propriétaire de la toute première scierie escroque plusieurs cultivateurs en vendant à d'autres la planche qu'il a sciée pour eux, leur montrant les cendres d'un tas de bran de scie fraîchement brûlé, alléguant un

---

12. IRFSJUA, Alexandre Mahé, « Quand ils voient leurs prêtres à eux ».

13. « Moonshine costly – Fined 500 Iron Men », *St. Paul Journal*, April 30, 1930.

14. Témoignage d'Armand Martin.

fâcheux incendie[15]. Après la quatrième fois, en discutant entre eux de leur malchance, les colons comprennent la manœuvre de leur compatriote qui profite de leur naïveté. Ils se rendent le voir en groupe et à la suite de leur rencontre, le propriétaire quitte subitement la région, leur ayant légalement cédé son moulin ! Si on attribue les mouvements coopératifs de la paroisse – pratiquement une tradition, d'après certains – à cette entreprise en commun, la version de leur origine peu banale reste largement inconnue.

En octobre 1917, Alexandre Mahé résume, dans une communication à *L'Union*, l'état de la communauté rurale de Saint-Vincent[16]. Il relate les nombreuses activités culturelles de la paroisse et, en cultivateur intéressé, il donne la situation des récoltes de la saison tout en louant le potentiel agricole de la région. Son reportage fait ressortir le dynamisme local : un individu s'en va régler ses affaires en Ontario et, ensuite, il ramènera sa famille à Saint-Vincent où il vient d'acheter une ferme de 500 acres; quelques personnes de Legal sont en train de préparer des sections de terre à exploiter dans la région de Saint-Vincent, et ce, pour leurs fils à leur retour du front; en effet, à titre de compensation pour leur service militaire, le gouvernement canadien offre à ces jeunes un quart de section de terre. On attend aussi l'arrivée de plusieurs familles de la province de Québec. Saint-Vincent, précise-t-il, est l'endroit idéal pour ceux qui veulent « de belles et bonnes fermes, à raison de 10 $ l'acre », citant plusieurs exemples :

> À deux milles de l'église il y a une ferme de 240 acres bien bâtie, et toute en prairie en vente pour 2 500 $ avec conditions très faciles. À 3 ou 4 milles au sud de l'église plusieures [*sic*] fermes sont à vendre pour 1 000 $ à 1 500 $. Plusieurs bons cultivateurs trouveraient place pour une culture mixte bien payante. Le chemin de fer actuellement en construction sera bientôt aux portes de la paroisse St-Vincent. M. Verreau l'inspecteur des chemins est occupé à choisir un chemin central et direct vers Ashmont afin de donner accès au chemin de fer, inutile de dire que les cultivateurs du nord ne seront pas lents à oublier la route du « far Végreville[17] ».

Une photo accompagne l'article et montre la nouvelle église encore en construction et entourée d'échafaudages. Sur le terrain d'en face, une quinzaine de voitures sont stationnées dans tous les sens.

Confiants dans leur avenir, les paroissiens de Saint-Vincent sont en train de se construire une nouvelle église pour remplacer la chapelle de 1908, qui sert aussi de presbytère, qui a été bâtie en attente de l'érection d'une église permanente, et qui est devenue beaucoup trop exiguë avec la crois-

15. Témoignage d'Alphonse Brousseau; « Louis Mercier », *Souvenirs*, p. 321.

16. « Saint-Vincent, Alta. », *L'Union*, 15 octobre 1917.

17. *Ibid.*

sance de la population. Chaque propriétaire d'un quart de section doit verser 25 $ au fonds de construction de la nouvelle église et charrier une charge de planches de la scierie portative de M. Jos Baril, exploitant d'une zone forestière près de Normandeau, au nord de la rivière aux Castors[18]. Une lettre de crédit à la banque est préparée, laquelle les paroissiens signent en qualité de garants d'une portion du prêt[19].

La nouvelle église mesure 70 pieds de long sur 40 pieds de large. Sur la façade, de chaque côté du portique, on construit deux grandes tours carrées : l'une d'elles servira de clocher. Ces tours ont deux vitraux, un de face et un de côté. Le portique est surplombé de six vitraux plus petits et d'une fenêtre en œil-de-bœuf au sommet. De chaque côté de l'église se trouvent cinq fenêtres en forme d'ogive, aux bien modestes carreaux de verre coloré[20]. Dans ce cas, selon la coutume, ce sont les bienfaiteurs de la paroisse qui payent pour les fenêtres et les portes.

La construction de l'église est dirigée par le curé de la paroisse, qui est nul autre que l'abbé J.-A. Ouellette, curé-colonisateur bien connu, entré en fonction à Saint-Vincent en juin 1916[21]. C'est le même homme qui, une dizaine d'années auparavant, a recruté beaucoup de colons originaires de l'est du Canada et des États-Unis qui se sont installés dans la région. En plus de sa fonction de curé, pour augmenter son revenu, il s'occupe de la paroisse de Lac-La-Biche, située à une centaine de kilomètres et où il a aussi pris un *homestead*, ce qui est assez rare pour un membre du clergé[22]. De son triple emploi du temps, qui semble avoir été la source de certaines frictions, ses paroissiens rapportent qu'il « ne faisait que *homesteader* paroissialement », une allusion à ce qu'ils sont obligés de faire pour se financer tant que leurs fermes ne sont pas rentables – travailler « en dehors[23] ». Ses nombreux voyages dans la région donnent au curé amplement l'occasion d'observer les difficiles conditions de vie des pionniers « sur le terrain », dans ce même pays d'avenir qu'il avait tant vanté à titre d'agent de colonisation. Une trentaine d'années plus tard, Charles Chalifoux, devenu à son tour curé de la paroisse, réfléchissant sur le cas de l'abbé Ouellette, observe :

---

18. APA, 71.220/5845, Fonds oblats, Paroisse de Saint-Vincent, Comptes rendus des syndics de Saint-Vincent, 6 janvier 1917 et 28 mars 1920.

19. *Ibid.*

20. Chalifoux, *L'historique de la paroisse de Saint-Vincent*, p. 20.

21. « Saint-Vincent – La paroisse », *Souvenirs*, p. 37.

22. APA, Fonds oblats, 71.220/6429, Éméric Drouin, Notes de recherche pour *Joyau dans la plaine*, « Notes sur feu J.A. Ouellette » par J.A. Normandeau, document des archives du Collège Saint-Jean, Edmonton.

23. *Souvenirs*, p. 39.

> Parfois cependant, des colons emmenés dans l'Ouest connaissaient des lendemains de noire dépression et lui en voulaient [à Ouellette] de les avoir conduits si loin, où il s'en fallait que les « semailles se fassent toujours en fin avril. » Mais... les colons étaient rendus à destination : c'était le but visé ! D'ailleurs, à cette époque, la mode était de vanter l'Ouest et de faire surgir des avenues « Laurier » n'importe où, pour faire des gros profits dans l'achat et la vente des lots[24].

En 1917, les colons de Saint-Vincent n'ont pas encore goûté à cette prospérité tant promise, mais malgré les difficultés qu'ils vivent toujours, l'érection de la nouvelle église est le symbole de leur confiance dans l'avenir.

C'est alors que le curé Ouellette a amplement l'occasion de mettre en pratique ses dons de promoteur et d'orateur ainsi que sa facilité à lever des fonds. La fabrique de la paroisse organise des bazars, des parties de cartes, des encans de paniers à « lunch » et, tout simplement, vend des « patates » portant le nom d'une demoiselle de la paroisse; les célibataires, qui ne sont pas tous des « jeunes sans-le-sou », se démènent pour acheter, à des prix faramineux, le droit de dîner avec elle. Durant ces soirées conviviales, il arrive que l'abbé se déguise en diseuse de bonne aventure et, pour cinquante cents, alors caché derrière un rideau improvisé avec une couverture à cheval, il lit l'horoscope de ses clients. Le curé organise aussi des loteries; il fait rafler une montre « bien ordinaire », donnée par un paroissien et il recueille la somme énorme de 700 $ pour le fonds de construction[25]. Des groupes de jeunes des écoles des alentours, Thérien, Sainte-Lina, Lac-Saint-Vincent, s'ajoutent à ceux de l'école Arctic du village de Saint-Vincent pour animer les soirées paroissiales, chacun à son tour, une fois par mois durant l'automne, et continuer la levée de fonds. Tout le monde contribue comme il le peut à l'animation, avec des chansons, du théâtre et autres activités. Cela amorce une tradition qui se perpétue en soirées « familiales », qui seront bien fréquentées dans les années à venir.

Malheureusement, la paroisse Saint-Vincent subit un terrible contretemps en 1918 lorsque la nouvelle église est rasée par un mystérieux incendie. Les travaux de construction y étaient suffisamment avancés pour qu'on puisse y célébrer la fête de la Saint-Jean-Baptiste ainsi que quelques messes du dimanche et un mariage, même si la finition intérieure n'était pas terminée[26]. Durant une nuit de juillet, le feu se déclare dans le toit et la nouvelle église et le vieux presbytère sont emportés dans le brasier[27]. C'est un très gros

---

24. Chalifoux, *Historique de la paroisse de Saint-Vincent*, p. 19. Il est rare que les semailles se fassent sans danger de gel avant la fin mai.

25. *Ibid.*, p. 19.

26. Anna Brousseau et Adrien Piquette se marient dans cette église.

27. « Saint-Vincent – la paroisse », *Souvenirs*, p. 38.

choc et pendant bien longtemps, on racontera, d'après les ouï-dire, qu'il s'agissait d'un incendie criminel[28]. Son origine reste inconnue, mais les lampes du Saint-Sacrement ont souvent réduit en cendres de belles et grandes églises. Quelle qu'en soit la cause, les assureurs acceptent l'origine accidentelle de l'incendie et accordent à la paroisse une indemnité de 6 000 $[29]. Nous supposons qu'une bonne portion de cette somme est destinée à rembourser les dettes occasionnées par la construction de l'église, car sa reconstruction ne se fait pas tout de suite ni même après plusieurs années.

En attendant, les paroissiens érigent une salle provisoire de 50 pieds de long sur 28 pieds de large et une pièce attenante qui sert de presbytère. En février 1919, leur curé, l'abbé Ouellette, quitte la paroisse pour faire du recrutement en Abitibi. Il est remplacé par l'abbé Ovide Desroches. Durant une quinzaine d'années, divers projets de construction sont proposés. On essaie même de reconstruire sur les fondations de l'église brûlée, mais ce projet se solde aussi par un échec. Il faut attendre 1933 avant qu'un projet d'église permanente se réalise.

L'une de nos informatrices, jeune femme lors du sinistre, parlait de l'église de Saint-Vincent où a été célébré son mariage, et la surnommait « l'église d'orgueil[30] ». Elle nous a expliqué l'origine de ce nom évocateur, qui venait d'une rumeur concernant l'église incendiée. Si son intérieur n'était pas tout à fait fini, les vitraux et les portes étaient déjà posés et portaient fièrement le nom de leurs donateurs sur une petite plaque en laiton, bien en vue, comme c'est la coutume. Certains individus, peut-être plus au courant du financement de l'église que d'autres, voyant ces plaques brillantes gravées du nom des notables de la paroisse disaient que l'argent de ces dons n'était pas rentré dans les caisses avant le feu et qu'il n'y rentra jamais après. Pour les plus cyniques, de cette « ostentation », d'où le nom « l'église d'orgueil », il ne restait dans les cendres que des pièces de verre coloré, fondu dans le brasier, que les petites filles récupéraient à qui mieux mieux pour jouer à la marelle dans la cour de l'école. L'histoire illustre un peu les rivalités qui existaient dans la région. Il est vrai que durant les temps durs, il devait être difficile pour les paroissiens démunis d'assister à la messe et de garder la tête haute. Tous devaient contribuer à l'entretien du culte et du curé et il fallait

28. Myrtle (Erickson) Miller dans « And more souvenirs », *Souvenirs*, p. 490, soutient qu'un mur de l'église a été arrosé d'essence en plein milieu de la nuit puis que quelqu'un y a mis le feu.

29. « Saint-Vincent (St-Paul-des-Métis) », *L'Union*, 15 septembre 1918.

30. Témoignage d'Anna Brousseau-Piquette-Martin. Les procès-verbaux des réunions des syndics ne font aucune mention de ces fenêtres et ces portes « non payées ».

surtout payer pour les places à l'église. Jean Burnet mentionne le grand délaissement des églises durant les périodes de crise en Alberta[31].

L'incendie de 1918 a certainement fait jaser les gens pendant longtemps. Soixante ans plus tard, l'incident est ravivé avec la publication de l'histoire locale, *Souvenirs*, et une contribution évoquant l'hypothèse d'un incendie criminel[32]. Plusieurs paroissiens réagissent vivement à cette allégation blessante[33]. Il est vrai que, à l'époque, quelques-uns en voulaient encore à l'abbé Ouellette de les avoir convaincus de se faire colons en Alberta, mais il y avait aussi eu de sérieux accrochages au sujet de la construction de l'église; le comité de la paroisse avait refusé les livraisons des planches du moulin à scie d'Henri Baril. Malgré des précisions bien libellées dans le contrat, le syndic avait jugé qu'une grande quantité d'entre elles n'étaient que « de la *colle*[34] ». En plus, beaucoup d'énergie avait été dépensée dans le transport en traîneau de ces planches, depuis une quarantaine de kilomètres du chef-lieu de la paroisse.

Après cet incendie, il y a encore des tiraillements de la part des membres des communautés de Bordenave, de Sainte-Lina et de Thérien, plus éloignées de Saint-Vincent, qui suggèrent un emplacement mieux situé pour eux. La même chose se répète en 1933 alors qu'il est question de construire l'église paroissiale et comme l'explique le père Chalifoux : « Si, dans les débuts, une seule paroisse avait été fondée au Vieux-Thérien, comme on aurait pu en faire un centre important, tandis qu'en se groupant en trois endroits différents, on divisait les forces[35]. » Il est certain qu'il y avait des adeptes du Vieux-Thérien comme centre régional; qu'Alexandre Mahé achète huit acres à cet endroit vers 1912 en témoigne. Il n'est pas le seul, c'est là que Joseph Miville-Déchène vient s'établir en 1919 pour se lancer en politique[36]. Élu député libéral de la circonscription de Beaver River à l'assemblée législative de la province, il fait ensuite carrière en politique fédérale et il est élu député à la Chambre des communes à Ottawa.

---

31. Jean Burnet, *Next Year Country*, University of Toronto Press, 1951, p. 144-146.

32. Myrtle (Erickson) Miller, « And More Souvenirs », *Souvenirs*, p. 490.

33. Témoignage de Germaine Champagne.

34. De l'anglais « *cull* ». L'affaire traîna longtemps et fut finalement réglée lors d'une visite de l'ancien curé J.-A. Ouellette comme étant une mésentente à l'intérieur de la famille Baril et Martin. APA, Fonds oblats, paroisse de Saint-Vincent, Chalifoux à Son Excellence, 16 septembre 1940 et 21 octobre 1940; témoignage de Germaine Champagne; Chalifoux, *Historique de la paroisse de Saint-Vincent*, p. 20.

35. Chalifoux concède diplomatiquement que les plus petites paroisses s'administrent mieux que les grandes, *Historique de la paroisse de Saint-Vincent*, p. 27.

36. « Déchène, Joseph Milville, St-Vincent – Thérien, Souvenirs du Juge André Déchène », *Souvenirs*, p. 204-207.

Malgré l'incendie de 1918, les paroissiens croient toujours en l'avenir de leur communauté. Une délégation est envoyée à Ottawa pour tâcher d'obtenir que le chemin de fer passe par le village[37]. Confiant, Olivier St-Arnault fait diviser le coin de sa propriété situé au carrefour du village en lots avec des rues et des ruelles; un autre spéculateur achète une bande de terrain à la limite du village[38]. Dans les années qui suivent, Saint-Vincent se dote de deux hôtels, d'une salle de billard, de deux magasins, d'une « moulange » et d'une succursale de la banque. De petits artisans et un professionnel s'installent : un barbier, un forgeron, un réparateur d'attelages et un médecin.

Lorsque la première école est établie dans la région immédiate, elle est située à environ un mille à l'est du village. En 1910, elle est celle qui est située le plus au nord de la zone de colonisation de l'Alberta et ce sera la boutade du commissaire des écoles de la province qui fait qu'elle a pris le nom « Arctic School » (école Arctique). En 1922, elle est déplacée près de l'église, où on construit un nouveau bâtiment qui comprend deux grandes salles de classe. Le syndic de la paroisse collabore étroitement à ce projet, s'occupe du transfert et prête de la planche pour commencer la construction, planche qui sera remboursée lors de la réception d'une grosse commande de la Colombie-Britannique[39]. Mais avant les années du transport scolaire, en raison des grandes distances et de l'éparpillement de la population, de nombreuses petites écoles s'établissent un peu partout en région, chacune étant située à environ quatre milles l'une de l'autre, et cet effort de centralisation ne rejoint pas les plus éloignés.

L'abbé Charles Okhuysen arrive à Saint-Vincent en 1924; en tant que curé de la paroisse, il adresse plusieurs lettres à Mgr Henry J. O'Leary, archevêque de l'archidiocèse d'Edmonton, en le priant de faire de son mieux pour influencer qui de droit pour que la voie ferrée tant souhaitée passe par le village[40]. Lorsqu'un tracé plus au Nord est choisi, créant sur son passage de nouvelles agglomérations, le projet de village des paroissiens de Saint-Vincent tombe à l'eau. Presque tous les commerçants partent dans l'année qui suit. En 1929, le correspondant Mahé résume la situation :

> Voilà 5 ou 6 ans notre village avait un aspect de prospérité et d'avenir [...]; des deux hôtels, l'un a tout vendu y compris ses bâtisses qui y ont été enlevées

---

37. Chalifoux, *Historique de la paroisse de Saint-Vincent*, p. 20-21.

38. « Épreuves et progrès », *Souvenirs*, p. 22-24.

39. APA, Fonds oblats, 71.220/5845, Paroisse de Saint-Vincent, réunions des syndics, 28 mars 1920; Chalifoux, *Historique*, p. 23.

40. APA, 71,220/5808, Ch. Okhuysen to Your Grace, May 31, 1926; the Catholics of Saint-Vincent to His Grace Archbishop Henry John O'Leary, December 21, 1926; Ch. Okhuysen to Your Grace, March 24, 1927.

presque toutes, l'autre à décroché son enseigne et est devenu maison privée; deux magasins ont tour à tour fermé et sont démolis; la salle de billard fermée aussi attend un acquéreur. Cependant nous conservons une bonne école à deux classes; une chapelle convenable; un coquet presbytère; un magasin bien achalandé; un bureau de poste au service parfait. Notre maître de poste, M. Léonce Langevin, est aussi secrétaire trésorier de notre municipalité, et c'est beaucoup à son zèle et à son habileté que la municipalité de Saint-Vincent se doit de se classer parmi les meilleures de l'Alberta[41].

À la suite de ces déplacements, le hameau de Saint-Vincent ne changera plus tellement; de plus en plus, la cohésion de la communauté se réalisera autour de l'église paroissiale, de l'école et des activités communautaires.

## L'organisation d'activités communautaires

Après la fin de la Grande Guerre, le chiffre d'affaires des fermiers de Saint-Vincent s'améliore et leurs conditions de vie deviennent moins précaires. Il est maintenant possible pour eux de porter un peu plus d'attention à leurs activités socioculturelles. De nombreuses activités sociales s'improvisent et la communauté cherche à se doter d'une infrastructure assez précise, comme une petite bibliothèque publique et des uniformes pour une équipe de baseball. Déjà, les divertissements auxquels participent les membres de toutes les ethnies ne manquent pas et il n'est pas surprenant que certains pensent à des activités « saines » pour occuper leurs jeunes de langue française.

Le baseball est un sport fort apprécié, mais les hommes forts, les lutteurs et les boxeurs, attirent aussi les foules. Les rodéos, *stampedes* ou *pow-wows* comme on les appelle localement, sont très fréquentés durant l'été. Pour les communautés canadiennes-françaises, la fête nationale de la Saint-Jean-Baptiste est l'occasion d'avoir de grands défilés avec des chars allégoriques et un feu de joie. Mais tout au long de l'année, ce sont surtout les bals populaires, les « danses », qui attirent la jeunesse. Certains organisent des soirées payantes dans leur maison, comme le faisait un musicien célibataire de Saint-Vincent, mais les salles communautaires sont aussi très fréquentées[42].

Dans cette contrée, durant la bonne saison, les journées sont très longues et il y a à peine deux ou trois heures de noirceur au solstice d'été; pendant ces nuits, une bande illuminée cerne l'horizon septentrional du crépuscule jusqu'à l'aurore. Les jeunes n'hésitent pas à partir en bande, à parcourir six à dix milles à pied après une longue journée de travail pour aller danser et revenir au petit jour pour reprendre leur travail quotidien. Le clergé peste

41. Alexandre Mahé, « Saint-Vincent », *La Survivance*, 2 mai 1929.

42. Témoignage de René Mahé.

contre ces soirées qui ne se terminent plus et où la boisson coule à flots; on est scandalisé d'entendre parler de jeunes filles retrouvées de temps à autre, à l'aube, en état d'ébriété, endormies dans quelque fossé[43].

C'est à cette époque qu'on voit la création des premiers centres de villégiature de la région, très encouragés par les promoteurs locaux, comme Gilbert La Rue, propriétaire du *St. Paul Journal.* À une centaine de kilomètres à l'est de Saint-Paul, le colon d'origine suisse Paul Jean-Richard, arrivé en Alberta vers 1912 et installé au bord du lac Froid, a construit des petits chalets qu'il loue aux touristes qui viennent pour pêcher la truite[44]. La même chose se passe au bord du lac Saint-Vincent, où le dentiste M.E. Froom, venu des États-Unis dès l'ouverture du territoire, a acheté l'ancienne terre de James Brady et exploite la plage qui longe la ferme[45]. Mais son rêve ne s'est pas réalisé en Alberta. Il poursuivait en même temps sa pratique à Spokane dans l'État de Washington et après plus d'une dizaine d'années d'efforts et de va-et-vient, il concède que ses affaires vont mieux aux États-Unis; en 1927, il vend sa grosse ferme aux enchères[46]. L'encan attire une grande foule : 286 attelages de chevaux avec traîneaux, sans compter les voitures et les piétons; à un moment, 28 équipages traversent sur la glace du lac gelé pour s'y rendre[47].

Après le départ de Froom, d'autres entrepreneurs se lancent dans le domaine des loisirs et construisent une salle de danse au bord du lac Saint-Vincent[48]. On raconte que le curé de la paroisse Saint-Vincent est mécontent lorsqu'il apprend que les planches pour la construction de cette salle ont été sciées localement et il reproche aux propriétaires du moulin à scie d'avoir collaboré, même indirectement, à cette entreprise qu'il voit d'un très mauvais œil. Et à ceux-ci de lui répondre qu'ils sont en affaires pour scier du bois et qu'ils ne sont pas responsables de ce qu'en font leurs clients[49]. Un autre entrepreneur se construit une péniche qu'il amarre aux abords du lac Saint-Vincent; les beaux jours d'été, des musiciens s'installent à bord et font dan-

---

43. Témoignage de Germaine Champagne.

44. Il s'agit du père du peintre René Richard. Nous remercions l'historienne de l'art Joanne Bouchard pour ce renseignement. Ce paysagiste du Nord est le sujet de la dissertation doctorale qu'elle prépare à l'Université Laval. Gabrielle Roy a basé son roman, *La montagne secrète*, sur la vie du peintre. « Lac Froid », *Le Courrier de l'Ouest*, 12 août 1915.

45. Témoignage d'Armand Martin, 18 août 1994.

46. « Wed. March 23, 1927, Auction Sale, M.E. Froom and B.G. Abercrombie, owners, H. Turcotte of St. Vincent, Auctioneer », *St. Paul Journal*, March 10, 1927.

47. *St. Paul Journal*, March 31, 1927.

48. Témoignages d'Armand Martin, d'Alphonse Brousseau et de Germaine Champagne.

49. Témoignage d'Alphonse Brousseau.

ser les gens sur les plages[50]. D'après le *St. Paul Journal*, durant l'été, des centaines de personnes fréquentent le lac Saint-Vincent chaque jour et il y a foule les fins de semaine[51].

Avec toutes ces activités dans la région, il n'est pas étonnant que lors de la création du cercle de l'ACFA à Saint-Vincent en 1927, le deuxième point à l'ordre du jour soit d'établir une bibliothèque. Pour ce faire, il fallait lever des fonds, mais on ne pensait pas devoir acheter tous les livres; on organiserait plutôt une campagne de don de livres :

> [...] organiser dans la province de Québec une guignolée de livres, en faveur des groupes canadiens-français de l'Ouest et qu'il serait bon de n'être pas pris au dépourvu par le précieux cadeau que nous feront nos amis de l'Est. Maintenant les livres peuvent venir, ils trouveront bon gîte et mains diligentes pour leur trouver une place d'honneur[52].

Demander des livres de cette façon était pratique courante. Les prix scolaires décernés par le Cercle Jeanne-d'Arc et par le Concours de français de l'ACFA étaient tous offerts par des membres de l'élite de la province de Québec, tel un petit livre donné par Olivar Asselin et dédicacé : « À un petit écolier de l'Alberta, avec mes affectueux souhaits de succès, Montréal, 19 juin 1934[53]. »

Tout en préparant leur campagne de collecte de livres pour leur bibliothèque, les membres du nouveau cercle de l'ACFA de Saint-Vincent, dans le but de lever des fonds supplémentaires, organisent une soirée récréative qui aura lieu au mois d'août dans la salle publique du village[54]. Ils s'arrangent pour la faire coïncider avec le tournoi de baseball du pique-nique annuel de la paroisse. Normalement, chaque communauté de la région tenait un pique-nique annuel, fréquenté par la grande communauté, qui permettait de financer quelques petites œuvres de la paroisse : chaque paroisse choisissait un dimanche et faisait la promotion de son événement. Un kiosque vendait des sandwichs, des boissons et des desserts et, parfois, un souper était offert.

---

50. Dans la région, on se souvient vaguement de cette entreprise d'Eugène Champagne et d'autres membres de sa famille, présents sur une photo qui porte la vignette : « Danse sur le Lac St-Vincent/Dance on the lake, musiciens Beauregard, c. 1930 », *Du Passé au Présent and Past, St-Paul, St-Édouard, Alberta 1896-1990*, Société du livre historique de St. Paul Historical Society, 1990, p. 201.

51. *St. Paul Journal*, July 12, 1933.

52. Corr. [Alexandre Mahé], Saint-Vincent, *L'Union*, 5 mars 1927.

53. Claude Mélançon, *Nos animaux chez eux*, illustrations de L. Durand, Québec, Au Moulin des Lettres, 1934. Offert à l'auteure par Marguerite (Mercier) Irwin de Saint-Vincent, de ce qui reste de la bibliothèque paroissiale qui était située dans la maison familiale Mercier.

54. « St-Vincent », *L'Union*, 18 août 1927.

Chaque famille apportait des plats préparés et des billets étaient vendus au bénéfice de la paroisse. Le tout se terminait parfois par une fête.

Le baseball est très populaire dans cette région où les terrains plats et bien drainés abondent. Durant la belle saison, il est possible de jouer très tard le soir, en raison de la durée du jour au nord du 54e parallèle. En 1927, le *St. Paul Journal* donne beaucoup plus de nouvelles régionales que *L'Union* et *La Survivance* et ses lecteurs peuvent suivre de près les activités sportives des équipes de balle. Aussi, au cours de cet été, quelques poèmes en anglais, contributions d'amateurs locaux, style W.H. Drummond, sont publiés dans ses pages. Très populaires à l'époque, les écrits de Drummond sont connus pour leur imitation du jargon anglais des paysans canadiens-français des Cantons de l'Est, si bien qu'ils sont utilisés dans les textes scolaires.

Dans les poèmes publiés dans le *St. Paul Journal*, les auteurs locaux louent les talents respectifs de leur équipe, de leurs joueurs préférés ou critiquent l'arbitre. Voici quelques vers typiques :

> Just tree week ago today/We have a big ball game.
> De Therien boy dey go away/Dey have a great big name.
> But to day St. Vincent win,/Dey beat d railroad guy
> D'way dey pound him tis a sin/Now de Therien bunch day cry[55] [...].

Les lecteurs du journal semblent s'en amuser, puisque le rédacteur continue d'en publier de semblables chaque semaine.

Après la parution du premier poème, un instituteur aux tendances didactiques et à la plume pas mal pédante se plaint au rédacteur du journal des « méthodes peu artistiques » [...] « du barde des lourdauds[56] ». Dans le numéro suivant, dans la même rubrique, un autre lecteur s'y prend un peu plus diplomatiquement pour exprimer sa critique. Disant apprécier l'effort du poète d'imiter Drummond, il note que, d'après lui, des écrits de ce genre « amusent des anglais [*sic*] [...] à nos dépens[57] ». Pourquoi pas, propose-t-il, versifier en français? [Le *St. Paul Journal* n'utilise pas les caractères typographiques français.] Rien de mieux, écrit-t-il :

> pour parler a de bons canadiens-français de St. Vincent et d'alentour, ses memes auteurs peuvent mieux employer leur gout de la rime a nous donner de bons vers francais sur le meme sujet et y mettre peut-etre plus d'esprit de bon aloi. Et le *Journal*, nous le savons aussi, ne demanderait pas mieux que de publier du bon francais, a condition qu'on lui en donne[58].

---

55. « Therien », *St. Paul Journal*, July 27, 1927.
56. Allen A. Blais, Bordenave, Alta., « Tribune Libre », *St. Paul Journal*, August 4, 1927.
57. « Cher monsieur Blais », *St. Paul Journal*, August 18, 1927.
58. *Ibid.*

Le style est tout à fait celui d'Alexandre Mahé, mais il est impossible de le confirmer. Ses lettres tendent à être longues et, dans ce cas, le rédacteur exprime ses regrets de ne pas pouvoir publier ce si intéressant, et long, article en entier. Mais malgré les assurances de cet auteur anonyme de l'ardent désir de la rédaction de publier en français, les articles dans cette langue se font rares dans le *St. Paul Journal*. Par contre, les poèmes au sujet du baseball, de même style et en anglais, se succèdent et la fièvre annuelle pour ce sport s'accentue dans la région pendant l'été 1927. Aucun poème en français n'est publié.

Localement, on encourage ce bon enthousiasme pour le sport avec un peu de publicité avantageuse. Le 7 août, une grande annonce en anglais est publiée à la « une » du *St. Paul Journal* pour le pique-nique de Saint-Vincent. Ce qui est extraordinaire, c'est qu'elle est suivie d'une deuxième annonce, encadrée et en français, presque aussi grande que la première, précisant que ce pique-nique « n'est **pas** au profit de l'Église[59] » (en gras dans le texte original). Aucune explication supplémentaire n'est ajoutée.

Le grand jour arrivé, le tournoi de « balle au camp » réunit des équipes de Saint-Paul, Saint-Vincent et Thérien (il est probable que les équipes des communautés voisines de Glendon, Sainte-Lina et Flat Lake y participent aussi). On compte une centaine de voitures venues des environs et on estime qu'il y a plus de 400 spectateurs. L'équipe de Saint-Paul remporte haut la main le premier prix qui est de quinze dollars, tandis que le deuxième prix, de dix dollars, est chaudement contesté et finalement remporté par l'équipe de Saint-Vincent, au compte de 8 à 6 contre l'équipe rivale de Thérien. Une photo des gagnants montre 17 gaillards souriants, presque tous en tenue ordinaire[60]. L'un tient le bâton de baseball et seul le lanceur porte l'uniforme et la casquette caractéristique du sport. Il tient la balle dans une main et le gant dans l'autre. À côté de lui se trouve le receveur avec son grand plastron bourrelé et un gant rond à la main.

Au cours de l'après-midi du tournoi de Saint-Vincent, des jeunes filles de la paroisse vendent des boutonnières pour recueillir des fonds pour la bibliothèque et des billets pour assister à la soirée. Une pièce de théâtre a été montée sous la direction de Rose-Marie Gervais, institutrice, habile musicienne et boute-en-train de la paroisse[61]. Alexandre Mahé signale que « [r]ien

59. *St. Paul Journal*, August 4, 1927.

60. « Clubs sportifs/Sports Clubs », *Souvenirs*, p. 486 (voir l'annexe de photos).

61. Témoignages de Germaine Champagne et de Laura Forrend; la famille Gervais est venue de Warren (Ontario) en 1908. Ils s'installent d'abord à Edmonton et David Gervais livre des marchandises en gros au village d'Athabasca Landing, terminus du Grand Nord

n'avait été négligé pour faire de cette première séance un succès. Quelques affiches postées en bonne place, et le doute même de ceux qui craignaient ou souhaitaient un échec assurèrent une salle comble à déborder[62]. » La salle Mailloux est bondée pour la pièce de théâtre, au point où plusieurs spectateurs doivent passer la veillée debout, faute de place. Les organisateurs s'en excusent sincèrement et promettent de faire mieux la prochaine fois.

On présente *Félix et ses pommes de terre* d'Henri Ghéon, un auteur belge spécialisé en œuvres de théâtre chrétien et très connu dans les milieux catholiques de l'époque. Jouée par des comédiens locaux, la pièce amuse bien l'assemblée. On sait par ailleurs qu'Alexandre Mahé admire les œuvres de Ghéon et, dans ce cas, il note comment ce dramaturge « réussi[t] à créer le théâtre chrétien, en mêlant, comme il se mêle dans la vie journalière de chacun, le surnaturel et le naturel, et à faire ainsi du théâtre un lieu de saine et de moralisante distraction[63] ». Une soirée de variétés suit, « une véritable fête canadienne-française, entremêlée de chants, de comédie, de déclamations et de discours pratiques et de vérités qui ne furent ménagées à personne[64] ». Le correspondant cite le texte de la chanson chantée pour l'occasion sur l'air de « À la claire fontaine » :

> Entendez-vous nos chansons canadiennes
> Du vieux Québec, le joyeux souvenir :
> L'espoir au cœur, et quoiqu'il advienne,
> À la race, tous nous devons tenir.
> Compte sur nous, langue de France :
> Pour toi, toujours prêts à servir,
> Nous te vouons notre vaillance,
> Tu le veux, il nous faut tenir[65].

Son auteur n'est pas nommé. Il est possible que ce soit Alexandre Mahé, qui a publié un texte du même genre quelques années plus tard, mais rien ne le confirme[66]. Les sentiments qui y sont exprimés sont fort répandus dans la communauté francophone et plusieurs autres personnes sont aussi en mesure de composer un tel texte.

---

canadien, pour le compte d'un marchand de la ville. La famille s'établit à Saint-Vincent en 1911, Gervais a alors 51 ans. La première croix de chemin de la paroisse est érigée sur leur propriété. Edna Gervais Tremblay, « David Gervais », *Souvenirs*, p. 228-229.

62. *L'Union*, 18 août 1927.

63. *Ibid.*

64. *Ibid.*

65. *Ibid.*

66. Isidore Cassemottes, « Une belle Survivance », *La Survivance*, 26 mai 1937.

Tel que mentionné, tous ne s'attendent pas à la réussite de la soirée et il y a une « fausse note ». Le correspondant y fait allusion en terminant : « Beaucoup ont trouvé regrettable que notre curé n'ait pu rehausser de sa présence cette fête de famille[67] [...]. » Normalement, il est toujours présent aux activités de la paroisse, mais il semble que, comme le dit le cliché, l'abbé Charles Okhuysen brille par son absence. Aucune explication supplémentaire n'est donnée et cela soulève la question : le curé aurait-il été froissé que le petit revenu annuel qui était traditionnellement versé à la paroisse ne lui ait pas été attribué ? Le besoin de publier la deuxième annonce dans le *St. Paul Journal* est sans doute le résultat de remous quelque part. Mais il nous semble clair que les paroissiens jugent que d'autres activités de leur communauté sont aussi méritoires que celles de l'Église, que cela plaise ou non au curé. Dans une communication à ce sujet, Alexandre Mahé mentionne que les fonds recueillis sont destinés à l'équipe de baseball de Saint-Vincent :

> Ces joutes, tout en plaisant beaucoup au public, offrent l'avantage de procurer aux jeunes gens une distraction saine et agréable. Et si l'on a soin, une fois en passant, d'y mettre une discrète publicité, elle peuvent, en outre procurer au club quelques ressources qui lui permettent de donner à chacun de ses membres une tenue et un équipement qui contribueront hautement à donner à chaque joueur une personnalité qui assurera une plus grande homogénéité, plus d'allant et plus d'entrain à toute l'équipe; de façon à mettre toujours de la beauté dans l'effort. C'est la condition primordiale du succès[68].

Entre-temps, la campagne de lettres aux bienfaiteurs du Québec est lancée et, comme prévu, les livres arrivent. La communauté réussit à constituer une petite bibliothèque avec plusieurs centaines de titres, y ajoutant des livres de collections personnelles et en réparant ceux qui sont en mauvais état. La localité voisine de Saint-Paul a une bibliothèque dans sa salle paroissiale depuis 1925[69], mais à Saint-Vincent, il n'y a pas de salle paroissiale. La salle Mailloux, pièce privée de l'hôtel, sert pour toutes sortes d'occasions et ne convient pas. Le grand presbytère construit en 1926 est la propriété de l'évêque et aucun espace de ce bâtiment n'est offert par le curé aux paroissiens pour y établir leur bibliothèque. Mais on se débrouille; on la loge dans la résidence Mercier, au village, et Rose-Anna Mercier en devient la bibliothécaire[70].

---

67. *Ibid.*

68. « St-Vincent », correspondant [Alexandre Mahé], *L'Union*, 18 août 1927.

69. Drouin, *Joyau dans la Plaine*, p. 347.

70. Témoignage de Germaine Champagne.

Dans cette communauté rurale du Nord-Est de l'Alberta, vingt ans après leur arrivée, les résidents sont heureux d'entretenir le culte et ils font tout ce qu'ils peuvent pour aider à la construction des bâtiments de la paroisse. Mais ils veulent aussi s'assurer que des activités saines sont à la disposition de leurs jeunes. Que cela soit de l'équipement pour une équipe sportive ou des livres pour la bibliothèque, ces causes valent l'effort d'une levée de fonds. S'il arrive que certaines personnes ne sont pas d'accord, que cela leur plaise ou non, la majorité des gens se rallient à l'effort commun.

# Chapitre VII

# TÉMOIN DE SA COMMUNAUTÉ 1927-1937

En mettant sa plume au service de sa communauté, Alexandre Mahé est son très fidèle porte-parole, et ses écrits sont un témoignage des aspirations de ses compatriotes canadiens-français. Par les articles qu'il adresse à *L'Union* en 1927 et en 1928, en qualité de secrétaire du tout nouvellement créé cercle local de l'Association canadienne-française de l'Alberta [ACFA] à Saint-Vincent, il démontre à quel point les membres de cette collectivité rurale accueillent avec enthousiasme l'établissement d'une organisation provinciale pour protéger les droits des Canadiens français de l'Alberta. En examinant les autres sujets abordés dans les articles d'Alexandre Mahé en tant que correspondant de la paroisse Saint-Vincent, sous son propre nom ou, encore, sous son nom de plume, jusqu'à la fin des années 1930, il est possible de mieux comprendre les objectifs « au ras du sol » de la francophonie albertaine en milieu rural durant la Crise. Rares sont les écrits de langue française dans l'Ouest canadien qui peuvent nous en dire autant.

## Du regroupement provincial au regroupement local

L'Association canadienne-française de l'Alberta est créée en décembre 1925 dans le but de protéger la langue et la culture des Canadiens français de la province et pour assurer l'enseignement du français dans leurs écoles[1].

---

1. Gratien Allaire, « Pour la survivance : l'Association canadienne-française de l'Alberta », *Les outils de la francophonie*, Vancouver/Winnipeg, Centre d'études franco-canadiennes de l'Ouest, 1988, p. 74-78; « Le rapport à l'*autre*, l'évolution de la francophonie de l'Ouest », p. 28.

E.J. Hart attribue son établissement à trois causes principales : le besoin d'un organisme pour remplacer les groupes comme la Société Saint-Jean-Baptiste qui s'essoufflent, la nécessité pour les laïcs francophones de se défendre face à l'opposition croissante de l'Église catholique anglophone, qui ne voit dans l'aspect français du culte qu'une division des forces, et le désir de créer une organisation qui peut travailler à la cause commune du français malgré les divergences politiques[2]. L'organisation est née de divers regroupements, entre autres, la Société du parler français, fondée en mai 1912, et le cercle dramatique Jeanne d'Arc, fondé en mars 1913[3]. En 1918, le cercle Jeanne d'Arc ajoute à ses activités un volet musical et un concours de français pour la population étudiante albertaine. Edmonton est l'endroit central où se rencontrent ces associations, mais les membres, en particulier ceux de la Société du parler français, viennent d'un peu partout dans la province et on trouve des cercles dans les localités suivantes : Saint-Paul, Saint-Vincent, Legal, Lamoureux, Brosseau, Beaumont, Villeneuve et Morinville[4]. La guerre de 14-18 avait nuit aux premiers efforts de regroupement; mais l'idée de créer une organisation vraiment provinciale fait son chemin, causant des remous chez les Chevaliers de Colomb du cercle La Vérendrye d'Edmonton, qui se perçoivent plus ou moins comme les chefs des Canadiens français de l'Alberta[5].

En 1925, Laudas Joly, député élu des Fermiers unis de l'Alberta (UFA) pour la circonscription de Saint-Paul à l'assemblée législative provinciale, obtient, à la demande de l'honorable Perrin Baker, ministre de l'Instruction publique de cette province, le droit de créer un comité qui développera un programme de français dans les écoles albertaines[6]. Depuis 1892, des règlements concernant l'enseignement du français sont en vigueur, notamment l'ordonnance n° 22, articles 83 et 84 des Territoires du Nord-Ouest, qui donnent le droit aux enfants francophones de recevoir les deux premières années de leur scolarité en français et d'apprendre l'anglais oral à la discrétion de leur professeur[7]. La loi de 1925 enchâsse ces droits dans la section 184 du *School Act* de la province d'Alberta et ajoute qu'à compter de la troi-

---

2. Hart, *Ambitions et réalités*, p. 112-113.

3. Papen, *Georges Bugnet*, p. 105-112.

4. Éloi Degrace, *Index du Courrier de l'Ouest, 1905-1916* (l'auteur), Edmonton, 1980, p. 113-114.

5. Papen, *Georges Bugnet*, p. 105-106.

6. *Ibid.*

7. Yvette T.M. Mahé, *School Districts Established by French-Speaking Settlers in Alberta : 1885-1939*, Vol. I, Identification of Bilingual School Districts (l'auteure), Edmonton, p. 10, ref. 2.

sième année de scolarisation, les enfants auront droit à une heure d'enseignement en français par jour. La condition posée par le gouvernement provincial pour ce programme est que les Canadiens français établissent une organisation qui s'occupera de son bon fonctionnement et de l'embauche des professeurs. Aidé de Laudas Joly, le cercle Jeanne d'Arc convoque la population française en décembre 1925 et l'ACFA est fondée; un congrès a lieu en juillet 1926 durant lequel le premier conseil de direction est élu.

*L'Union* est alors le seul journal de langue française en Alberta et il publie gratuitement toutes les nouvelles et annonces de la jeune organisation provinciale. Son propriétaire, Pierre Féguenne, en vient à refuser d'accorder autant de place dans les pages de son journal à du matériel qu'il aurait préféré payant. Le conflit mène à l'établissement d'un hebdomadaire rival, *La Survivance*, malgré les protestations de Féguenne qui trouve cette concurrence déloyale[8]. Deux journaux de langue française ne peuvent survivre en Alberta et malgré ses dix ans de service, *L'Union* coule et, en 1929, Féguenne vend ses presses à l'ACFA. Au cours des ans, *La Survivance* est fortement appuyée financièrement par les Oblats, ce qui contribue à sa continuité. Durant les cinquante premières années de parution du journal, sept des onze rédacteurs sont membres de cette congrégation[9]. En 1967, le journal devient *Le Franco-albertain* et ensuite, *Le Franco.*

Depuis ses débuts en 1925, le mouvement de l'ACFA prend de l'ampleur. Dans les années qui suivent, les cercles locaux, sur lesquels est basée l'organisation provinciale, se créent dans les communautés francophones de l'Alberta. La première réunion publique du cercle de Saint-Vincent a lieu en février 1927 et, malgré le mauvais temps, l'assistance est nombreuse[10]. Alexandre Mahé devient secrétaire et dans la communication qui est publiée dans *L'Union*, il rapporte qu'on discute plusieurs thèmes, « avec courtoisie, sans exclure l'animation et la jovialité », mais il ne développe que deux de ces sujets : l'opinion d'un voyageur de la première « Survivance » (un voyage organisé de l'Ouest vers l'Est du pays) mécontent de la perspective négative que rapportent des journaux du Québec, lesquels présentent la situation scolaire en Alberta comme désespérée ou fortement compromise; et la proposition d'une dame d'établir une bibliothèque, sujet que nous avons examiné dans le chapitre précédent.

---

8. Alice Trottier, « Les débuts du journal *La Survivance* », *Aspects du passé franco-albertain*, A. Trottier, K.J. Munro et G. Allaire (dir.), Histoire franco-albertaine, 1, 1980, p. 113-121.

9. *Ibid*, p. 121.

10. « St-Vincent », *L'Union*, 5 mars 1927.

Ce n'est pas la première fois que la publicité négative est abordée dans *L'Union*; Georges Bugnet, son rédacteur, avait souvent dénoncé le « provincialisme québécois » dans ses éditoriaux[11]. Le bât blesse à Saint-Vincent aussi, et le correspondant résume ce qu'en pensent les membres du cercle local :

> Il serait peut-être inutile de dire à ces pessimistes informateurs à court de copie que notre situation scolaire, sans être idéale, est cependant en bonne voie d'amélioration. Et pour que cette amélioration soit durable, nous avons notre Association, l'A.C.F.A. qui fait un travail intelligent et soutenu. Que ces pessimistes de malheur se donnent donc la peine de venir nous voir, et ils verront si nous sommes en position désespérée[12].

La peur est une bien mauvaise conseillère, poursuit-il, et les voyageurs qui faisaient partie des récentes excursions au Québec sont la preuve que la situation est très bonne en Alberta. L'un de ces voyageurs avait même convaincu son frère et son beau-frère de revenir avec lui et de s'installer dans la région.

Aucun plan n'est précisé par le cercle local de l'ACFA pour rectifier la situation de cette publicité négative venant de loin, mais on s'aperçoit que le secrétaire donne énormément de renseignements sur les bonnes occasions à saisir en ce qui concerne les terres à prendre dans les alentours. Leurs moyens sont limités et outre les voyages annuels, la presse est pour eux la meilleure façon de faire connaître les possibilités de leur patelin aux colons potentiels.

Les « Pèlerinages de la Survivance » étaient, depuis 1925, organisés sous les auspices de l'Association catholique franco-canadienne de la Saskatchewan et du Canadien National qui offrait un tarif spécial dans le temps des Fêtes[13]. Dès le premier voyage, ouvert à tous, des promoteurs et des représentants canadiens-français des autres provinces des Prairies se joignent au groupe de la Saskatchewan et sont accueillis dans les principales villes du Québec à de grandes réceptions, car officiellement, le but premier du déplacement est la promotion des Prairies par sa population francophone[14]. En 1926, 300 voyageurs des Prairies profitent du rabais pour séjourner au Québec. Le rédacteur de *L'Union*, Georges Bugnet, et d'autres membres de l'élite franco-albertaine, sont de ce voyage[15]. Les excursions de 1925 et de 1926 sont de grande envergure : un banquet est offert aux voyageurs au Château Frontenac,

11. Papen, *Georges Bugnet*, p. 110.

12. « St-Vincent », *L'Union*, 5 mars 1927.

13. Joseph Mailloux, forgeron à Saint-Vincent, participe au premier des voyages de « la Survivance » qui part le 18 décembre 1925 pour le Québec. *St. Paul Journal*, December 24, 1925.

14. Rodolphe Laplante, « Au foyer de la race », *La Survivance*, 23 novembre 1928.

15. Papen, *Georges Bugnet*, p. 107.

où ils ont l'occasion de rencontrer des politiciens, des dignitaires et des membres de la presse. Mgr Camille Roy, recteur de l'Université Laval, s'adresse aux « pèlerins » lors des banquets de ces deux années, ceux qui « viennent du pays des grands horizons, des grandes cultures, et des grandes espérances » pour accomplir leur « pèlerinage de fidélité française[16] ».

Le voyage devient presque une tradition et pour ceux d'origine québécoise, c'est l'occasion rêvée de rendre visite à leur parenté à frais réduits et, en même temps, de faire connaître les perspectives d'avenir de leur région à leurs amis et aux membres de leur famille. En décembre 1927, 400 Canadiens français montent dans 13 wagons du CN pour le troisième voyage annuel vers l'Est; 60 des passagers viennent des environs de Saint-Paul[17]. Alexandre Mahé, le correspondant de Saint-Vincent, remarque que des paroissiens sont du voyage à la fin de 1928 : « Nos voyageurs de la Survivance, M. et Mme André Brousseau, M. et Mme Georges Langevin se sont rendus au pays de Québec qu'ils n'avaient pas revu depuis une vingtaine d'années. [...] ils comptent séjourner là-bas deux ou trois mois[18]. »

Ses rubriques de correspondant à *L'Union* ne sont pas tellement fréquentes; mais les exemplaires des numéros de 1920 à 1927 manquent et il est difficile de juger si cela fut vraiment le cas. En 1927, trois de ses contributions paraissent dans les pages de *L'Union*, chacune mentionnant le cercle local de l'ACFA de Saint-Vincent. Au début du mois d'août, l'article rappelle la soirée de théâtre à venir organisée par le cercle pour lever des fonds pour la bibliothèque et décrit une veillée improvisée à l'occasion de l'anniversaire du marchand général du village de Saint-Vincent, Gaudias Tardif[19]. Soirée bien agréable que les musiciens et les chanteurs locaux enjolivent de chansons et d'airs traditionnels. Quelques anciens exécutent des gigues canadiennes, que « les jeunes tentèrent d'imiter, mais le pas de gigue ne leur advenait pas du tout[20] ».

Au cours de cette veillée, Tardif invite son ami Mahé à faire un petit discours sur un sujet de son choix pour divertir l'assemblée. Grand amateur de folklore, il les oblige et il leur parle de l'origine de la légende canadienne des lutins. Tout en leur avouant que son histoire n'a « rien d'authentique », il leur explique pourquoi les chevaux sont de temps à autre blancs d'écume le

---

16. Camille Roy, « L'apostolat de notre race dans l'Ouest », *Études et croquis*, Éditions Émile Robitaille, Québec, 2e édition, 1936, p. 168-176; « Aux Pèlerins de la Survivance franco-canadienne », *ibid.*, p. 192-202.

17. *St. Paul Journal*, December 22, 1927.

18. Corr., « Saint-Vincent », *La Survivance*, 10 janvier 1929.

19. Correspondant [Alexandre Mahé], « St-Vincent », *L'Union*, 4 août 1927.

20. *Ibid.*

matin dans l'écurie et « pourquoi la crinière des chevaux se trouve parfois embrouillée d'une façon inextricable par les invisibles lutins [...] [ce qui parut] surprendre agréablement l'assistance[21] ». Si on a l'impression que son auditoire croit à l'existence des lutins, il y a lieu de se demander si le conteur n'y croit pas aussi lorsqu'il écrit : « Il est à peu près certain que les lutins ont existé dans la période préhistorique, à la grande joie d'abord de nos arrière-ancêtres les Gaulois qui les massacrèrent sans pitié[22] [...]. » Bien sûr, les Bretons appellent ces lutins des « korrigans », et c'est ainsi que les enfants Mahé les nomment, mais cela n'est pas mentionné dans l'article[23].

En 1927, *L'Union* publie des reportages sur des concours de jeu de dames, une activité bien suivie dans plusieurs régions francophones de la province. Le champion « damiste » René Bruneau, de Saint-Vincent, lance des défis qui sont relevés à 200 kilomètres à la ronde; plusieurs comptes rendus des joutes sont publiés[24]. D'autres activités sont aussi dignes de mention dans le journal. En mai 1928, sous le parrainage de l'ACFA et autres organismes culturels de l'Ouest et d'ailleurs au Canada, les Franco-Albertains reçoivent la visite de chanteurs itinérants français, Armand Duprat et France Ariel-Duprat. C'est au moins la deuxième fois que le couple fait une tournée dans les Prairies et les auditeurs albertains sont heureux de les réentendre[25]. Ils sont des imitateurs de Théodore Botrel, qui a aussi fait une tournée dans l'Ouest après la Première Guerre mondiale. Le trio français d'Albert Larrieu, dont France Ariel avait été membre, et qui se spécialisait dans le répertoire de Théodore Botrel et la chanson française, était venu en tournée pour la première fois au Canada en 1917. Il revint dans l'Ouest à plusieurs occasions[26]. Les Duprat utilisent la même formule que Botrel et Larrieu dans leurs spectacles et ils portent le costume traditionnel des régions de France d'où viennent les chansons. Ils chantent ainsi des refrains populaires, comme

---

21. *Ibid.*

22. *Ibid.*

23. Témoignage de Germaine Champagne.

24. En 1927, *L'Union* a plusieurs articles au sujet du champion « damiste » René Bruneau de Saint-Vincent, dont nous avons pris note : 31 mars, 28 avril, 30 juin, 27 août.

25. « La tournée Duprat », *L'Union*, 24 mai 1928.

26. Germaine Champagne se souvient de leurs visites. Roger Motut mentionne aussi le passage de la troupe Larrieu dans « Le passé tel que je l'ai connu en Saskatchewan », *La langue, la culture et la société des francophones de l'Ouest*, 3, Université de Regina, Centre d'études bilingues, 1983, p. 15. Les chansons de Larrieu figurent dans le répertoire canadien-français, publiées, entre autres, dans la série de Paul-Émile Gadbois, *La Bonne Chanson.* Le récit du premier voyage de France Ariel fut publié, mais ne concerne que l'est du continent : *Canadiens et Américains chez eux – journal, lettres, impressions d'une artiste française*, Montréal, Granger Frères, Ltée, 1920.

« La Paimpolaise » de Botrel et « Les crêpes » de Larrieu, des compositions d'un genre traditionnel[27]. Le chanteur de folklore Charles Marchand (1890-1930), premier professionnel de la chanson canadienne d'expression française, fit aussi plusieurs tournées dans l'Ouest, d'où il rapporta, nous informe Mgr Maurice Baudoux, « une collection de deux à trois cents chansons qu'il n'avait jamais entendues au Québec ou en Nouvelle-Angleterre[28] ». Localement se trouvent aussi des individus de grande culture, comme le couple Sabourin de Bonnyville qui se produit de temps à autre en spectacle de chant classique[29]. Madame Sabourin est une mezzo-soprano talentueuse et son époux, le docteur Séverin Sabourin, l'accompagne; ils présentent du Mozart, du Donezetti, du Rossini, du Gounod ainsi que des chansons populaires du répertoire classique, au grand plaisir de leur auditoire. Parfois, leurs enfants chantent avec eux.

Au mois d'août 1928, les artistes Duprat sont accueillis à la salle Mailloux à Saint-Vincent. Elle est remplie de spectateurs enthousiastes, malgré une grêle dévastatrice ce jour-là. Le compte rendu d'Alexandre Mahé témoigne de l'appréciation pour ces chanteurs « dont enfants et grandes personnes demandaient déjà quand ils reviendraient » :

> Ces joyeux troubadours de France ont su, comme par le passé, nous égayer avec leur programme varié, à la portée des spectateurs qui, tout yeux et tout oreilles, se trouvent habilement transportés dans quelques provinces de France, que l'on aime, au Canada. Il serait banal de faire l'éloge de ces artistes qui nous reviennent avec un programme nouveau. Nous arrivons à les comprendre de mieux en mieux et, tout naturellement, nous sommes portés à croire que le progrès qu'ils nous font faire est un progrès qu'ils font eux-mêmes dans l'art de nous charmer et nous amuser[30].

À cause de la tempête, ni le président du cercle paroissial de l'ACFA, Adrien Piquette, ni le vice-président, Joseph Viel, ne peuvent assister à la soirée. Le curé de la paroisse, l'abbé Charles Okhuysen est, encore une fois, absent. Le secrétaire du cercle présente le spectacle en leur nom et son compte rendu de l'événement explique l'absence des dignitaires locaux :

---

27. Germaine Champagne nous a souvent parlé des spectacles des Duprat et de la troupe Larrieu; elle connaît bien les chansons de Botrel et de Larrieu et elle nous a chanté « Les crêpes ». René Mahé nous a aussi chanté « La Paimpolaise », populaire à l'époque.

28. Mgr Maurice Baudoux, « Le fait français dans l'Ouest », *Le Canada Français*, Vol. XXXI, nº 8, 1944, p. 626; Gilles Potvin, « Charles Marchand », *Encyclopédie de la musique au Canada*, T. II, Helmut Kallmann, Gilles Potvin, Kenneth Winters (dir.), 2e édition, Helmut Kallmann et Gilles Potvin, Fides, 1993, p. 2033.

29. *St. Paul Journal*, December 4, 1936.

30. Correspondant [Alexandre Mahé], « Saint-Vincent, La visite des Duprat », *L'Union*, 30 août 1928.

> Mais, par suite d'une fâcheuse coïncidence, la tournée Duprat et la visite de Monseigneur l'Archevêque se trouvaient à quelques jours d'intervalle seulement, alors absorbé par la préparation des enfants à la première communion et à la confirmation, il se trouvait dans l'impossibilité absolue de veiller tard. Le président de notre cercle paroissial de l'A.C.F.A. était aussi absent. Mais sur la ferme, nul n'est maître de soi : un dérangement, un incident, un accident qui survient, au dernier moment, dérange parfois les plans les mieux arrêtés[31].

La grêle fait des ravages entre Saint-Vincent et Thérien, endommageant sérieusement de nombreuses récoltes, dont celles du président, mais le correspondant conserve son objectivité professionnelle et ne mentionne pas les dommages à sa propriété. Cette tempête avait depuis longtemps sombré dans l'oubli, mais à l'occasion d'un soudain et bruyant orage, alors que des vents déchaînés lançaient des torrents de pluie par l'ouverture d'une porte-fenêtre sur le coup bloquée, le souvenir de cette grêle dévastatrice de l'été 1928 a été ravivé. Germaine Champagne nous en a fait le récit[32].

C'était aussi une journée chaude et tranquille sur la prairie albertaine lorsque au début de l'après-midi, une grêle violente s'abattit sur la ferme Mahé. Les détonations assourdissantes des premiers coups de tonnerre effrayèrent et la pluie battante, balayée par de grands vents, fut suivie de grêlons de la taille de balles de golf. Le vent puissant lança la grêle de biais et elle frappa les murs et les fenêtres de la maison. Instantanément, et dans un grand fracas, les vitres éclatèrent, jetant du verre partout et exposant l'intérieur de la maison à la pluie, à la grêle et au vent ! La petite famille, apeurée, craignant la tornade, un phénomène fréquent dans les Prairies canadiennes durant les chaleurs de l'été, se réfugia dans la salle de bains, la pièce la plus solidement encadrée de la maison.

Entre-temps, deux employés de la ferme travaillant aux champs furent aussi surpris par la tempête en terrain ouvert. Pouvant se protéger de la grêle en se glissant sous la moissonneuse-lieuse, ils détachèrent à la hâte les chevaux de la machine et les laissèrent aller en liberté, sachant qu'instinctivement, les bêtes sauraient trouver un abri quelque part. Malgré la tempête, la famille entendit de loin le bruit et les hennissements des gros chevaux de trait qui avertissaient leur maître de leur arrivée à la ferme. Dans un tambourinage sourd de sabots, amplifié par le tapage de leurs lourds harnais et des chaînes de trait clinquant bruyamment, ils débouchèrent dans la cour au triple galop. Leur maître, qui s'était précipité dehors, les attendait à la porte de l'écurie par où ils se faufilèrent prestement, chacun à son tour, pour se mettre bien à couvert.

---

31. *Ibid.*

32. Témoignage de Germaine Champagne.

Cette anecdote nous a permis de mieux comprendre la situation particulière d'Alexandre Mahé dans ce moment de sinistre à Saint-Vincent. Puisqu'il avait deux employés sur sa ferme pour l'aider à nettoyer les dégâts de la tempête, il lui était plus facile de quitter pour aller assumer le rôle de présentateur du spectacle des Duprat en soirée. Par contre, ses voisins, le président et le vice-président du cercle local, étaient moins fortunés et ne purent se libérer, probablement faute de main-d'œuvre sur place, et ils furent retenus sur leurs fermes respectives à cause des dommages survenus durant l'après-midi. Mais les récoltes de la ferme Mahé, qui étaient très prometteuses cette année-là, furent complètement perdues. On se rappelle que ces intempéries sont à l'origine du pèlerinage annuel à l'Immaculée Conception qui se tient au mois d'août dans la paroisse Saint-Vincent pour implorer la protection de la Vierge Marie contre le fléau de la grêle[33]. L'année suivante, en 1929, les récoltes furent très belles, mais à cause de la grande chute de la bourse en octobre, les fermiers furent incapables de vendre leur blé.

La visite des Duprat laissait d'agréables souvenirs. La collection de photos de la famille Mahé comprend quelques cartes postales de remerciements et de témoignages d'amitié de France Ariel-Duprat en 1927 et en 1928, car les artistes avaient été hébergés chez eux lors de certaines de leurs visites à Saint-Vincent[34]. Germaine Mahé se souvient d'une de ces tournées, alors que la famille avait été invitée avec les Duprat à un grand dîner de circonstance à Saint-Paul[35]. Nous ne savons pas si les Duprat ont joué à Saint-Paul, mais puisqu'il s'agissait d'une communauté plus grande que Saint-Vincent, il est probable que ce fut le cas. Par contre, leur passage dans le village n'est pas mentionné du tout dans le *St. Paul Journal* ni dans *L'Union*.

## L'Association canadienne-française de l'Alberta et *La Survivance*

Durant cette période, en dépit des influences externes sur les communautés de langue française de cette région, les Canadiens français de l'Alberta se rallient à la cause de l'ACFA, qui, espèrent-ils, leur donnera plus de sécurité en ce qui concerne l'enseignement du français. Avec le lancement de *La Survivance*, le 16 novembre 1928, il devient possible d'observer de plus près les remous dans la société canadienne-française, car *L'Union* avait com-

---

33. Témoignage de Germaine Champagne.

34. Une photo du trio Larrieu sur la ferme Mahé date de 1922 (voir l'annexe de photos). Trois cartes postales de France Ariel figurent aussi dans la collection de Germaine Champagne.

35. Témoignage de Germaine Champagne.

plètement cessé de publier les nouvelles de l'ACFA. L'hebdomadaire n'offrait plus qu'une mince pâture au lecteur sérieux et on se souvient qu'il n'était devenu qu'« un paquet d'annonces[36] ».

*La Survivance* est accueillie avec enthousiasme. Zachée, qui signe dans les premiers numéros une rubrique d'actualité, « Le carnet de Cactus », note l'affluence dans les salles lors des tournées de promotion. Il nie qu'une perception négative de la francophonie albertaine devrait prévaloir :

> Comment, mais n'est-ce pas cette population de langue française que l'on disait inapte à comprendre l'effort que l'on fait pour elle ? On disait que cette race devait être sauvée malgré elle. [...] La même population, qui ne lisait pas, se prend tout à coup du désir de lire, parce qu'on lui donne un journal indépendant[37].

Rodolphe Lapointe, secrétaire général de l'ACFA et rédacteur de *La Survivance*, et J.E. Primeau, vice-président de l'association et marchand à Saint-Paul, font des tournées d'abonnement dans les paroisses de Bonnyville, Saint-Paul et Saint-Vincent[38].

À Saint-Vincent, Ernest Chartrand, qui est le nouveau président du cercle local de l'ACFA, est absent de la réunion. Alexandre Mahé présente les visiteurs en son nom, tout en argumentant sur les raisons pour lesquelles le nouveau journal mérite l'appui des Canadiens français de la province. Presque toutes les personnes présentes s'y abonnent pour deux dollars par an. La correspondance de la semaine suivante contient une deuxième remarque sur cette séance :

> Le nouveau porte-parole de l'A.C.F.A. a été accueilli avec joie et empressement, et des abonnements affluent. Enfin, nous avons un journal qui ne sera pas à vendre, mais qui ne sera pas la chose de machin où d'un tel, et dans lequel nous pourrons lire ce qui nous intéressera, qui parlera de choses bien à nous; car, écrit par un journaliste de profession, il sera un « produit de l'esprit » et non l'œuvre d'une paire de ciseaux et d'un pot de colle[39].

En effet, avec la publication du premier numéro de *La Survivance*, les habitants de la région de Saint-Vincent peuvent déjà lire des nouvelles qui les concernent. Sur la première page du numéro de lancement du 16 novembre, la rédaction promet d'appuyer la cause d'« un de nos amis patriotes » qui fait appel à l'ACFA pour aider à conserver le nom du village de Thérien[40].

---

36. D'après Germaine Champagne, c'était en ces termes que son père parlait de ce journal.

37. « Le carnet de Cactus », *La Survivance*, 23 novembre 1928.

38. *La Survivance*, 23 novembre 1928.

39. Correspondant [Alexandre Mahé], *La Survivance*, 29 novembre 1928.

40. « Pour quel motif ? », *La Survivance*, 16 novembre 1928.

Avec l'avènement du chemin de fer, les marchands et les artisans de Thérien déplacent leurs boutiques à proximité de la nouvelle gare, tout en ayant l'intention de conserver le nom d'origine. L'ancienne place, où il restait encore une école, devient le « Vieux-Thérien ». Normalement, le nom d'une nouvelle gare est choisie de façon arbitraire par les dirigeants de la compagnie et dans le cas de Thérien, les directeurs locaux du CN la nomment « Gabriel Siding ». Il est possible que cela ait été en l'honneur de l'explorateur canadien-français Gabriel Franchère, qui était passé par là en 1814 lors de son voyage du Pacifique vers l'Est, mais rien ne nous le confirme[41]. Et même si cela était le cas, on n'y comprenait rien, comme en témoigne l'article du rédacteur de *La Survivance* :

> Que veut dire pour la population de Therrien [*sic*] un nom comme Gabriel ? Ce ne peut être là que l'œuvre d'un fonctionnaire ignorant ou fanatique. Il appartient à nos amis de demander aux autorités du chemin de fer en question de ne pas les traiter avec ce sans-gêne et cette désinvolture. Nous les aiderons à obtenir justice[42].

L'irritation des habitants de Thérien est compréhensible. Ils utilisent cette désignation pour le chef-lieu depuis vingt ans et qu'elle soit changée sans consultation les énerve considérablement. Le nom, bien sûr, rendait hommage au père oblat Adéodat Thérien qui avait tant contribué à l'établissement de la colonie de Saint-Paul-des-Métis et qui, à la suite de l'abandon de ce projet, avait aidé à faire coloniser la région par des Canadiens français. La rédaction de *La Survivance* poursuit sur l'importance du choix d'un toponyme : « Cet état d'esprit de nos amis de Therrien [*sic*] atteste [...] qu'un nom signifie à tout cœur français bien placé un souvenir de grandeur, de gloire et de luttes et aussi de sacrifices vaillamment supportés[43]. »

Leur campagne attire l'attention des dirigeants du CN et contrairement à la pratique habituelle des compagnies de chemin de fer, le nom est changé pour celui d'origine, ce qui permet au correspondant de Saint-Vincent d'écrire en août 1929 :

> Nos amis de Thérien sont heureux d'apprendre par *La Survivance* qu'ils conservent le nom de Thérien à leur joli et coquet village, ils savent depuis longtemps que l'A.C.F.A. a été leur appui et leur porte-parole et ils lui en sont

41. Aucun des auteurs des lettres de protestation ne fait de rapprochement entre « Gabriel » du « Siding » et l'explorateur Franchère, qui était alors une figure obscure dans l'historiographie canadienne-française. Même de nos jours, les auteurs de l'histoire de Thérien attribuent le nom à une famille Gabriel de la région. « Thérien », *Precious Memories/Mémoires précieuses*, p. 116.

42. « Pour quel motif ? », *La Survivance*, 16 novembre 1928.

43. *La Survivance*, 16 novembre 1928.

> reconnaissants. Sans se soucier de la décision finale du Canadien National, M.A.G. Meunier avait inscrit Thérien à l'enseigne de son magasin. Pour ce beau geste ce sympathique et progressif marchand canadien mérite d'être félicité et encouragé dans ses affaires[44].

Un communiqué, signé Mélançon et publié dans un journal de Montréal, note la rectification du nom, mais évoque une autre raison pour le changement :

> d'après les démarches auprès du service des voyageurs du Canadien National, auprès de la commission géographique du Canada et du service des postes du Dominion, leur paroisse sera désormais connue sous le nom de Therrien [*sic*] [...] La cause d'une nomination double pour le même endroit vient du fait que la province de Québec possédait une paroisse du même nom de Therrien et pour ne pas faire de malentendu l'on avait nommé Therrien, Alberta, Gabriel Siding[45].

S'il y a un manque de concordance entre les deux articles, le dénouement de la campagne est satisfaisant pour les habitants de la localité. Une nouvelle gare un peu plus en amont est nommée Franchère[46]. Il est possible que le géographe qui a décidé du tracé du chemin de fer ait été un admirateur des efforts de Gabriel Franchère, lequel avait dessiné des cartes de cette région particulièrement basse et marécageuse.

Encouragés par le succès de leur campagne, les membres du cercle local de l'ACFA de Saint-Vincent entreprennent que d'autres noms français soient aussi utilisés ailleurs. Le secrétaire rapporte que :

> [...] nos amis de Mallaig vont faire un effort pour franciser le nom de leur active localité. [...] c'est un endroit peuplé en très grande majorité de Canadiens français [...] Ils ont trouvé curieux et même cocasse de voir leur nouvelle station affublée d'un nom écossais. Ils pensent, et en cela, ils ne peuvent être taxés d'un nationalisme étroit et mesquin, qu'au point de vue historique la géographie humaine et l'histoire vont ensemble[47].

Ils auraient préféré le nom d'un des premiers pionniers de l'endroit, mais si jamais celui d'un vivant causait des problèmes, il y avait amplement de choix chez les disparus, anciens colons et autres. Plusieurs jeunes hommes de la place avaient « sacrifié leur vie pleine de jeunesse et d'espérance dans les tranchées de la France, pour que la vie et la jeunesse puissent continuer ici, sans interruption[48] ». Dans une des premières cartes de la région, dessinée

---

44. Correspondant [Alexandre Mahé], *La Survivance*, 22 août 1929.
45. Coupure de presse d'origine inconnue dans *Precious Memories/Mémoires précieuses*, p. 116.
46. « Franchere Community », *So Soon Forgotten*, p. 58-59.
47. Correspondant [Alexandre Mahé], *La Survivance*, 28 février 1929.
48. *Ibid.*

bien avant la création du village de Mallaig, un endroit rapproché de ce lieu porte déjà le nom bien français de « La Madeleine », mais il n'est pas repris pour la nouvelle gare[49].

Six mois plus tard, le cas de la gare de Mallaig n'a toujours pas été réglé et le correspondant Mahé rappelle le problème. Il met de côté l'objectivité qui le caractérise et perd patience :

> [...] quelle mouche a piqué le Canadien National pour si intelligemment massacrer la géographie locale entre Ashmont et Bonnyville. C'est ainsi qu'une nouvelle station, à l'ouest de Thérien, dans un centre canadien-français a été nommée Mallaig. L'auteur de cette heureuse trouvaille doit être un fameux unilingue et il serait bien étonné qu'un celtisant lui apprenne que, en langue celtique, en Bretagne, en pays de Galles, et sans doute aussi en Écosse, « Mallaig » signifie malédiction. Que ce nom ait une signification géographique ou historique en Écosse, c'est possible ou même probable, mais dans un centre agricole de l'Alberta c'est absurde[50].

S'il insiste sur l'étymologie celtique du nom, c'est que plusieurs familles bretonnes (dont plusieurs sont bretonnantes) habitent le territoire et qu'il n'est pas le seul a être agacé par ce nom[51].

En dépit de leur concertation, ils ne réussissent pas à faire changer le nom de la gare de Mallaig. Le cercle local de Saint-Vincent persiste dans ses efforts de refrancisation locale et tâche de faire « rectifier » le nom du lac Vincent en lac Saint-Vincent[52]. Leur lettre au ministre de l'Intérieur est reproduite dans *La Survivance*[53]. Mais, encore une fois, leurs efforts n'aboutissent à rien, car tel que mentionné ci-dessus, « Vincent » est le nom donné au lac par le premier arpenteur et il reste tel quel.

Durant cette période initiale d'appartenance à l'ACFA, le cercle de Saint-Vincent s'active aussi à envoyer des lettres concernant le bilinguisme dans l'affichage, notamment à la compagnie Nabisco Shredded Wheat[54]. Il s'agit probablement d'un projet proposé par l'ACFA provinciale, car d'autres cercles locaux de la province entreprennent des démarches semblables. La

---

49. *Map of St. Paul des Metis District, Province of Alberta*, Topographical Surveys Office, 1921, corrected to December 1, 1920.

50. « Visite de M. l'abbé Boucher à Saint-Vincent », corr., *La Survivance*, 22 août 1929.

51. À une distance de quelques milles seulement habitaient au moins cinq familles bretonnantes. Témoignage de René Mahé.

52. « Le Cercle Saint-Vincent proteste – On réclame le respect du vieux nom français », *La Survivance*, 4 septembre 1930.

53. Comm., « L'A.C.F.A. à Saint-Vincent », *La Survivance*, 28 août 1930; « Le Cercle Saint-Vincent proteste », *ibid.*, 11 septembre 1930.

54. Communication [Alexandre Mahé], « L'A.C.F.A. à Saint-Vincent », *La Survivance*, 28 août 1930.

campagne suscite une réponse de la « Shredded Wheat », qui assure à sa clientèle qu'aucun changement n'était prévu et que le projet d'affichage unilingue anglais sur les paquets destinés à ses clients de l'Ouest canadien n'était qu'une vilaine rumeur[55].

Dès les années 1920, l'usage de la radio commence à prendre de l'ampleur et la diffusion en langue française est fortement souhaitée des francophones des régions isolées de l'Alberta. En 1930, le cercle de Saint-Vincent réagit à la première émission en français diffusée par la radio universitaire CKUA à Edmonton, le premier poste public au Canada. Elle est « très appréciée par nos braves gens et tous font des vœux pour que cette heureuse initiative se continue à l'avenir[56]. » La grille horaire des émissions en français est publiée dans *La Survivance.*

Les articles d'Alexandre Mahé comme correspondant de la paroisse Saint-Vincent à *La Survivance* sont plus fréquents qu'ils ne l'étaient à *L'Union* et dès les débuts de l'ACFA, ils sont publiés presque deux fois par mois, et ce, jusqu'à la fin juillet 1930. Tout en donnant des nouvelles des activités du cercle local de l'ACFA, ils fournissent aussi des renseignements sur les nouveautés, les va-et-vient et l'état de l'agriculture :

> Entre temps nous ne sommes pas morts à Saint-Vincent, il y a même de la survivance à rendre jaloux les vieux « bers » de la province du Québec. [...] Au prône de dimanche dernier les annonces de M. le curé nous ont appris qu'il y a encore de la survivance...en perspective. [...] La récolte à Saint-Vincent, malgré quelques petits fâcheux contre-temps, a été bien passable, et puis nous n'avons pas loin à charroyer, quelques milles seulement, et dire qu'il y a sept élévateurs (et tous font de bonnes affaires) pour nous l'acheter. Donc tout va bien, et l'année prochaine ? tout ira encore mieux[57].

En janvier 1929, une visite de recrutement dans la paroisse de la part des élèves du Collège des Jésuites d'Edmonton est fort appréciée et les visiteurs présentent pour l'occasion « dans la salle Mailloux une intéressante soirée récréative. Une assistance nombreuse et sympathique est avide de voir ces jeunes Canadiens français montrer leurs talents[58] ». Une deuxième tournée de promotion se fait en juillet 1930 :

> [...] les RR. PP. Jean et Drolet, du collège des Jésuites à Edmonton, ont été pour quelques jours les hôtes de M. le curé; ils ont profité de leur passage pour visiter plusieurs familles dans le but de recruter de nouveaux élèves pour leur collège. Il semble que cette visite n'a pas été inutile, car plusieurs de nos jeunes

55. « L'affaire de la Shredded Wheat », *La Survivance*, 18 octobre 1930.

56. « Saint-Vincent », *La Survivance*, 6 décembre 1930.

57. « Saint-Vincent », corr., *La Survivance*, 29 novembre 1928.

58. « Saint-Vincent », corr., *La Survivance*, 10 janvier 1929.

> paraissent désireux de vouloir goûter la paternelle discipline que les Pères Jésuites savent si sagement appliquer dans leurs établissements d'éducation.
>
> Sur la ferme de M. A. Mahé, ces RR.PP. ont été joyeusement surpris d'assister à un essouchage à la dynamite. S'ils avaient été accompagnés seulement d'une dizaine de leurs collégiens improvisés artificiers-défricheurs, ils auraient eu le spectacle d'un coin de champ de bataille où le macabre eût été remplacé par des troncs de souches, les mottes de terre et les détritus, volant en fantastiques gerbes noirâtres sous la force des explosions[59].

Le père Jean chante la grand-messe du dimanche et dans son sermon, il parle des saints martyrs canadiens et fait appel à la vocation religieuse, rappelant les « actes de Dieu par la France », dont les Canadiens français sont les héritiers en tant que conservateurs de la foi catholique et du verbe français[60].

Les communications du correspondant notent que les résidents de Saint-Vincent voyagent de temps à autre. Tout comme de nos jours, la région de Vancouver attire les plus âgés à cause de la douceur de son climat, particulièrement durant l'hiver[61]. D'autres quittent leur ferme aussitôt que les récoltes sont faites pour aller travailler ailleurs durant l'hiver :

> M. Jos. Ouellette est de retour parmi nous, après un séjour de quelques mois à Maillardville, B.C. Il nous rapporte de bonnes informations sur cette localité où fait bonne figure un groupe de Canadiens français. [...] Nous savons maintenant que c'est un centre important de grandes scieries, situé à une quinzaine de milles de Vancouver, sur la rivière Fraser et accessible aux navires océaniques. Là, comme en plusieurs autres endroits, les chercheurs d'ouvrage n'ont pas tous réussi à trouver du travail pour l'hiver. Et si nous croyons bien comprendre, les fermiers établis en Alberta, chez eux, n'amélioreront guère leur sort en allant chercher de l'embauche dans les chantiers de la Colombie. Surtout, ceux qui, par soif ou par maladie, pourraient être exposés à perdre... leur bon sens ont plus de chance de trouver là-bas de la misère que fortune[62].

C'est sa première mention de la crise économique, qui est ressentie durement par les paroissiens de Saint-Vincent, car le blé, leur source principale de revenu, ne se vend plus. À la fin de 1929, certains pensent que la Crise ne sera que passagère et on blâme la congestion des entrepôts de blé des Grands Lacs et de Montréal ainsi qu'un manque de wagons de chemin de fer[63]. Mais la situation ne se rectifie pas. En janvier 1930, les membres du cercle local de Saint-Vincent se retrouvent soudainement appauvris et une

59. « Saint-Vincent », corr., *La Survivance*, 10 juillet 1930.

60. *Ibid.*

61. « Saint-Vincent », corr., *La Survivance*, 31 janvier 1929.

62. « Saint-Vincent », corr., *La Survivance*, 4 avril 1929.

63. « Le problème du blé », *La Survivance*, 7 novembre 1929.

souscription en faveur de l'ACFA ne réussit pas à recruter beaucoup de nouveaux membres ni de fonds[64].

Comble de malheur, la croissance du village de Thérien a eu pour résultat que même le propriétaire de la salle publique a déplacé son local au nouvel emplacement, laissant la communauté de Saint-Vincent sans aucun endroit où se réunir. Normalement, les membres de la communauté auraient organisé une séance publique pour lever des fonds. Cependant, malgré les circonstances difficiles, une trentaine de familles renouvellent leur adhésion à l'organisation provinciale.

Au printemps, la paroisse subit une autre épreuve : l'abbé Charles Okhuysen, leur curé depuis 1924, meurt soudainement à l'âge de 55 ans[65]. Malgré les quelques inquiétudes que les paroissiens avaient eu à son sujet au début de son séjour, Okhuysen, hollandais d'origine, parlait bien le français, s'était avéré être un bon prédicateur et avait fait de son mieux pour aider ses paroissiens. Ces derniers lui étaient reconnaissants d'avoir réussi à faire venir des religieuses de la congrégation des Sœurs de l'Assomption pour enseigner à l'école du village, l'école Arctic[66]. Après son décès, il faudra attendre jusqu'à la fin juillet avant qu'un nouveau curé ne vienne prendre la relève.

Dès son arrivée, malgré sa faible santé, l'abbé Joseph-Avila Lepage, Montréalais d'origine, est fort apprécié de ses paroissiens. Aimant écrire et ayant publié plusieurs articles et brochures de promotion sur la colonisation en Alberta, il prend le poste de correspondant à *La Survivance*. Alexandre Mahé lui cède la fonction avec plaisir, tout en conservant son rôle de secrétaire du cercle local; dorénavant, ses articles à l'hebdomadaire de la francophonie de la province sont de nature plus personnelle[67]. Tout de même, il arrive que de temps à autre, l'abbé Lepage lui demande de rédiger la colonne locale à sa place.

C'est le cas en janvier 1931 lorsqu'un agronome bilingue du Département de l'agriculture, J.M. Tremblay, se rend à Saint-Vincent pour donner une conférence aux fermiers de la paroisse[68]. En présentant les invités à la foule, l'abbé Lepage rappelle que c'est grâce aux démarches de l'ACFA auprès

---

64. A. Mahé, sec., « Saint-Vincent », *La Survivance*, 16 janvier 1930.

65. « Les prêtres », *Souvenirs*, p. 70-71; « Les funérailles de l'abbé Okhuysen à Saint-Vincent », corr., *La Survivance*, 17 avril 1930.

66. « Les religieuses – Sœurs de l'Assomption de la Sainte-Vierge », Isabelle Brousseau, *Souvenirs*, p. 83-86; « École Arctic ou St-Vincent », Claire Hébert, *Souvenirs*, p. 439.

67. « Saint-Vincent, la paroisse », « l'abbé Lepage », *Souvenirs*, p. 41-43; « Les prêtres », « M. l'abbé Joseph-Avila Lepage », *ibid.*, p. 71-72; « Saint-Vincent », corr., *La Survivance*, 31 juillet 1930.

68. « Saint-Vincent », correspondant, A. Mahé, *La Survivance*, 29 janvier 1931.

du gouvernement albertain qu'un agronome de langue française a été embauché au service des francophones de la province. Mais l'abbé laisse à son paroissien Alexandre Mahé, qui a plus de connaissances que lui en agriculture, le soin de préparer le compte rendu de la conférence. Un deuxième conférencier accompagne l'agronome Tremblay et notre correspondant relate avec satisfaction que celui-ci a la politesse de s'excuser de ne pouvoir leur parler en français. La conférence traite de l'élevage de porcs et de vaches, sujet qui intéresse beaucoup les fermiers, inquiets devant l'impossibilité de vendre leur blé. L'agronome présente la culture mixte, non comme « une mine d'or », mais comme une « culture rationnelle qui permet de tirer un revenu raisonnable à la fin de chaque année[69] ». Avec la Crise, les grandes années de la culture du blé étaient terminées et, d'après l'intérêt manifesté par les fermiers à cette conférence, ceux-ci le savaient bien.

## La promotion locale de *La Survivance*

Si les communications du cercle de Saint-Vincent à *La Survivance* sont assez fréquentes durant les premières années du journal, ce n'est pas le cas pour toutes les autres communautés de langue française de la province. Sa situation financière est ébranlée par la Crise, mais il y a aussi un manque de lecteurs et d'abonnés. Des commentaires qui paraissent sous la rubrique « Lettres de nos lecteurs » laissent entendre que le nouveau journal n'est pas tellement apprécié et que son public trouve la matière sans intérêt; on pense aussi que beaucoup de Franco-Albertains n'ont pas l'habitude de lire en français et aiment autant lire les journaux en anglais[70].

À l'origine, *La Survivance* est présenté comme un « bon journal »; une caricature parue dans le deuxième numéro porte la vignette : « Le mauvais journal salit tout. » Le croquis est celui d'un rustaud identifié comme « Le mauvais journal », qui lance de la boue à pleines poignées sur une église, sur des communautés religieuses et sur des écoles catholiques[71]. La rédaction assure ses lecteurs que le journal ne publiera pas de potins ni d'histoires scandaleuses et, il est vrai, il reste extrêmement discret, parfois trop, tout à l'opposé de l'hebdomadaire le *St. Paul Journal*, qui publie toutes sortes de nouvelles, parfois assez « juteuses ». *La Survivance* est muet au sujet de l'affaire Péchinet de Sainte-Lina, à l'exception de quelques lignes isolées qui mentionnent des arrangements pour la succession des biens de la famille. Il

---

69. *Ibid.*

70. « Lettres de nos lecteurs », « Le journal français », *La Survivance*, 16 novembre 1932.

71. *La Survivance*, 23 novembre 1928.

s'agit tout de même de la fin tragique de trois membres de la grande communauté canadienne-française de l'Alberta, ce qui normalement devrait concerner un journal qui désire informer ses lecteurs. Mais, essentiellement, la politique de *La Survivance* est de produire un outil instructif et édifiant; des informations négatives concernant la communauté de langue française vont à l'encontre des principes de ses dirigeants. Par contre, cette grande discrétion laisse sous-entendre que les nouvelles importantes se savent et se propagent sans journal. Alexandre Mahé en dira autant dans certaines de ses lettres.

L'hebdomadaire de langue française est aussi victime de la vaste étendue des Prairies canadiennes et la rédaction doit se fier aux correspondants en région ainsi qu'à ceux des villes d'Edmonton et de Calgary pour lui fournir les nouvelles[72]. Ce sont des bénévoles. Comme dans le cas de Saint-Vincent, si le curé de la paroisse n'est pas disponible pour faire la tâche, le secrétaire du cercle local de l'ACFA s'en occupe, mais il arrive que les regroupements s'essoufflent et disparaissent. Il est aussi raisonnable de penser que les correspondants sont peu enclins à nommer leurs voisins lorsque ceux-ci sont condamnés pour tel ou tel délit ou victimes d'un crime. Avec son siège social à Edmonton, le journal perd énormément de revenu en ce qui concerne la publicité dans les régions. Ceux qui veulent vendre un cheval ou annoncer quoi que ce soit savent qu'il est préférable de le faire dans un journal vraiment local, soit-il en anglais, afin de rejoindre le plus de lecteurs possible, ce qui fait que *La Survivance* devient, pour le lecteur canadien-français ordinaire, un journal qui lui semble être assez « ésotérique » et qui lui sert beaucoup moins dans son commerce ou dans ses affaires. Comprenant la situation, la rédaction décide de se trouver un nouveau lectorat parmi la jeunesse franco-albertaine.

À Saint-Vincent, le premier grand projet du nouveau curé, l'abbé Lepage, est réalisé durant l'été de 1931 lorsque les paroissiens construisent une salle paroissiale sur les vieilles fondations de l'église incendiée en 1918[73]. Le travail se fait sous forme de corvées et la salle est terminée pour la Sainte-Catherine, le 25 novembre. Elle est très utile lors des fêtes de fin d'année et des soirées familiales durant le carême. Malheureusement, l'eau suinte dans le sous-sol et dès le premier hiver, le ciment des fondations est sérieusement atteint par le gel. La pauvre paroisse Saint-Vincent s'en tire bien mal, au

72. « Compte rendu du quatrième congrès de l'ACFA », *La Survivance*, 28 juillet 1929.

73. « Saint-Vincent », *La Survivance*, 9 juillet 1931. Dans son histoire de Saint-Vincent, le père Chalifoux date cette construction de 1930, erreur qui est répétée dans *Souvenirs*. Chalifoux note aussi que le sous-sol devait servir de salle et qu'une église serait reconstruite sur les fondations. Aucune mention de ce genre n'est faite par le correspondant, seule la construction d'une salle paroissiale.

point qu'un poème satirique concernant les politiques électorales, publié dans le *St. Paul Journal* en 1935, utilisant des noms emblématiques des communautés de la région, identifie dérisoirement les Vincennais comme ceux qui tiennent leurs assemblées au carrefour du chemin[74]. Les problèmes d'église et de salle paroissiale seront rectifiés de façon définitive par le père Charles Chalifoux quelques années après son arrivée en 1933.

L'abbé Lepage est aussi un grand patriote canadien-français. Il s'intéresse beaucoup aux activités de l'ACFA et, en 1932, il organise un regroupement de la jeunesse de la paroisse. « L'Avant-garde » se crée à la grandeur de la province et l'organisation a droit, chaque semaine, à une page de *La Survivance* pour y afficher ses commentaires et les activités des différents cercles. Léo Belhumeur, secrétaire général de l'ACFA provinciale, visite les paroisses afin d'inciter les jeunes à être actifs au sein de cette nouvelle organisation de langue française, qui veut encourager la lecture du journal français et ainsi assurer la continuité de la culture française en Alberta.

Grâce aux enseignants et aux enseignantes, et avec l'encouragement de l'ACFA, les jeunes des différentes localités se rencontrent une fois par semaine pour s'amuser ensemble, en français. La chronique de l'Avant-garde Belhumeur de Donnelly paraît en avril 1932, tandis que les premières contributions des jeunes des communautés de Saint-Vincent ne paraissent dans le « Coin des Avant-Gardes » de *La Survivance* que le 26 octobre 1932[75]. Il s'agit des comptes rendus de leurs réunions, de brefs exposés ou de poèmes. Deux groupes sont établis à Saint-Vincent. Le cercle Nicolet, dont le nom a été proposé par l'abbé Lepage, est pour les plus petits et il fait référence à la maison mère des Sœurs de l'Assomption au Québec, la communauté qui enseigne à l'école de Saint-Vincent. Le deuxième groupe, destiné aux adolescents, s'appelle le cercle Champlain « pour rappeler aux jeunes avant-gardistes, les aïeux de la province de Québec[76] ».

Les clubs prônent le civisme, abordant des sujets portant sur la religion ou le nationalisme canadien-français. Les activités concernent surtout l'utilisation du français, tel un débat sur la qualité du langage ou des exercices pour apprendre aux enfants à corriger certaines impropriétés de vocabulaire ou d'expression[77]. Ils apprennent aussi à se présenter, à réciter des petits poèmes et à s'organiser entre eux pour recueillir des fonds destinés aux projets

---

74. « Chanson de la campagne eletorale [*sic*] » sur l'air de « Filer, filer O mon navir [*sic*] », *St. Paul Journal*, August 28, 1935.

75. « Donnelly, Chronique de l'Avant-garde Belhumeur », *La Survivance*, 27 avril 1932; « St-Vincent », *ibid*, 26 octobre 1932.

76. « Coin des Avant-Gardes », *La Survivance*, 26 octobre 1932.

77. « Coin des Avant-Gardes », « Saint-Vincent », *La Survivance*, 7 décembre 1932.

qu'ils désirent, par exemple, une équipe sportive. Au début, les communications de divers groupes, tels Saint-Vincent, Lafond, Donnelly, Falher et Bonnyville, paraissent presque chaque semaine. L'organisation restera active pendant un certain temps, s'essoufflera, et renaîtra sous une forme semblable quelques années plus tard.

Parmi les groupes de l'« Avant-garde », le cercle Champlain de Saint-Vincent est relativement actif. En décembre 1932, *La Survivance* publie une petite composition patriotique du jeune Jocelyn St. Arnault; celle de Germaine Mahé, alors âgée de quatorze ans, et dont le titre est « Pourquoi je suis avant-gardiste », suit au début janvier[78]. Celle-ci résume l'origine de l'organisation et ce qu'elle voit en tant que rôle de la jeunesse dans la conservation de la langue française au Canada :

> Canadiens français aimons notre langue, oui aimons-là, chérissons-là comme notre mère. Montrons-nous toujours dignes de l'aimer. Défendons-là toujours. Alors notre langue subsistera, notre race se multipliera malgré les obstacles que nous oppose l'Anglais. Nous devons être fiers d'être avant-gardistes[79] [...].

C'est à peu près typique des écrits que produisent les membres de l'« Avant-garde », mais la courte composition de Germaine Mahé a un rebondissement choquant.

En effet, elle reçoit une lettre anonyme par la poste, laquelle l'insulte et la traite d'idiote pour avoir ainsi exprimé ses idées ! Nous l'avons questionnée à ce sujet, mais elle n'en garde aucun souvenir[80]. Son père ne laisse pas passer l'affront sans riposter et il répond immédiatement au plaisantin dans le courrier des lecteurs de *La Survivance*, reproduisant telle quelle la lettre offensive :

> Legal, Alta., jan.18, 33
> Mahé,
> Pauvre ignorante simple d'esprit. apprend l'anglais et tu n'écrira pas comme ca tu les aimera mieus que les canayens ignorant comme toi. A. C. F. A.[81]

Entre-temps, encore une fois, les nouvelles se sont répandues plus rapidement que le journal. L'auteur de la malheureuse lettre n'a pu se retenir et s'est vanté de son exploit dans son entourage et, à Saint-Vincent, Alexandre Mahé en a vite entendu les échos. Même s'il connaît l'identité de l'auteur, il ne la révèle pas dans le journal, mais en se basant sur le jargon de la lettre, il

78. J. St. Arnault, *La Survivance*, 25 novembre 1932; Germaine Mahé, « Pourquoi je suis avant-gardiste? », « Coin des Avant-Gardes », *ibid.* 3 janvier 1933.

79. *Ibid.*, 3 janvier 1933.

80. Témoignage de Germaine Champagne.

81. A. Mahé, « Lettres de nos lecteurs », « À Propos d'une composition française », *La Survivance*, 8 février 1933.

explique comment il s'agit d'un individu de souche franco-européenne. Dans quelques lignes bien posées, il le traite de détraqué, de simple d'esprit et d'ordure tout en déplorant l'ignorance de son geste irrationnel :

> Nombreux sont ici les Français et les Belges qui vivent en très bon accord avec les Canadiens français. Ils n'éprouvent point le désir maladif de morigéner stupidement un enfant qui fait une composition française conforme, du reste, au programme de français tel qu'approuvé par le département de l'Éducation de la province [...] Je me garderai bien de juger ses compatriotes à sa propre mesure. Car lui le pauvre, il ignore ce qu'il est. N'aurait-il pas remarqué que l'industrie qui utilise les déchets et les chiffons n'est pas prête de s'installer en Alberta. Rien ne l'empêche de se rendre dans un pays, où ces objets se ramassent à la pelle et au crochet. Car je crains fort qu'il ait passé l'âge d'admission à l'hospice où l'on traite les jeunes atteints de la maladie dont il souffre[82].

Les jeunes du cercle Champlain ne mentionnent pas la lettre dans leur compte rendu de la semaine et aucun lecteur du journal ne commente l'affaire.

Au fil des ans, deux ou trois autres lettres du même genre (écriture expressément fautive en jargon populaire et généralement de contenu négatif) sont publiées dans le courrier des lecteurs de *La Survivance*. Rares sont les attaques personnelles. Toujours, Alexandre Mahé et quelques autres correspondants s'efforceront de montrer la futilité de ce genre de communications tout en défendant les gains de la communauté française de l'Alberta.

En 1933, une profusion de lettres d'Alexandre Mahé sont publiées, dont sept par *Le Travailleur*, le journal de langue française de Worcester (Massachusetts) aux États-Unis; cinq autres paraissent dans *La Survivance*. Nous reviendrons à la série du *Travailleur*. La première des lettres à *La Survivance* paraît au début janvier, en même temps que commencent celles au *Travailleur*. Publiée dans la rubrique « Courrier des lecteurs », intitulée « Un journal intéressant », elle défend le contenu éditorial de *La Survivance*[83]. Sous son nom de plume Isidore Cassemottes, il aborde le même thème qu'il reprendra dans le journal américain : que les Canadiens français agissent en vaincus en abandonnant ce qu'ils ont de plus précieux, leur langue et leur culture, pour plaire à la société dominante anglophone. Il s'agit, bien sûr, d'une réplique engagée aux commentaires qu'il a entendus autour de lui, selon lesquels le journal franco-albertain ne publierait rien d'intéressant.

Toutefois, il est assez surprenant que sa lettre paraisse, car elle pointe du doigt les élites cléricales qui donnent le mauvais exemple en ce qui concerne la protection de la langue française. « Toutes les semaines, écrit-il, on

---

82. *Ibid.*

83. Isidore Cassemottes, *La Survivance*, 11 janvier 1933.

peut trouver dans *La Survivance* matière à chronique[84]. » Il cite une lettre publiée dans le numéro du 28 décembre 1932, alors que « Franc et Dol » de Lamoureux s'adresse au « Courrier des lecteurs », rapportant ce qu'un « ami du nord » de passage lui a dit concernant « des organisateurs et des organisatrices » de langue française qui se dévouent « corps et âme à l'anglicisation de certaine mission qui avoisine[85] ». Bien entendu, il s'agit de religieux et de religieuses de langue française, car ils administrent les « missions », la plupart étant des écoles-pensionnats établis sur des réserves amérindiennes dans le nord de l'Alberta.

D'après Isidore Cassemottes, la situation est celle

> du vaincu offrant des dépouilles opimes au non vainqueur. De tout temps, de gré ou de force, le vaincu a offert une rançon à son vainqueur [...] Mais ce jamais l'on ne vit; c'est le vaincu à s'incliner devant le premier vaincu de son vainqueur[86].

Il s'inspire d'une conférence qu'il a entendue, à la radio supposons-nous, à propos de la destruction de Carthage et du secret de navigation gardé par les Carthaginois, ce qui condamna les Romains au cabotage à la rame. En s'appuyant sur cet exemple, Cassemottes signale que, heureusement, ce ne sont pas tous les Canadiens français qui agissent en vaincus et il avance que la culture dominante canadienne-anglaise, et le pays en entier, pourraient bénéficier des richesses culturelles qu'ils ont à offrir.

En 1935, Alexandre Mahé continue de s'adresser aux Franco-Albertains en rédigeant des lettres au « Courrier du lecteur » de *La Survivance*, qui traitent de divers sujets : les dangers du communisme, le droit à la propriété privée (contestant le socialisme de la féministe canadienne Agnes MacPhail), les causes de la crise économique et des précisions sur l'Église et les Communes françaises, sujet qui avait été abordé au préalable dans le journal. Mais, par contre, de 1936 à 1940, nous n'avons recensé aucune lettre de lui, autre que celle publiée à l'occasion du dixième anniversaire de la fondation de *La Survivance*. Dans un numéro consacré à des articles élogieux, il a été invité à écrire et son article est publié en première page sous le titre : « Une belle Survivance », sous-titré « L'Épopée canadienne-française du Saint-Laurent au MacKenzie », et signé de son nom de plume[87].

C'est en rappelant les combats de la Pucelle à Tolbiac, Poitiers et Orléans qu'il discerne le rôle de la Divine Providence dans le destin des Fran-

---

84. *Ibid.*

85. *Ibid.*

86. *Ibid.*

87. Isidore Cassemottes, « Une belle Survivance », *La Survivance*, 26 mai 1937.

çais, dont le Canada français n'est que la prolongation : « Canadien, voyez-vous l'idée humaine et divine qui a présidé à l'éclosion de votre vie et qui toujours de Gaspé à Vancouver, de Québec au Mackenzie soutient votre belle Survivance[88] ? » Si ceux qui sont les plus éloignés se sentent isolés, il leur offre du soutien :

> Canadiens vous êtes en Alberta, aux premières lignes de feu, parfois dans la fatigue du combat, la lassitude paraît vous envahir : vous pouvez quelquefois douter de vous-mêmes et vous dire, à quoi bon tenir sans avancer ? [...] reculer serait pire; ceux qui sont derrière vous, grâce à votre ténacité, auront la chance d'avancer quand leur tour viendra[89].

Il leur rappelle le Christ, leur « invisible partenaire », mais aussi un des outils qu'ils ont et qui n'existe que pour les aider : la raison d'être de *La Survivance* est de fournir :

> un appui matériel qui vienne régulièrement prendre contact avec chacun de vous tous [...]. Pour assurer votre survivance, vous avez, je dois dire, nous avons *La Survivance*. Un journal sain d'allure et de caractère, il est encore jeune, mais il grandit, que lui manque-t-il ? Plus grand chose, peut-être rien que l'abonnement de quelques-uns qui liront ces lignes. Que tous les Franco-canadiens d'Alberta s'abonnent [...] et ce journal deviendra, tout comme l'histoire de la race canadienne-française, intéressant comme un roman écrit par la main du bon Dieu pour tout à la fois sanctifier, distraire et amuser[90].

Il conclut son article avec un poème sur les Canadiens français de l'Ouest,

> [...] que toujours d'aucuns se sont acharnés à prédire la mort prochaine et qui nargue leurs prophéties en chantant :
>
> I
>
> On dit que dans nos jeunes campagnes
> Le français s'éteint et va bientôt mourir
> Pourtant du Grand Lac aux Montagnes
> J'ai vu les Canadiens s'accroître et grandir
> J'ai vu leurs enfants en très grand nombre
> Dont la mine allante et fière
> Chantait : Notre avenir n'est pas sombre
> Non ! non ! notre race n'est pas morte
> Toujours elle deviendra plus forte
> En gardant le parler de nos pères.
>
> II
>
> On dit que dans nos jeunes campagnes
> Le français s'éteint et va bientôt mourir

88. *Ibid.*
89. *Ibid.*
90. *Ibid.*

Pourtant loin de la vieille Bretagne
J'ai vu la belle jeunesse grandir
J'ai vu passer en leurs joyeux dimanches
Faisant cortège aux heureux [*sic*] épouses
De fières têtes brunes et blanches
Tous chantant de leurs voix mâles et fortes
Point ne sommes la dernière lignée.

III

On dit que dans nos jeunes campagnes,
Le français s'éteint et va bientôt mourir
Pourtant des grandes plaines aux montagnes
Chez nous j'écoute la cloche tressaillir
Saluant de sa voix sonore et claire
Les nouveaux-nés dans leurs petits berceaux
Et le sourire aux lèvres, les mères
Chantent d'une voix tendre et forte
Non ! non ! notre race n'est pas morte
Loin nous sommes des portes du tombeau[91].

Si, au Moyen Âge, les Français se moquent de ces poètes bretons qui composent des lais pour ce qui leur semble à propos de tout et de rien, ces troubadours ne font que suivre une tradition déjà ancienne[92]. Depuis toujours, poèmes et chansons meublent la vie des Bretons. Témoin, le poème que le vieux père Le Treste s'amusait à répéter et dont il ne se souvenait que des premiers vers composés vers 1870 par une paysanne « qui jamais n'avait enfourché Pégase », mais qui avait été ruinée par une banqueroute généralisée dans la commune. En vers, elle louait le jugement d'une des tantes de Le Treste qui, plus perspicace que son propre conjoint, avait su éviter le désastre financier[93].

En 1925, Anatole Le Braz, dans son résumé de la littérature bretonne, tient les écrits bretons en haute estime, qu'ils soient en breton ou en français, et il rappelle la poésie du renommé Breton des rives de la Loire, Abélard, mais aussi les écrits de La Mennais, de Brizeux, de Renan, de le Villiers, de Chateaubriand, de la Villemarqué[94]... sans parler de Victor Hugo. Alexandre Mahé est né dans une commune où un meunier du voisinage était renommé pour sa poésie, qu'il composait en vaquant à ses travaux, et reconnu comme

91. *Ibid.*

92. Brekilien, *La vie quotidienne des paysans en Bretagne*, p. 267-284.

93. Le Treste, *Souvenirs*, p. 44-45.

94. Anatole Le Braz, *La Bretagne, choix de textes précédés d'une étude*, Paris, Librairie Renouard, H. Laurens, éditeur, 1935, réédition de 1925, p. 75-82.

barde de son pays[95]. Il n'est pas si étonnant de comprendre pourquoi, devenu adulte, Mahé aimait écrire et pourquoi il était, lui aussi, poète à ses heures.

Il n'est pas étonnant non plus que dans son pays d'adoption, en 1937, il écrive avec tant d'espoir. Malgré la Crise et la pauvreté qui sévissent autour de lui, la paroisse Saint-Vincent compte 81 foyers catholiques et en l'année scolaire 1937, 75 enfants sont inscrits à l'école Arctic, où ils reçoivent leur enseignement des sœurs de l'Assomption[96]. Une nouvelle église a été construite et peut contenir aisément 400 personnes. Le père Charles Chalifoux, curé de la paroisse depuis décembre 1933, a orchestré cette merveille et il a presque terminé sa décoration, originale et sans pareille, le tout érigé à très peu de frais avec l'aide des paroissiens qui ont travaillé en corvées.

Durant cette période, entre 1927 et 1937, la francophonie albertaine se regroupe à l'aide des organismes qu'elle a créés, l'ACFA et *La Survivance*. Ces associations de laïcs lui permettent de s'épanouir, de maintenir et de protéger ses acquis culturels. Alexandre Mahé est un de ceux qui donne de son temps pour venir en aide à sa communauté. S'il agit comme secrétaire aux organisations locales lorsqu'elles ont besoin de lui, cela ne l'empêche pas de s'exprimer individuellement aussi. Breton, il a également la ténacité légendaire de son peuple et rêvant d'un meilleur avenir, il croit qu'il est possible, avec un travail intelligent, de vivre pleinement en français en Alberta, et ce, pendant des générations successives de Canadiens français. Nous voyons par ses écrits qu'il fait tout ce qu'il peut pour encourager ses concitoyens à croire au rêve qu'il partage avec d'autres Canadiens français comme lui pour, qu'ensemble, tous se rallient et permettent sa réalisation.

---

95. Au sujet de Jacques Brogard (1835-1906), poète de Coëtdigo, voir Nizan, *Si Guégon m'était conté*, p. 84-86.

96. APA, Fonds oblats, 71,220/5825, Listes des contributions financières des membres de la paroisse de Saint-Vincent; Fonds des Sœurs de l'Assomption, 73,80/9, Chroniques, 1936-1937.

# Chapitre VIII

## « Dieu et nos droits[1] » : lettres d'« Un Vieux Colon » au *Travailleur* 1933-1935

Durant les années 1920, Alexandre Mahé s'abonne au *Travailleur*, hebdomadaire franco-américain de Worcester (Massachussetts), auquel il restera fidèle jusqu'à la fin de ses jours. L'ayant feuilleté alors qu'il était sur son bureau parmi sa collection courante de journaux et de lettres, il ne nous semblait pas très intéressant pour un lecteur albertain. À nos questions, on nous informa que, jadis, notre grand-père y avait publié des articles et qu'il entretenait une amitié épistolaire avec son rédacteur, Wilfrid Beaulieu. Ce ne fut que bien des années plus tard, lors de la vérification d'une coupure dudit journal, conservée parmi ses papiers personnels, non datée mais signée Isidore Cassemottes, que nous avons découvert la série de lettres du « Vieux Colon » au *Travailleur*[2].

La lecture du microfilm a révélé une correspondance considérable, allant du 2 février 1932 jusqu'en 1943, la majeure partie signée « Un Vieux Colon » est publiée entre 1933 et 1935; elle se penche sur des aspects relativement méconnus de la situation des catholiques de langue française en Alberta. Si ces lettres ne concernent qu'indirectement la paroisse Saint-Vincent, cela ne diminue en rien leur portée, car ce témoignage écrit est une contribution importante à l'histoire des Canadiens français de cette province. L'intérêt réside dans le fait qu'Alexandre Mahé, qui est au courant de

1. Devise de l'ACFA, fondée en 1925.

2. IRFSJUA, Collection Alexandre Mahé, Isidore Cassemottes, « De Gaulle-Giraud », *Le Travailleur*, 8 avril 1943.

la lutte des Franco-Américains pour protéger leur langue et leur religion, tâche de faire connaître des lecteurs du *Travailleur* les problèmes que vit alors la minorité canadienne-française de l'Alberta, dans l'espoir de créer un ralliement qui pourrait exercer une certaine pression sur l'Église, et ce, en vue de protéger les droits des catholiques francophones partout en Amérique du Nord.

À l'époque, les journaux circulent facilement par la poste et les abonnements ne sont pas chers; beaucoup de colons continuent de recevoir les journaux de leur pays ou région d'origine. Plusieurs voisins du cultivateur Mahé ont déjà vécu dans les États de la Nouvelle-Angleterre et c'est probablement la raison pour laquelle, en Alberta, on connaît *Le Travailleur* de Wilfrid Beaulieu, chef de file de l'affaire « sentinelliste ». Dès 1917, celle-ci a bouleversé les communautés franco-américaines, qui ont été obligées de contribuer à l'infrastructure des anglophones de leurs paroisses à leur détriment[3]. Beaulieu s'intéresse particulièrement à la diaspora française d'Amérique du Nord et il publie de temps à autre des lettres de lecteurs de la Louisiane, du Québec et d'ailleurs. La série « Lettres d'Alberta », publiée en une dizaine de tranches, comporte quelque 15 000 mots. Alexandre Mahé a alors dépassé la cinquantaine.

## Mise en scène du débat

Au cours de sa correspondance au *Travailleur*, Alexandre Mahé spécifie que ses « lettres d'Alberta » ne sont pas écrites pour les Canadiens français de cette province pour qui ce sujet « est connu et archi-connu »; elles ont pour « but [...] de faire connaître à l'extérieur la position du groupe canadien-français le plus éloigné de la province-mère, de la province de Québec[4] ». Deux ans plus tard, il s'explique encore :

> Le « Vieux Colon » qui écrit ces lignes aime à dire les choses telles qu'elles sont. S'adressant à une classe de lecteurs qui savent lire et ne cherche qu'à les mettre au courant de l'intéressante situation où se trouve placé le groupe canadien-français de l'Alberta. Cela, il tâche de le faire aussi objectivement que possible : c'est pourquoi force lui est d'étudier d'une façon particulière la politique religieuse des autorités ecclésiastiques vis-à-vis de ce groupe si éloigné de la province-mère[5].

Délaissant son rôle de correspondant pour sa communauté, Alexandre Mahé conteste l'ordre établi et démontre comment les autorités religieuses ne protègent plus les droits des francophones, car depuis 1920, dans l'archi-

---

3. À ce sujet, voir Yves Roby, *Les Francos-Américains de la Nouvelle-Angleterre, rêves et réalités*, Sillery, Septentrion, 2000.

4. « Un mot aux lecteurs du *Travailleur* en Alberta », Un Vieux Colon, *Le Travailleur*, 18 mai 1933.

5. Un Vieux Colon, « Une lettre du Canada », *Le Travailleur*, 7-14 février 1935.

diocèse d'Edmonton, les principes de « la langue et la Foi », considérés par les francophones comme des droits, ne sont plus indissociables. Il encourage ses concitoyens à se tourner vers l'action démocratique et la pression politique pour conserver leur langue, leur culture et leur foi. Son discours est hors du commun, surtout en ce qui concerne les droits religieux, mais la situation exige de grands moyens. Depuis 1920, l'espoir d'un avenir solide pour la communauté de langue française albertaine et catholique est ébranlé par la nomination d'un évêque anglophone à la tête de l'archidiocèse d'Edmonton.

Très peu de documents attestent de la pensée des Canadiens français de l'Alberta durant cette période. À l'exception de quelques références éparses dans des fonds d'archives, l'historiographie des congrégations religieuses est muette à ce sujet, soumise à la règle de l'autorité religieuse, très stricte à l'époque. Presque rien ne reste de *L'Union*, le seul hebdomadaire francophone albertain qui existait alors, mais où on semble en avoir discuté ouvertement de temps à autre. *La Survivance*, établi en 1928 et subventionné par les Oblats[6], s'est astreint au *statu quo*, la règle religieuse aidant. L'indépendant, le *St. Paul Journal*, a maintenu une perspective strictement régionale et outre des articles faisant l'éloge des visites de confirmation par l'archevêque, en aucune façon ne s'affiche-t-il comme défenseur de la francophonie. Essentiellement, de ce qu'on peut observer, on discerne dans la presse de langue française de l'Alberta des années 1920 presque uniquement un discours sagement en accord avec les politiques religieuses de l'ordre établi. On semble se souvenir des protestations de la part de la communauté franco-albertaine, mais les journaux n'en disent pas grand-chose, à une exception près[7]. Pris dans le feu de l'action, Alexandre Mahé connaît la censure des rédacteurs de journaux, de qui il a essuyé des refus, et il note cyniquement qu'à l'occasion, « sa plume arrive même à figer l'encre d'imprimerie, à moins qu'elle ne grippe des presses trop sensibles[8] ».

E.J. Hart, dans son étude sur l'élite francophone d'Edmonton, estime que la période qui suit 1918 est une phase de stagnation pour la population de langue française de cette ville en ce qui concerne son identité et ses droits[9]. Il attribue ce déclin au fait que le clergé canadien-français, chef de file traditionnel de la francophonie, cesse de se renouveler, conséquence de l'acces-

---

6. Trottier, « Les débuts du journal *La Survivance* », *Aspects du passé franco-albertain*, p. 117.

7. S'il existe des lettres à ce sujet, elles sont au Saint-Siège dans les archives du Vatican; mais les dossiers d'après 1922 ne sont pas encore accessibles au public.

8. Un Vieux Colon (Alexandre Mahé), « Une lettre du Canada », *Le Travailleur*, 7-14 février 1935.

9. Hart, *Ambitions et réalités*, p. 103-105.

sion du prélat anglophone Mgr Henry John O'Leary à l'épiscopat, à la suite du décès de Mgr Legal en 1920. Mgr O'Leary fera moins appel au clergé francophone pour diriger ses ouailles canadiennes-françaises. Mais puisque l'archidiocèse d'Edmonton comprend presque le tiers de la province d'Alberta, ce ne sont pas seulement les catholiques de langue française de la ville d'Edmonton qui sont concernés par ce changement, toutes les communautés de langue française, depuis les prairies au sud de Red Deer jusqu'aux paroisses des environs du lac La Biche, en sont aussi affectées. Les paroisses de la région de la rivière de la Paix ne sont pas dérangées, car elles appartiennent à un autre diocèse.

Les missionnaires oblats, congrégation de langue française, étaient enracinés dans l'Ouest canadien. Lorsqu'ils dirigent le diocèse de Saint-Albert et, ensuite, l'archidiocèse d'Edmonton, le clergé qu'ils recrutent pour leurs paroisses est majoritairement francophone, originaire de l'est du Canada, de la France et de la Belgique. De plus, ils ont pour mandat d'apprendre et d'utiliser les langues amérindiennes et, par conséquent, certains de leurs membres maîtrisent ou sont encouragés à maîtriser les langues étrangères. Dès 1844, on considère déjà l'anglais comme indispensable dans le Nord-Ouest canadien, une condition que remplissent les Sœurs de la Charité de Montréal, les Sœurs Grises, lorsqu'elles répondent à l'invitation de Mgr Taché[10]. Lorsque d'autres communautés religieuses, à l'invitation de Mgr Grandin et de Mgr Legal, viennent leur prêter main-forte, ce sera à la même condition. Ainsi, en 1891, les Sœurs de l'Assomption de la Sainte-Vierge de Nicolet s'installent au lac d'Oignon et essaiment dans de nombreuses collectivités de la Saskatchewan, de l'Alberta et de la Colombie-Britannique[11]. En plus de travailler dans les écoles résidentielles pour Amérindiens, presque toutes financées par le gouvernement fédéral, où l'enseignement en anglais est de rigueur, les congrégations créent des écoles, des pensionnats, des orphelinats et des hôpitaux privés dans les villes et villages naissants de l'Ouest. Les localités francophones sont heureuses d'accueillir les religieuses, mais celles-ci s'installent aussi dans des endroits où seul l'anglais est parlé, comme à Végreville.

Ce « débordement » découle directement de la séparation de l'Église et de l'État en France alors qu'un grand nombre de ces congrégations enseignantes quittent leur pays. L'historien Guy Laperrière précise qu'une ving-

10. Estelle Mitchell, *Les Sœurs Grises de Montréal à la Rivière-Rouge*, Montréal, Éditions du Méridien, 1987, p. 19 et 69.

11. Alice Mignault, *Cent ans d'espérance. Les Sœurs de l'Assomption de la Sainte-Vierge dans l'Ouest canadien, 1891-1991*, Nicolet, Éditions S.A.S.V., 1991.

taine de communautés religieuses arrivent au Québec entre 1886 et 1914, tandis qu'une trentaine d'autres, arrivées au Canada plus tôt, accueillent aussi leurs coreligionnaires[12]. En se basant sur les statistiques du recensement canadien, qui indiquent une augmentation de mille prêtres et de plus de trois mille religieuses au Québec entre 1900 et 1910, il attribue en grande partie cet essor religieux à l'afflux des congrégations françaises durant cette décennie[13]. Il spécifie que ce mouvement n'est pas limité au Québec et que ces communautés trouvent facilement des places dans des diocèses ailleurs au Canada français, en Nouvelle-Angleterre, chez les Franco-Américains, ainsi que dans des collectivités anglophones des deux pays, dans des États aussi éparpillés que ceux de Washington, du Texas, du Montana et de l'Alaska.

Sous la direction de Mgr Vital Grandin et de son successeur, Mgr Émile Legal, qui viennent respectivement de la Sarthe et de la Loire-Atlantique, de nombreuses congrégations de l'Ouest de la France s'installent dans ce qui devient, en 1905, les provinces d'Alberta et de Saskatchewan. Les Fidèles Compagnes de Jésus de Sainte-Anne-d'Auray font un séjour d'apprentissage dans leur communauté à Londres pour être en mesure de fournir un enseignement bilingue dans les écoles du diocèse de Saint-Albert[14]. On accueille aussi les Filles de la Providence de Saint-Brieuc qui s'établissent tout d'abord en Saskatchewan et se déplacent ensuite en Alberta en 1904, où elles ouvrent un couvent-pensionnat à Végreville[15]. Les Filles de Jésus de Kermaria arrivent au Canada en 1902, portant leur costume religieux noir, réplique exacte du costume traditionnel breton de la région vannetaise, et s'installent dans l'Est du pays (Québec, Nouveau-Brunswick, Nouvelle-Écosse, Île-du-Prince-Édouard), essaimant aussi vers le diocèse de Saint-Albert dans l'Ouest[16]. Arrivent aussi dans cette foulée les Filles de la Sagesse, congrégation de souche bretonne, angevine et vendéenne, les Sœurs de la Charité de Notre-Dame d'Evron, les Pères de Tinchebray de Normandie et les Pères du Sacré-Cœur de Quintin en Bretagne. En 1912, des jésuites en provenance du Québec viennent ouvrir un collège classique à Edmonton à l'invitation de Mgr Legal et ils offrent un enseignement bilingue; le collège sert aussi de

---

12. Guy Laperrière, *Les congrégations religieuses de la France au Québec 1880-1914*, T. I, *Premières bourrasques, 1880-1900*, Sainte-Foy, Les Presses de l'Université Laval, 1996, p. 5-6.

13. Guy Laperrière, « Persécution et exil. La venue au Québec des congrégations françaises, 1900-1914 », *RHAF*, Vol. 36, n° 3, 1982, p. 404-405.

14. Le Treste, *Souvenirs*, p. 65-66; A.-G. Morice, *Histoire de l'Église catholique dans l'Ouest canadien*, Vol. II, Montréal, Granger Frères, 1915, p. 343.

15. Morice, *Histoire de l'Église catholique*, Vol. III, p. 138, 192.

16. Alice Trottier et Juliette Fournier, *Les Filles de Jésus en Amérique*, Filles de Jésus, 1986, p. 191.

séminaire[17]. Une congrégation québécoise, les Sœurs de la Miséricorde, ouvre un deuxième hôpital à Edmonton, le premier étant à la charge des Sœurs de la Charité de Montréal (les Sœurs Grises).

Par rapport à l'ensemble de la population, les membres francophones des congrégations religieuses ne représentent qu'un nombre réduit de la francophonie de l'Ouest, mais puisqu'il s'agit surtout de communautés enseignantes et hospitalières, leur champ d'influence est assez vaste. L'efficacité de leur œuvre est indéniable et, pour les Canadiens français, l'installation d'une congrégation religieuse dans une localité est une marque de confiance. Un article inédit d'Alexandre Mahé présente un dialogue concernant cette mentalité, où des colons discutent entre eux de l'avenir de leur jeune collectivité, affirmant : « [...] si on arrive à prendre le dessus, bien sûr que nous en aurons des bonnes sœurs », car après la construction de l'église, l'établissement d'un bureau de poste, d'un magasin, d'une forge et d'une école, la prochaine étape est d'obtenir des religieuses enseignantes[18].

Le premier non-francophone de la hiérarchie épiscopale de l'Ouest est Mgr John T. McNally qui, en 1912, est nommé évêque du nouveau diocèse de Calgary, en même temps que Mgr Émile Legal, prélat du diocèse de Saint-Albert, devient archevêque d'Edmonton. Puisque la majorité de la population de langue française de l'Alberta entoure Edmonton, on s'attend à ce que l'ancien territoire du diocèse de Saint-Albert, devenu archidiocèse, ait toujours un évêque francophone. Les données du recensement provincial de 1916 indiquent que les Canadiens français constituent le deuxième groupe ethnique en importance à Edmonton et qu'un Albertain sur vingt est d'origine française[19]. Ils se sentent confiants et forts.

Comme le rappelle Robert Painchaud, l'Église catholique au Canada fait aussi partie de l'Église universelle[20]. Si un clergé francophone est un atout pour les colons canadiens-français (et on profite de leur présence pour promouvoir l'Ouest comme un endroit de colonisation pour des colons de langue française), le plurilinguisme des oblats permet à de nombreuses ethnies – polonaise, allemande et ukrainienne, entre autres – de se faire servir dans leur langue. Les paroisses françaises en attendent autant, sinon plus, car leurs évêques et leurs curés ont tant prôné la *gesta dei per francos*, le rôle divin des Canadiens français dans l'Ouest canadien, ainsi que l'indissociable « langue et Foi ». Mais lorsque la population des nouvelles paroisses a suffisam-

17. *L'Union*, 12 janvier 1928; Hart, *Ambitions et réalités*, p. 85.

18. Manuscrit inédit, Fonds Alexandre Mahé, IRFSJUA, non indexé, s.d.

19. Hart, *Ambitions et réalités*, p. 83.

20. Painchaud, *Un rêve français*, p. 202.

ment augmenté pour pouvoir entretenir le culte, le clergé missionnaire doit se conformer à la règle de son ordre et céder la place au clergé séculier. C'est alors que la situation se transforme.

## Mgr H.J. O'Leary et l'archidiocèse d'Edmonton

En 1920, à la suite du décès de Mgr Legal, la nomination de Mgr O'Leary vient troubler les attentes de la francophonie albertaine. L'historien Raymond Huel, qui a longuement examiné la situation en Saskatchewan et au Manitoba, voit dans la succession à l'épiscopat d'un anglophone à un francophone dans l'Ouest « un microcosme des luttes qui se poursuivent à tous les niveaux de la hiérarchie catholique canadienne[21] ». Pris dans le feu de l'action, Alexandre Mahé décrit l'effet que l'intronisation de Mgr O'Leary a sur la francophonie albertaine :

> [...] dans ces pays neufs, très étendus, vastes comme un tiers de la France, tout se voit, tout s'entend, tout se comprend. [...] On n'est pas toujours arrivé à comprendre, tout d'abord, des paroles entendues assez clairement à travers les bois à 200 km et 300 km à la ronde. Il a fallu attendre des actes pour comprendre et craindre[22].

D'après l'usage de termes métriques dans ce texte – à cette époque où le système impérial est en vigueur au Canada –, il semble qu'Alexandre Mahé écrit ces lignes pour un public de France. Si elles ne sont jamais publiées, ses lettres au *Travailleur* poursuivent sa pensée : « À peine eût-il franchi les limites de son diocèse on entendit tomber des lèvres de Mgr O'Leary, ces singulières paroles : "Dans ce diocèse, il y a trop de communautés[23]". » Plusieurs congrégations religieuses se font avertir par le nouvel archevêque que leurs services ne seront plus requis aussitôt que des remplaçants leur auront été trouvés. Il arrive qu'elles ne soient même pas remerciées de leurs services, qui sont tout de même gratuits, ou tout comme[24]. La charité envers les autres, le sacrifice, l'obéissance et la règle font que les religieux se taisent.

---

21. Huel traite des querelles ethniques et linguistiques au sein de l'Église universelle dans « Les évêques francophones et la mosaïque culturelle dans l'Ouest canadien », *Perspectives sur la Saskatchewan française*, 1983, p. 285-296, trad. de « French-Speaking Bishops and the Cultural Mosaic in Western Canada », R. Allen, ed., *Canadian Plains Studies*, 3, 1974.

22. Manuscrit inédit, incomplet, Fonds Alexandre Mahé, IRFSJUA.

23. « Dans l'Alberta », Un Vieux Colon, *Le Travailleur*, 23 mars 1933.

24. C'est le cas en 1928 des Filles de Jésus qui s'occupent de l'archevêché d'Edmonton. Les Sœurs de l'Assomption de Wetaskawin sont plus ou moins évincées de leur couvent en 1929 pour être remplacées par une congrégation de sœurs irlandaises. Les écrits à ce sujet sont discrets et parlent peu des injustices qu'elles ont dû endurer. Mignault, *Cent ans d'espérance*, p. 119-120; Trottier et Fournier, *Les Filles de Jésus en Amérique*, p. 197.

Très attachés au principe de « la langue et la Foi », les paroissiens de Saint-Vincent s'inquiètent pour leur avenir et craignent de se faire imposer un curé anglophone. Ainsi, en 1924, lorsque leur curé, l'abbé Ovide Desroches, est transféré, Olivier St-Arnault, président des marguilliers, adresse à Mgr O'Leary une lettre au nom des paroissiens, qui est contresignée par Alexandre Mahé, marguillier[25]. Se disant inquiets de la rumeur qui circule selon laquelle « un prêtre de nationalité étrangère » leur serait envoyé comme remplaçant, ils rappellent à leur prélat que la paroisse est « essentiellement canadienne-française » et que tous désirent que le nouveau curé soit de cette origine. La courte missive fait référence aux aspects linguistiques et ethniques, mais Charles Chalifoux attribue surtout l'inquiétude de ses paroissiens à « l'originalité sans pareille » du nouveau curé, dont la réputation d'excentrique était largement connue[26]. C'est possible, et Chalifoux, comme curé de la paroisse et son premier historien, est beaucoup plus près des faits; mais comme il a un intérêt à défendre, il préfère le *statu quo*. Très bref, le texte de la lettre de St-Arnault à son évêque ne fait que préciser l'ardent désir des paroissiens d'avoir un curé qui partage leur langue et leur culture.

Le franc-parler des marguilliers de Saint-Vincent ne plaît pas à Mgr O'Leary qui adresse immédiatement une lettre au curé, qui quitte la paroisse. Natif de l'Île-du-Prince-Édouard, l'évêque bilingue écrit sa lettre en français, mais elle est dactylographiée avec un clavier anglais, sans accents. Mgr O'Leary se dit surpris de la requête, trouvant son « esprit de nationalisme bien intolerable dans un pays comme le notre. J'espere que vous verrez qu'aucun mouvement de ce genre soit excite contre le nouveau Cure[27]. » Comme Desroches a déjà quitté la paroisse, c'est le nouveau curé qui lui répond en rentrant dans la cure. La lettre des marguillers n'a aucune importance, lui assure Okhuysen. « Everything all right. People seem glad of the change, the little "excitement" which has taken place before my arrival, was only a mistake of a very few excitable people, and is all over. Everyone satisfied : priest and people[28]. »

L'abbé Charles Okhuysen, d'origine hollandaise, parle une demi-douzaine de langues, incluant le français, et il assume bien son rôle de curé à Saint-Vincent tout en s'occupant de temps à autre de la mission polonaise de Flat Lake. On se souvient de son grand talent pour la prédication, mais

25. Olivier St. Arnault et A. Mahé à Monseigneur O'Leary, paroisse de Saint-Vincent, 26 mai 1924, Fonds oblats, APA.

26. Chalifoux, *L'historique de la paroisse de Saint-Vincent*, p. 24.

27. Paroisse de Saint-Vincent, Archevêque d'Edmonton à O. Desroches, 2 juin 1924, Fonds oblats, APA.

28. Charles Okhuysen to your Grace, Saint-Vincent, June 17, 1924, Fonds oblats, APA.

aussi de son sens de l'humour bizarre[29]. Ses manières parfois brusques dépassent souvent la compréhension de ses paroissiens et il ne sait pas comment s'y prendre pour communiquer avec les enfants[30]. Okhuysen fait tout de même ce qu'il peut pour rendre service à ses paroissiens et il demande à son évêque de faire des pressions politiques pour que le chemin de fer passe par Saint-Vincent, cela sans succès[31]. Par contre, il obtient que les Sœurs de l'Assomption, à qui O'Leary demande de quitter leur école dans le village croissant de Wetaskawin, se chargent de l'école de Saint-Vincent. Leur présence sera un grand bonheur pour les paroissiens et tous seront reconnaissants à leur curé pour son intervention. Plusieurs informateurs ont témoigné de leur joie d'avoir enfin des enseignantes qui savaient enseigner avec douceur[32]. Avant, avec certains de leurs professeurs laïques, disaient-ils, c'était « le règne de la terreur »; avec la règle en bois munie de sa bande d'acier menaçante, en effet, les écoliers passaient souvent plus de temps à genoux en pénitence que sur leur banc d'école[33] !

En 1924, six mois après l'arrivée de l'abbé Okhuysen à Saint-Vincent, une critique ouverte de l'archidiocèse d'Edmonton est publiée dans *L'Union*[34]. Dans « La justice engendre la paix », l'auteur anonyme se plaint ouvertement du clergé anglophone qui est imposé aux paroisses de l'archidiocèse d'Edmonton. Il est possible que le texte soit celui du rédacteur Georges Bugnet, une accusation qui lui était faite de temps à autre au sujet des lettres qu'il publie dans la rubrique des lecteurs de *L'Union*; mais en ce qui concerne la présente, rien ne nous permet de confirmer cela. Mahé n'en est pas l'auteur non plus. Il est aussi difficile de savoir quelle a été la réaction des lecteurs dans les semaines qui ont suivi, puisque ces numéros de *L'Union* ne sont pas disponibles.

---

29. *L'historique de la paroisse de Saint-Vincent*, p. 24-26; « An Unforgettable Man. Un homme inoubliable », *Souvenirs*, p. 39-41; « Les religieuses – Sœurs de l'Assomption de la Sainte-Vierge »; *ibid.*, p. 83-84.

30. Témoignage de Germaine Gratton.

31. Il écrit plusieurs lettres au sujet du chemin de fer, appuyant les souhaits de ses paroissiens. APA, Fonds oblats, 71.220/5845, Paroisse de Saint-Vincent, May 31, 1926; December 21, 1926; March 24, 1927.

32. Témoignages de Laura Forrend et de Germaine Champagne.

33. Témoignages de Germaine Champagne, d'Anna (Brousseau) Martin, d'Alphonse Brousseau et de Laura (Brousseau) Forrend.

34. « La justice engendre la paix », *Le Travailleur*, 11 février 1932. Le rédacteur du *Travailleur* se trompe sur la date et l'année de parution, qu'il note comme étant 1926; dans une lettre subséquente, Alexandre Mahé précise que cet article fut publié dans *L'Union*, le 8 décembre 1924, Un Vieux Colon, « Lettre d'Alberta », *Le Travailleur*, 25 janvier 1934. L'article en question mentionne une paroisse de la région de Legal, où habitait Bugnet, rédacteur du journal, mais nous trouvons que l'indice n'est pas assez étoffé pour déterminer qui en est l'auteur.

L'article de *L'Union* avait été conservé par un lecteur d'Edmonton et, en 1932, envoyé au *Travailleur* avec le commentaire cynique : « Il est encore aujourd'hui aussi d'actualité qu'alors. La seule différence, c'est qu'on poursuit la même politique avec de la "mélasse" et du "gingerbread", en nous parlant de temps en temps de nos aïeux et du petit rocher du Québec[35]. » Quoi qu'il en soit, essentiellement, l'article de *L'Union* critique l'absence d'un clergé francophone en Alberta et la quasi-impossibilité d'en former au séminaire d'Edmonton où, en 1924, il n'y a qu'un seul étudiant qui parle le français. À cette date, il semble bien que le clergé français ou québécois n'est plus accepté dans le diocèse, ce qui, pour les diocésains francophones, paraît être une tactique d'anglicisation progressive des paroisses françaises de l'Alberta et le rejet catégorique des institutions existantes. Parmi les desservants qu'on dit être bilingues, très peu le sont véritablement; l'article se termine en citant plusieurs passages du sermon loufoque d'un de ces curés « bilingues », qui, en prêchant au sujet de l'Évangile de la tempête apaisée, massacrait tant la langue que, dans son récit, Jésus se mettait « deboute » et arrêtait le « gros ventre » qui risquait de faire chavirer la chaloupe ! La reparution de l'article de *L'Union*, en 1932, soulève des commentaires sympathiques de la Nouvelle-Angleterre, où l'on connaît déjà le scénario à la suite de l'affaire « sentinelliste », ainsi que de quelques lecteurs admiratifs d'Edmonton. L'un de ces derniers note qu'« on soupçonne celui-ci, celui-là, ici, de vous avoir renseigné » et que la lettre « porte des fruits » : « M^gr^ l'archevêque, comme tout bon Irlandais, n'aime pas la publicité et il craint une campagne de presse. Il paraît mal à l'aise et n'ose pas poursuivre trop ouvertement sa politique[36]. »

## Les lettres du « Vieux Colon »

Un an plus tard, en 1934, lorsque Alexandre Mahé s'adresse au *Travailleur* à ce sujet, il ne ménage pas ses mots et il affirme que l'effet de la lettre de « Justice » de 1924 a été celui « d'un coup de clairon à la Déroulède [qui] a fait sursauter les victimes destinées au sacrifice et légèrement ému le bourreau, au point de lui faire réviser le tranchant de son couperet, pendant qu'il s'efforçait de préparer un breuvage anesthésique pour rendre inconsciente sa victime[37] ». Il n'est pas dans l'habitude des Canadiens français de se plaindre ouvertement de leur clergé – de laver leur linge sale en public – mais la situation leur est inquiétante. Les chiffres le montrent : en 1931, 64 des 80 prêtres du diocèse sont anglophones et seulement 16 sont francophones pour

35. *Ibid.*

36. Votre tout dévoué..., *Le Travailleur*, 24 mars 1932.

37. « Lettre d'Alberta », *Le Travailleur*, 25 janvier 1934.

une population catholique de 34 114 anglophones et de 25 933 francophones[38]. Au cours de sa série de lettres, « Un Vieux Colon » cite les statistiques officielles du recensement fédéral de la province d'Alberta; en ajoutant les 2 227 membres de l'ethnie belge aux 32 103 de souche française (20,38 %), il maintient que la francophonie catholique forme un groupe homogène qui dépasse le premier groupe catholique d'importance, les Ukrainiens de rite ruthène[39].

C'est en profitant du renouvellement de son abonnement au *Travailleur* qu'Alexandre Mahé écrit sa première lettre à ce journal, qu'il signe « Un Vieux Colon[40] ». Le rédacteur précise lors de la publication de sa deuxième lettre que l'auteur ne vient pas d'Edmonton, mais de Saint-Vincent, en Alberta, au Canada. Ceux qui veulent absolument connaître son identité sont avisés par le « Vieux Colon » d'écrire au rédacteur qui les renseignera. Outre sa série de « Lettres d'Alberta », Alexandre Mahé en écrit d'autres, lesquelles sont publiées dans la même rubrique et généralement signées de son nom de plume. Les sujets sont éclectiques : critique d'un film du cinéaste français René Clair qui est projeté à Thérien; nouvelle du décès du curé Lepage de Saint-Vincent qui avait vécu en Nouvelle-Angleterre; commentaires sur la situation économique; et, après 1940, poèmes et commentaires sur divers aspects de la situation politique. Sa dernière contribution au *Travailleur*, qui paraît en 1943, concerne la querelle entre De Gaulle et Pétain et elle est suivie d'une réprimande de la rédaction réfutant son texte. Nous y reviendrons. On trouve dans la collection de ses documents personnels quelques autres lettres et poèmes, refusés par le journal. Le monde des journaux français d'Amérique du Nord est petit; sur un des numéros du *Travailleur* sur microfilm, issu d'une collection disparate, un lecteur inconnu a écrit « A. M. » dans la colonne, à côté d'un article signé « Un Vieux Colon[41] ». À Saint-Vincent, Alexandre Mahé reçoit des commentaires par la poste au sujet de ses lettres, dont une coupure de sa deuxième lettre au *Travailleur* sur laquelle un lecteur anonyme a commenté : « Je ne crois pas que ça vaille grand'chose. C'est un Français peu au courant[42]. » Le fermier de Saint-Vincent sait retourner les critiques négatives, mais l'accusation est plutôt ironique, puisque le but de ses lettres était de justifier la légitimité de la francophonie albertaine. Il avait débuté sa série en fustigeant la notion selon laquelle un « Frenchman »

38. Hart, *Ambitions et réalités*, p. 105.

39. Un Vieux Colon, « Lettre d'Alberta », *Le Travailleur*, 18 janvier 1934.

40. Un Vieux Colon, « Dans l'Alberta », *Le Travailleur*, 2 février 1933.

41. Portant l'étiquette adressée au Dr. Gabriel Nadeau, State Sanitorium, Rutland, Mass., *Le Travailleur*, 2 janvier 1941.

42. Un Vieux Colon, *Le Travailleur*, 18 mai 1933.

au Canada ne pouvait ni être à la page ni « homme de son temps, [ou] un homme de progrès[43] ! »

Il reçoit aussi de « multiples appréciations » concernant ses écrits publiés dans *Le Travailleur*. Dans sa quatrième lettre, il rapporte comment « [D]'aucuns trouvent que je manque de respect envers l'autorité, d'autres me disent que je fais très bien : tous sont d'accord que je dis simplement la vérité, et que j'écris ce qui se dit couramment au grand jour[44]. » Quant à manquer de charité, comme un lecteur occasionnel du *Travailleur* l'en accuse, c'est une autre affaire.

> [...] Que les lecteurs du *Travailleur* ne renoncent point à la lecture de leur journal parce qu'« Un Vieux Colon » y dit des choses un peu rudes parfois. [...] Du reste, ces « cruelles vérités » ne s'adressant qu'à des laïques qui se rendent parfois suspectes à plus d'*un vieux colon* d'Alberta, peuvent peut-être blesser l'amour-propre, mais pas la charité[45].

Malgré son intention déclarée de faire connaître la situation des franco-catholiques d'Alberta en dehors de leur province, il est fort possible qu'il adresse ses lettres au *Travailleur* pour la simple raison qu'elles ne seraient jamais publiées dans *La Survivance*. Les Franco-Albertains qui ont essayé d'écrire au sujet du manque de membres du clergé de langue française se sont fait répondre :

> « De quoi se plaignent-ils ? S'ils veulent des prêtres de leur race, qu'ils fournissent eux-mêmes des recrues au grand séminaire et nous pourrons leur donner tous les prêtres qu'ils réclament. » Cette réponse logique en elle-même a induit en erreur les prêtres et les religieux qui n'osaient voir les choses telles qu'elles sont ou qui cherchaient à provoquer un cri d'indignation pour remettre les choses au point. Ce cri d'indignation, je connais quelqu'un qui voulut le lancer. Il remit sa copie à celui-là même qui l'avait provoquée. Hélas ! elle lui fut remise avec ces paroles : « Essayez, si vous voulez, de faire insérer dans le journal qui a publié mon appel aux vocations à la prêtrise des jeunes Canadiens français mais je puis vous prévenir que votre copie ne passera pas, à moins d'être passablement édulcorée[46]. »

Essentiellement, le « Vieux Colon » raconte l'histoire de l'établissement de la francophonie albertaine et comment ses membres ont toujours eu de très bonnes relations avec les autres ethnies. Avant l'arrivée de Mgr O'Leary, écrit-il, il n'y avait aucune querelle avec les catholiques de souche irlandaise.

---

43. Un Vieux Colon, « Dans l'Alberta », *Le Travailleur*, 2 février 1933.

44. Un Vieux Colon, « Un mot aux lecteurs du *Travailleur* en Alberta », *Le Travailleur*, 18 mai 1933.

45. Un Vieux Colon, « Une lettre du Canada », *Le Travailleur*, 7-14 février 1935.

46. Il réfère à un article publié le 6 avril 1932 dans *La Survivance*, qu'il cite dans « Lettre d'Alberta », *Le Travailleur*, 9 et 25 janvier 1934.

Mais en réaction aux injustices imposées par leur prélat, les Canadiens français, qui savent s'organiser, ont monté l'Association canadienne-française de l'Alberta, ce qui leur permet de se tailler une place dans la société civile. Ils participent aussi à la politique et certains de leurs membres sont élus aux niveaux provincial et fédéral et sont nommés au Sénat. De ces façons, ils outrepassent l'autorité religieuse, qui ne s'intéresse qu'à « la course à la mitre et à la crosse[47] ».

Plusieurs fois, le « Vieux Colon » revient sur le sujet du pouvoir des minorités canadiennes-françaises hors du Québec[48]. « L'anglais, ils le parlent souvent mieux que quiconque, mais ils se refusent à dire leurs prières autrement qu'en français. Étant chez eux, de l'Atlantique au Pacifique, ils se refusent d'être autre chose qu'eux mêmes[49]. » Les Canadiens français, précise-t-il, sont la clé de voûte du pays :

> Sur le terrain religieux, ils sentent cependant que le sol pourrait bien se dérober sous leurs pieds. À un ralliement politique d'abord conseillé à leurs cousins de France, puis actuellement imposé par une douloureuse persuasion, ils peuvent craindre que, pour eux vienne bientôt un conseil, puis un ordre de ralliement linguistique; aussi, se sont-ils sagement groupés sur le terrain national. Sur ce terrain national, ils sont indélogeables et, petite minorité, maîtresse absolue de la situation, grâce à leur souplesse, et à l'amour inné qu'ils portent à leur pays. Nous sommes Canadiens, disent-ils, et rien que Canadiens. Sans nous, Canadiens français, le Canada aurait depuis longtemps, déjà ajouté plusieurs étoiles de plus à la constellation qui orne la « Star Spangled ». Le tour le plus pendable que nous pourrions jouer à Albion serait de consentir à notre propre disparition nationale. Du coup, le Canada serait immédiatement absorbé par les États-Unis [...] Du même coup, l'Empire britannique s'effondrerait sans doute, comme une voûte dont on enlève la clé. Car, que resterait-il de l'Empire britannique si le Canada n'était placé là où il est, comme le plus solide maillon d'une chaîne qui n'est pas imbrisable[50] ?

Il cite les activités de l'ACFA comme sa condamnation d'un mouvement sécessionniste de l'Ouest du pays, réduit à néant par le solide appui de l'organisation provinciale à l'union canadienne. Du point de vue politique, les Canadiens français votent quasiment à égalité pour les trois partis politiques en Alberta et ils sont courtisés par tous les politiciens qui cherchent leur appui. La stratégie est utile pour obtenir des bénéfices et, pour une fois, prouve que « la désunion faisait la force[51] ».

---

47. Un Vieux Colon, « Dans l'Alberta », *Le Travailleur*, 2 février 1933.

48. Un Vieux Colon, « Brûlante question », *Le Travailleur*, 15 mars 1934.

49. Un Vieux Colon, « Dans l'Alberta », *Le Travailleur*, 2 février 1933.

50. *Ibid.*

51. La devise du journal *L'Union* était « L'union fait la force », Un Vieux Colon, « Dans l'Alberta », *Le Travailleur*, 2 février 1933.

Dans le même article, il évoque la contribution des Canadiens français de l'Alberta, qui se sentent lésés par le manque de reconnaissance de la part de leur archevêque du travail des religieux de langue française qui l'ont précédé : ceux-ci ont fait les grands travaux de défrichement dont M^gr^ O'Leary est l'héritier, sous la forme d'hôpitaux, de collèges et de couvents-pensionnats. L'archevêque n'a pas fait de discours en français lors de l'inauguration d'une nouvelle aile de l'Hôpital Miséricorde d'Edmonton, une institution établie et gérée par les Sœurs de la Miséricorde et cela est compris comme un affront à la population de langue française de l'archidiocèse. Alexandre Mahé fait aussi remarquer le manque de respect envers le protocole établi lors de l'inauguration du monument dédié au père Albert Lacombe : le doyen des évêques du Nord, le notable M^gr^ Émile Grouard, n'avait pas été invité à faire de discours.

Malheureusement, les victimes se « sacrifient » elles-mêmes. Dans le cas du monument au père Lacombe, de nombreuses personnes, entre autres, Georges Bugnet, alors trésorier de l'ACFA, auraient préféré que le monument soit érigé en toute visibilité devant l'édifice du parlement à Edmonton, là où l'histoire de la francophonie de la province aurait gagné en importance aux yeux des Albertains et aussi pour la postérité. D'après Papen, qui a écrit brièvement à ce sujet, le choix de Saint-Albert, redevenue simple paroisse avec la perte de son évêché, comme l'emplacement du monument Lacombe en 1928, est celui des Oblats, qui prennent en main le projet qui sera lent à se concrétiser[52]. D'après Alexandre Mahé, ce choix est une preuve du manque de vision de l'élite qui ne comprend pas l'importance du geste; c'est un des exemples de l'auto-sabotage culturel de l'élite canadienne-française. Et il montre du doigt le chapitre La Vérendrye de l'ordre des Chevaliers de Colomb, de la région d'Edmonton, qu'il appelle les « KoKos » (initiales de *Knights of Columbus*) en plaisantant[53].

Dans son étude sur les paroisses d'Edmonton, Gilles Cadrin explique comment la plupart de celles qui sont établies par les Canadiens français s'anglicisent progressivement[54]. Il observe que des organisations de laïcs comme les Chevaliers de Colomb, très actifs à Edmonton et à Saint-Albert, ne peuvent pas regrouper seulement des francophones ni empêcher les an-

---

52. Papen, *Georges Bugnet*, p. 113.

53. La référence aux « KoKos » fait allusion à la méfiance d'Alexandre Mahé de tout ce qui ressemble à la franc-maçonnerie.

54. Gilles Cadrin, « Nation et religion, l'établissement des paroisses "nationales" d'Edmonton », *Écriture et politique, les actes du septième colloque du Centre d'études franco-canadiennes de l'Ouest*, Université de l'Alberta, Faculté Saint-Jean, les 16 et 17 octobre 1987, p. 178-180.

glophones de s'y joindre. Les mouvements confessionnels ne peuvent pas appuyer la francophonie albertaine; son avenir réside plutôt dans son pouvoir laïque.

C'est justement ce que précisait le « Vieux Colon », il y presque soixante-dix ans. Il démontre comment l'archevêque O'Leary n'a pas mis ses gants de velours pour s'occuper du clergé de l'archidiocèse dont il était héritier[55]. Entre Red Deer et Calgary, et vers l'est de l'Alberta, plusieurs Français s'étaient établis et y pratiquaient l'élevage; il y avait, entre autres, un groupe d'officiers qui avaient quitté ensemble la France au lieu d'obéir aux ordres et d'expulser les communautés religieuses de leurs couvents. À leur demande, Mgr Legal envoie aux fondateurs du village de Trochu, ainsi nommé en l'honneur de leur chef, les Pères de Sainte-Marie de Tinchebray, une petite congrégation qui avait également quitté la France. Ces prêtres établissent, au cours d'une vingtaine d'années, une demi-douzaine de paroisses dans les environs. Pour mieux servir leurs fidèles, ils apprennent plusieurs langues étrangères, visitent régulièrement leurs ouailles éparpillées sur ce vaste territoire – de la prairie aux mines et aux chantiers forestiers dans les Rocheuses.

Mais soudainement, en 1926, après vingt ans de travail dans cette région, ils reçoivent l'ordre de Mgr O'Leary de quitter leurs paroisses respectives et de se regrouper en une seule afin de pouvoir mieux pratiquer leur règle, leur précise-t-il, tout en leur demandant d'attendre avant de partir qu'il leur ait trouvé des remplaçants. « C'était *pour quiconque connaît le pays* [souligné dans le texte original], leur demander à se condamner eux-mêmes de mourir d'inanition ou de s'en aller[56]. » Le « Vieux Colon » précise que puisqu'ils résident dans les presbytères, propriétés de l'évêque, la communauté n'a aucun recours. Par contre, les congrégations des Filles de la Sagesse et des Sœurs de la Charité de Notre-Dame d'Evron, établies dans la même région, sont propriétaires de leurs couvents et il est moins facile de les évincer. En recevant l'avis de Mgr O'Leary, les Pères de Tinchebray quittent sur le champ. Ce départ précipité, sans explications, soulève

> [...] une émotion considérable et suscite une curiosité bien légitime. On voulut savoir la cause d'un départ aussi insolite [...] l'on finit par savoir. Cette charitable proposition faite à des Canadiens français eût probablement suscité une toute autre réaction que chez les Français de France. [...] Il est possible cependant que la discipline sacerdotale aidant, ils eussent aussi décidé de partir.[...] Ce départ suscita un ahurissement général, et provoqua des remarques qu'heureusement Son Excellence n'entendit point, et n'entendra jamais. Celle-ci, par exemple : « Eh quoi ! un évêque qui n'a pas pour ses vieux prêtres

55. Un Vieux Colon, « Dans l'Alberta », *Le Travailleur*, 23 mars 1933.

56. *Ibid.*

> l'égard que nous, fermiers, avons pour nos vieux chevaux ! » Réflexion sévère, mais très juste. En Alberta, en effet, il n'existe pas d'abattoir pour les vieux chevaux, et quand ces innocentes et bonnes créatures ont passé vingt ans sur une ferme, elles ont tellement donné d'elles-mêmes qu'on les aime d'instinct et qu'on les ménage… jamais on ne les envoie pas mourir sur le chemin. Les fermiers d'Alberta ont du cœur et de la raison… même pour leurs vieux chevaux[57]…

Un travail bien fait et une vie dévouée au culte méritent une récompense et une pension à la fin de ses jours, c'est ce pensent les franco-catholiques de l'Alberta.

Le « Vieux Colon » traite ensuite de l'importance d'une bonne formation intellectuelle religieuse, basée sur des études classiques et l'histoire. Pour lui, elle se trouve dans un collège, comme celui des Jésuites à Edmonton, invités en 1912 à venir former des sujets « aptes à embrasser les carrières libérales et sacerdotales[58] ». La question des Jésuites, plus précisément celle de leur collège d'Edmonton, semble être le point culminant de cette longue série de lettres, peut-être provoquée par un article anonyme publié en avril 1932 dans *La Survivance*, reprochant aux Canadiens français de l'Alberta d'avoir des préoccupations trop matérielles et, en conséquence, de ne pas fournir assez de vocations sacerdotales. Tous comprennent que l'auteur est l'archevêque[59]. Que la réplique ne passe pas dans l'organe de la francophonie qu'est censée être *La Survivance*, mais plutôt dans les pages du *Travailleur* à 4 000 kilomètres de l'Alberta, laisse amplement comprendre les limites du journal franco-albertain.

Pourtant, explique le « Vieux Colon », les vocations ont toujours été nombreuses dans les congrégations missionnaires albertaines, mais celles-ci ne peuvent plus œuvrer localement, seulement à l'étranger :

> Cependant, nous n'oublions pas que : Charité bien ordonnée commence par soi-même et nous savons des paroisses canadiennes-françaises où le prêtre doit lui-même avouer qu'il ne parle pas la langue de ses fidèles ! Situation passagère, dira-t-on, et qui se corrigera d'elle-même. Les jeunes parlent l'anglais et même les vieux se débrouillent dans cette langue […]. Raison pauvre et dangereuse à laquelle aucun esprit cultivé et sérieux ne saurait s'arrêter[60].

De plus, explique-t-il, au nouveau grand séminaire d'Edmonton, rien n'a été fait pour que les francophones se sentent accueillis, au contraire; c'est un sujet qu'il avait déjà abordé dans sa première lettre[61]. Pourtant, des quêtes

---

57. *Ibid.*

58. Un Vieux Colon, « Lettre d'Alberta », *Le Travailleur*, 8 février 1934.

59. Un Vieux Colon, « Lettre d'Alberta », *Le Travailleur*, 25 janvier 1934.

60. Un Vieux Colon, « Lettre d'Alberta », *Le Travailleur*, 8 février 1934.

61. Un Vieux Colon, « Deuxième partie, Dans l'Alberta », *Le Travailleur*, 8 février 1933.

visant à créer une institution pour loger les étudiants catholiques (Saint Anthony's College) ont été faites partout dans le diocèse et les Canadiens français y ont cotisé une bonne moitié. Ce qui dérange vraiment semble être que le collège classique des jésuites est toujours là et qu'il pourrait servir à former des prêtres, mais que l'archévêque préfère se passer de ses services pour former son clergé dans son Grand Séminaire. Par contre, dans l'archidiocèse, apparemment, les ressortissants du séminaire sont désignés comme des « baby-priests », soit des prêtres beaucoup trop jeunes, immatures, ayant une piètre formation scolaire.

Il est primordial d'avoir un clergé bien éduqué et bien formé, soutient le « Vieux Colon » :

> La privation d'un cours classique sérieux prive la pauvre humanité d'un jalon pour se diriger dans la vie. [...] On ne me fera pas croire, que sauf de rares exceptions, il soit possible d'étudier efficacement « les peuples qui nous ont précédés et sont morts » autrement que par la lecture, dans le texte original, de leurs poètes, de leurs historiens et de leurs philosophes[62].

Mais c'est une erreur de taille, écrit-il dans sa dernière lettre, de s'en prendre aux Jésuites. Ici, Alexandre Mahé démontre son érudition; il relate l'histoire de Jean de Palafox, évêque de Los Angeles, qui, il y a plus de trois siècles, se plaignait constamment des privilèges accordés aux jésuites, querelle qui fut tournée contre lui par le tribunal de Rome et qui après sa mort ne plaida pas en faveur de sa béatification[63]. Avertissement à Mgr O'Leary? C'est fort probable. Tout indiquait qu'une autre lettre suivrait, mais il se peut qu'il en ait trop dit. La série au *Travailleur* s'est terminée abruptement sur cette note.

D'après cette correspondance volumineuse, on comprend qu'Alexandre Mahé n'hésite pas à s'exprimer pour appuyer ses concitoyens. Après tout, les Canadiens français de l'Alberta adhèrent aux principes de la langue et de la foi, mais ils se voient privés des outils de base qu'ils ont mis en place et financés. Avec la perte de l'appui de l'archevêque au collège des jésuites et le manque de recrues francophones au Grand Séminaire, il devient difficile de former ou de fournir le clergé des paroisses de langue française. D'autres abondent en ce sens; ainsi, un père jésuite du collège d'Edmonton, en tournée de recrutement à Saint-Vincent, répète le message traditionnel :

> ... [il] nous invite ensuite à fournir des vocations, afin de rester fidèle à la mission à laquelle Dieu semble appeler les gens de race française, de cette race qui depuis des siècles accomplit les « Actes de Dieu par les Francs ». Il nous

62. Un Vieux Colon, « Lettre d'Alberta », *Le Travailleur*, 8 février 1934.

63. Un Vieux Colon, « Une lettre d'Alberta », *Le Travailleur*, 7-14 février 1935.

> dit que nous avons besoin de prêtres pour diriger nos paroisses, pour y garder la foi catholique et le verbe français, car il y a mille chances contre une que, si nous perdons notre langue française, nous perdons aussi notre foi catholique[64].

C'est le même message que prononce l'abbé J.-A. Lepage à son entrée en fonction à Saint-Vincent le dernier dimanche de juillet 1930[65]. Dans ce qui est son dernier reportage à *La Survivance* pendant plusieurs années, Alexandre Mahé, avant de céder sa plume au curé, résume ce sermon[66]. De très faible santé en arrivant et ayant voyagé la nuit entière par de très mauvais chemins pour se rendre à la messe du dimanche, son premier sermon est de mauvais augure, car il annonce « qu'il venait parmi nous dans l'intention d'y finir ses jours ». L'abbé fait appel à l'amour que les paroissiens doivent avoir pour leur curé et leur paroisse et il félicite ces anciens colons d'avoir tenu bon depuis leur arrivée, vingt-deux ou vingt-trois ans auparavant. Il reconnaît qu'ils sont venus dans le but d'essayer de se faire un chez-soi en établissant des fermes productives et il leur rappelle que

> c'est plutôt la Providence qui, à notre insu, nous a poussé ici pour que nous, descendants des premiers Français qui apportèrent sur les bords du St-Laurent la foi catholique, pour que nous continuions d'accomplir la *gesta dei per francos*; pour que nous continuions d'être des témoins que notre langue française et notre foi catholique sont les mutuelles gardiennes l'une de l'autre[67].

Tel est le message typique du clergé canadien-français et dans ses lettres au *Travailleur*, Alexandre Mahé ne fait que le répéter, en apportant le discours à sa conclusion logique. Mais il précise qu'il faut avoir des outils pour pouvoir conserver sa culture et sa foi, en particulier des institutions enseignantes pour former l'élite. En tant que laïc, il ose écrire et exprimer publiquement sa pensée : « pour dire de cuisantes et salutaires vérités. Ils ne sont pas légion à St-Vincent ceux qui peuvent en faire autant[68] ». S'il s'expose aux critiques en décrivant les difficultés que subissent les Canadiens français de l'Alberta, il espère que d'autres emboîteront le pas, continueront et compléteront le travail[69].

Le Collège des Jésuites, malgré son potentiel, ressent fortement la crise et, on suppose, sans l'appui de l'archidiocèse, il s'endette, car l'Alberta est encore une province pauvre. En 1942, malgré trente ans de présence dans

---

64. Corr. « Saint-Vincent », *La Survivance*, 10 juillet 1930.

65. *L'historique de la paroisse de Saint-Vincent*, p. 26.

66. Corr., *La Survivance*, 31 juillet 1930.

67. *Ibid.*

68. Un Vieux Colon, « Un mot aux lecteurs du *Travailleur* », *Le Travailleur*, 18 mai 1933.

69. *Ibid.*

l'Ouest, le bâtiment du collège et son grand terrain attenant sont vendus[70]. D'autres institutions existent pour le remplacer; le Juniorat Saint-Jean, fondé par les oblats, semble offrir à peu près les mêmes cours que les jésuites et l'Université de l'Alberta, établie depuis 1908, mais les Franco-Albertains perdent tout de même une institution de grand prestige. Si les franco-catholiques de la province ont continué de contribuer et de former du clergé de congrégation, le clergé séculier issu des rangs de la francophonie est resté rare, car il est obligatoirement formé en anglais.

Cette histoire a laissé un arrière-goût d'amertume à Saint-Vincent. Une anecdote locale plutôt symbolique raconte que le coq du clocher de l'église de Saint-Vincent, dont la construction fut commencée en 1934, aurait disparu dans de bien mystérieuses circonstances, qu'on attribue à l'archevêque O'Leary. La rumeur ne manque pas d'humour paysan, car bien sûr, les voleurs de poules sont au plus bas de l'échelle sociale. L'histoire prétend que Saint-Vincent aurait été la seule paroisse de l'archidiocèse qui avait un coq sur son clocher, ce qui est possible, et que l'archevêque ne supportait pas de voir ce symbole gaulois sur une de ses églises, il l'interdisait[71]. On sait que les églises ont un rôle emblématique dans les Prairies canadiennes et que le coq de clocher qui orne les églises franco-catholiques n'est pas une simple parure, car, tout en symbolisant la trahison de saint Pierre, il représente aussi la culture française. N'empêche qu'il faut être un « sacré » voleur pour décrocher un coq de clocher. En toute franchise, notre informateur était le seul à se souvenir d'un coq de clocher et nous n'avons pas retrouvé de photo qui en montrait un sur la flèche de l'église.

Les nombreuses et longues lettres d'Alexandre Mahé au sujet de la politique anti-française qui règne dans l'archidiocèse d'Edmonton durant cette période défendent les Canadiens français de l'Alberta. Après avoir défriché leurs terres, construit leurs maisons, exploité leurs fermes et créé des écoles, ces derniers considèrent que la protection de leurs acquis culturels est une priorité. Profondément croyant et issu d'une des régions les plus catholiques de France, où l'adhésion et la solidarité envers l'Église catholique ont toujours été le mot d'ordre, Alexandre Mahé pratique un catholicisme militant. Installé au Canada, il n'est pas extraordinaire qu'il parle de son nouveau pays en termes de la *gesta dei per francos*. Bon nombre de laïcs qui quittent la France durant ce temps pensent aussi de cette façon : c'est bien normal,

70. Le terrain est vendu pour construire un aéroport utilisé pendant la guerre par les Américains. Il leur sert de relais vers l'Alaska et il deviendra plus tard le premier aéroport de la ville. Après la guerre, l'ancien collège devient l'Hôpital Charles-Camsell. Joseph Moreau, « Le Collège des Jésuites (1913-1942) », *Aspects du passé franco-albertain*, 1980, p. 21-29.

71. Témoignage de René Mahé.

pour l'émigrant, de souhaiter que les conditions soient meilleures à l'endroit où il s'installe pour refaire sa vie que dans le pays qu'il a quitté. Ayant été membre d'une communauté religieuse bousculée par la séparation de l'Église et de l'État en France, il est tout à fait d'accord pour que, sur le « nouveau continent », le destin de la francophonie catholique soit celui de la *gesta dei per francos*.

Mais en Alberta, où les Canadiens français sont minoritaires et où, après le décès de M^gr^ Legal, les communautés religieuses de langue française perdent leur emprise, les laïcs doivent apprendre à se défendre. Cette mentalité transparaît dans la devise de l'ACFA : « Dieu et nos droits ». Soucieux de protéger ce qu'ils ont construit, les Canadiens français se sentent menacés et s'organisent autrement. Pour les membres de la communauté de Saint-Vincent qui s'activent dans le cercle local de l'ACFA, visiblement, ils s'engagent à protéger ce qu'ils ont en main. Mais dans ses lettres au *Travailleur*, Alexandre Mahé démontre qu'il n'a pas froid aux yeux et qu'au lieu de se laisser faire, il veut parler ouvertement de la situation concernant le catholicisme et les Franco-Albertains, au risque de recevoir des réprimandes. En catholique engagé, il croit sincèrement que chacun peut contribuer à sa façon; écrire est la sienne.

# Chapitre IX

## Joutes d'esprit et différends : débats des années de guerre

Au fil des ans, dans les lettres qu'Alexandre Mahé écrit aux rédacteurs de *La Survivance* et du *Travailleur*, il aborde des sujets qui ne se limitent plus exclusivement à des activités albertaines. Ainsi, durant la Deuxième Guerre mondiale, il n'hésite pas à se prononcer sur la survie de la France et sur l'appel du général Charles de Gaulle; une dizaine de ses lettres portent sur ces débats. En raison de la rareté de la documentation et du peu d'études à ce sujet, cette correspondance mérite qu'on s'y attarde, car elle aide à mieux démontrer l'état d'âme de la francophonie nord-américaine déchirée par la crise de Pétain-De Gaulle[1].

C'est après un silence de trois ans qu'en 1940, Alexandre Mahé reprend sa plume. Une cinquantaine de ses lettres et poèmes paraissent dans les journaux durant la vingtaine d'années qui suivent, dont presque la moitié entre 1940 et 1945. Ses lettres cherchent généralement à éclaircir des sujets d'actualité, parfois controversés, mais elles traitent aussi de faits amusants. Il se laisse emporter par des élans d'esprit, comme dans sa série de poèmes « au Goffeur ». Si on en juge d'après la façon aisée dont il participe aux dialogues courants, citant des sources qu'il a recueillies au cours de ses études, dans ses

---

1. Le conflit dans les régions de Québec et de Montréal est examiné par Éric Amyot dans *Le Québec entre Pétain et de Gaulle : Vichy, la France libre et les Canadiens français, 1940-1945*, Montréal, Fides, 1999. Paul M. Couture a aussi écrit sur ce sujet dans « The Vichy-Free French Propaganda War in Québec, 1940 to 1942 », *CHA, Historical Papers 1978 Communications historiques*, p. 200-216.

lectures de journaux ou à la radio, qu'il écoute fidèlement, ou qu'il a parfois entendues le jour même, on voit qu'il n'est pas du tout à l'écart de ce qui se passe dans le monde.

## Dialogues courants

Dès 1933, à l'âge de 53 ans, Alexandre Mahé signe déjà ses lettres au *Travailleur* sous son nom de plume « Un Vieux Colon », une épithète fort représentative de la société rurale dans laquelle il habite depuis presque 25 ans. En dépit de ses cheveux blancs, il est toujours actif, mais beaucoup de ses pairs, qui ont travaillé avec lui à la colonisation de la région, ne sont plus de ce monde. D'après les statistiques de l'époque, l'espérance de vie d'un homme ne dépasse que rarement la soixantaine – et Mahé est déjà plus âgé que la moyenne[2]. Une dizaine d'années plus tard, ayant doublé le cap des 60 ans et toujours solidement sur ses pieds, ce qu'il confirme dans une lettre qu'il adresse au rédacteur de *La Survivance*, il signe, pour une rare fois, son propre nom. Il sait que sa missive sera lue par un grand nombre de Franco-Albertains; *La Survivance* a un tirage de 4 000 exemplaires qui touche environ 40 000 lecteurs[3]. Sa lettre rappelle la toute récente nomination du docteur Aristide Blais au Sénat, lui offrant ses félicitations et louant les excellents soins du médecin à qui il attribuait sa guérison en 1912, ce qui, 30 ans plus tard, lui permettait – à cet « échappé de la mort » – de se classer joyeusement « parmi les... intuables[4] ».

En renouant avec les lecteurs de *La Survivance* après trois ans d'absence, sa courte anecdote souligne l'importance de la nomination d'un des membres de la francophonie albertaine au poste de sénateur, marque de confiance envers les Franco-Albertains de la part du premier ministre du Canada de l'époque, l'honorable William Lyon Mackenzie King[5]. Quatre Franco-Albertains avaient été nommés au Sénat depuis 1905. L'homme d'affaires Pat Burns a accédé au fauteuil albertain et a été sénateur pendant une dizaine d'années. Après son décès, le retour à la tradition d'un sénateur franco-albertain ne pouvait qu'être rassurante pour la population de langue française de la province, tout en apportant au premier ministre un appui dont il allait avoir grandement besoin durant ces années de guerre. La lettre d'Alexan-

---

2. Kalbach and McVey, *The Demographic Bases of Canadian Society*, p. 72.

3. Lacombe, *Paul-Émile Breton*, p. 22.

4. M. le Rédacteur, « Tribune libre », A. Mahé, *La Survivance*, 28 février 1940.

5. Kenneth J. Munro, « Le sénat, une institution importante pour la francophonie albertaine », *Après dix ans... Bilan et prospective*, Actes du 11e colloque du CEFCO (1991), Edmonton, 1992, p. 259-260.

dre Mahé est significative dans le sens où, en tant que lecteur habituel du journal franco-albertain, il fait l'effort de souligner publiquement ce gain. Il est le seul à le faire.

Ces premières lettres d'Alexandre Mahé ne font aucune mention de la guerre qui fait rage et ne traitent que de sujets divertissants. *La Survivance* publie, en décembre 1940, son hommage aux pionniers, « Souvenirs, testament et prière du vieux défricheur », inspiré de sa propre vie. Composé durant l'hiver de 1938 et 1939, le poème d'une centaine de vers est divisé en trois parties égales, traitant des trois sujets indiqués par son titre. *Le Travailleur* en publie une deuxième version en 1943 – celle que nous utilisons pour ce travail[6]. Essentiellement, le vieux défricheur, aguerri et rusé, voyant le terme de ses jours, offre une prière en son nom et celui des pionniers déjà « morts à la tâche », prière qui est beaucoup plus médiatrice que suppliante et qui cherche à déjouer le Créateur lui-même. Dans son appel à la clémence, il maintient que les jurons « un peu verts » qu'adressaient jadis les colons à leurs bœufs affolés par les mouches noires n'étaient que de courtes prières récitées « tout à l'envers », invocations qui ont déjà été entendues et exaucées, puisque depuis ce temps, ces « bestioles du diable » ont disparu des parages. Dans la note explicative qui suit la deuxième parution du poème dans *Le Travailleur*, l'auteur précise que ces « litanies et prières » n'étaient point cueillies dans un livre de messe.

À la fin de novembre 1940, *La Survivance* publie le premier des poèmes d'Isidore Cassemottes concernant le « Goffeur », une série de « chicanes » qui suscite une réaction bon enfant et enthousiaste des lecteurs de ce journal et qu'on peut lire sous la vignette « Tribune libre ». « Le Goffeur et le Siffleux » est une riposte humoristique à celui qui signe « le Siffleux », qui n'est autre que le rédacteur du journal, le père oblat Paul-Émile Breton, auteur de la rubrique hebdomadaire intitulée « Dans le trou du Goffeur ». Dans le premier poème, un siffleux (la marmotte) « dodu » « au ventre pansu » s'éloigne de son trou pour raconter à son petit voisin maigrichon, le « goffeur » (de gaufre, il s'agit de l'écureuil terreste de Richardson), un cousin éloigné, la supériorité de ses méthodes de survie. Absorbé par son discours sur ses techniques de construction de garennes, il n'aperçoit pas l'arrivée soudaine du chien du fermier et, puisque sa seule défense est le claquement de ses dents, il se fait happer sur le coup. Le petit « goffeur », plus prudent que son con-

6. Isidore Cassemottes, « Souvenirs, testament et prière du vieux défricheur », *La Survivance*, 18 décembre 1940; *idem* et « Note », A. Mahé, 30 décembre 1942, *Le Travailleur*, 14 janvier 1943. C'est surtout la ponctuation qui a été rectifiée dans la deuxième version, le texte est le même. Voir annexe.

frère, se terre dans son trou. En dépit de la démise poétique du Siffleux, Cassemottes souhaite que ce dernier « taquinera encor' dans son trou le goffeur à notre joie à tous amis lecteurs[7] ».

C'est exactement ce qui se passe pendant plusieurs mois, alors que Diogène, Socrate, Azarie Laplume, et autres se répondent et se relancent la balle. De son fauteuil d'éditeur, le Goffeur dit être « tombé sur les deux pattes de derrière » en se rendant compte que Cassemottes « fionne » des vers, ce qui devient le sujet de sa rubrique de la semaine – les variantes de « vers » : vers de terre, vers solitaires, verres de bière et verres de « fort », vertige, verrue, verbiage. Il termine avec son épitaphe :

> J'ai passé ma vie chez les Docteurs;
> Mort me v'là couché chez les Goffeurs
> Autrefois les vers m'ont nourri;
> Je nourris les vers aujourd'hui[8].

La rubrique devient une cible d'Isidore Cassemottes, qui en conteste gentiment le Goffeur qui s'amuse à railler – de façon aussi bon enfant – les Franco-Albertains dans sa colonne hebdomadaire. Lorsque son premier poème est publié avec une demi-douzaine de fautes typographiques, dans « Une chicane au Goffeur », le deuxième poème, Cassemottes le gronde : « Cet été tu me grugeais de mon blé et voilà mon petit véreux que tu gruges même mon nom [...] Pour un goffeur t'es pas mal savant : Oui, tu sais qu'on ne met pas un "a" à "compliments[9]". » Comme les fables de La Fontaine, les poèmes se terminent toujours avec une morale :

> Pour une fois, je te donne le pardon
> Mais si pour ton malheur tu recommences...
> Pas de pitié à croque-siffleux
> – C'est le nom de mon chien, soit dit entre nous deux –
> Tu serviras ni plus ni moins de pitance;
> À moins que je te livre à mon chat
> Qui peut te croquer comme un rat,
> Et maintenant que t'as la tremblotte
> Ne gruge jamais plus[10].

Seulement sept poèmes ont été composés dans cette série; d'après les nombreux commentaires appréciatifs de la part d'anciens lecteurs du journal, nous avions l'impression que la série était beaucoup plus importante en nombre. Six poèmes passent durant le temps des fêtes de 1940-1941. Le

---

7. Isidore Cassemottes, « Le Goffeur et le Siffleux », *La Survivance*, 27 novembre 1940.

8. « Dans le trou du Goffeur », Le Goffeur, *La Survivance*, 4 décembre 1940.

9. Isidore Cassemottes, « Une chicane au Goffeur », *La Survivance*, le 11 décembre 1940.

10. On avait écrit « complimant », *ibid.*

Goffeur et Cassemottes, ainsi que le Siffleux qui se réveille et sort de son terrier pour l'occasion, se souhaitent mutuellement Joyeux Noël et Bonne Année, encore et encore. Puisqu'on ajoutait habituellement aux souhaits de la Bonne Année « le paradis à la fin de vos jours », le Goffeur offre ses souhaits dans sa rubrique du Nouvel An, mais il admet que les animaux n'ont pas droit au paradis et espère qu'on ne l'envoie pas chez le « yâble », non plus[11]. En réponse, Isidore Cassemottes lui adresse les « Nouveaux souhaits de Bonne Année au Goffeur », dans lesquels il déclare avoir été averti par son voisin, l'ami Zéphirin, que le Goffeur est certainement un Canadien et doit aussi être baptisé chrétien », sinon « par l'Évêque, le Cardinal et le Pape le journal serait depuis longtemps condamné[12] ».

Les souhaits et les taquineries se poursuivent, suscitant une réaction animée des lecteurs de *La Survivance*. Le Siffleux (qui est aussi Diogène avec sa lanterne), Excelsior et CéLèS ajoutent leur grain de sel, tandis qu'Azarie Laplume se plaint du français du Siffleux, qu'il trouve trop compliqué pour les lecteurs du journal : « [...] il parle de "siffleuste" et de "goffistes" et [...] de Lamartine. Ensuite ses affaires sur les pochards, pensez-vous que nos gens comprennent cela[13] ? » Le Siffleux riposte en se défendant : « Aie ! Aie ! plumitif Laplume, les noms : bonapartiste, boulangistes, laurieriste, créditiste ne sont pas dans mon dictionnaire – et tout le monde comprend[14]. »

Le dialogue se poursuit avec « Mince les étrennes » au début de janvier 1941, lors de la parution d'une nouvelle gravure pour la rubrique « Dans le trou du Goffeur ». Le Goffeur ne tient plus en main la plume et le parchemin roulé, il porte des valises et un costume différent. Cassemottes se dit envier la tenue du Goffeur que sa « portraiture » nouvelle a transformé « de tout menu, d'un coup devenu bien grand [...] et d'avoir aux pieds des "escarperis" cirés et vernis », tandis que Cassemottes « ne porte que des souliers de bœufs comme c'est la manière dans le monde des gueux[15] ». En réponse, le Goffeur prétend faire « élire » Cassemottes par les électeurs de la municipalité comme président d'un conseil qui supporte la candidature du Goffeur[16]. Mais à cette dernière taquinerie, Isidore Cassemottes ne répond pas, il a passé outre et appuie des sujets plus sérieux.

---

11. « Dans le trou du Goffeur », *La Survivance*, 31 décembre 1940.

12. Isidore Cassemottes, « Nouveaux souhaits de Bonne Année au Goffeur », *La Survivance*, 8 janvier 1941.

13. Azarie Laplume à M. le rédacteur, *La Survivance*, 27 novembre 1940.

14. Le Siffleux, « Sobre en tout la bise me suffit », *La Survivance*, 11 décembre 1940.

15. Isidore Cassemottes, « Mince les étrennes », *La Survivance*, 15 janvier 1941.

16. Le Goffeur lui offre ses souhaits de la Saint-Valentin dans sa rubrique, « Dans le trou du Goffeur », *La Survivance*, 12 février 1941, et il en fait encore mention le 10 avril 1941.

Ce ne sera que cinq ans plus tard que le fermier renouera ses amitiés avec le Goffeur dans les pages de *La Survivance*. Lorsqu'il est le rédacteur invité de la rubrique « Dans le trou du Goffeur », il y publie le dernier poème de la série. Le scénario rappelle les dessins animés de Mickey Mouse qui sont projetés sur les écrans des cinémas à l'époque. Dans « Un disparu retrouvé », le fermier prend finalement le « goffeur » au piège – « le petit gueux, par l'une de ses menottes réduite en compote[17]. » Mais avant de l'« occire » pour de bon, le fermier écoute son plaidoyer habile, car c'est un « goffeur » hors du commun, qui a fait des études et est devenu savant. En lui dictant son dernier testament, le petit rongeur avoue que sa peau, sa chair et ses os ne valent rien du tout. Le Goffeur ne dit rien de la valeur de sa queue qui, tous les lecteurs – Cassemottes inclus – le savent bien, est d'un sou, ce qui fait que ces petits rongeurs sont pourchassés sans pitié par les enfants de la campagne pour se faire de l'argent de poche. Pris au piège de Cassemottes, le Goffeur précise que ses seules richesses sont ses idées; en particulier, il connaît le moyen d'obtenir la paix dans le monde. Nous sommes alors en 1945-1946, en plein dans la période du procès de Nuremberg et de la création de l'Organisation des Nations Unies à San Francisco. Savoir comment ramener la paix sur la terre est une question sur laquelle les grands hommes d'État se penchent sérieusement.

Curieux d'entendre un tel discours d'une petite créature des champs et voulant en savoir plus long, Cassemottes écoute le Goffeur. D'après ce dernier, la solution consiste en deux éléments simples, mais indispensables : pour la paix dans le monde, il s'agit de respecter les droits d'autrui et de ne pas se laisser emporter par l'orgueil. Écologiste avant le mot, le Goffeur poursuit : le premier occupant d'un endroit devrait avoir le droit de vivre où il est, sans risquer de se faire expulser ou exterminer. Chaque créature ayant sa place dans le monde, il est injuste qu'elle se fasse anéantir par les derniers venus, comme les fermiers souhaitent le faire de son espèce. Ensuite, le Goffeur raconte les bons conseils que sa vieille grand-mère lui donnait au sujet de l'orgueil, lorsqu'il était encore tout petit :

Quand tu verras les fous
Lassés de se battre, de s'entre tuer tous,
Et que tu tâcheras de prêcher la paix
Aux hommes de bonne volonté,
Tu leur suggéreras une des causes de leurs forfaits
En leur conseillant de relire leur grammaire
Où ils trouveront un' des causes de leurs misères[18].

---

17. Isidore Cassemottes, « Un disparu retrouvé », « Dans le trou du Goffeur », *La Survivance*, 20 mars 1946.

18. *Ibid.*

Étonnant mais vrai, poursuit le Goffeur, c'est dans la grammaire, l'outil indispensable des écoliers, des écrivains aspirants et des grands hommes également, que se trouve le deuxième élément de la solution. Là, même « les p'tis enfants » qui étudient les pronoms personnels apprennent que la première lettre de la première personne du singulier ne doit pas s'écrire « toujours avec la majuscule, [car comme disait la grand-mère du Goffeur] prêchant la paix, ça te rendrait ridicule ».

Le Goffeur supplie Cassemottes de lui redonner sa liberté s'il trouve qu'il a bien parlé. Touché par le savant discours du petit rongeur qui rappelle l'importance de l'humilité et les dangers de l'orgueil, et bien qu'étant l'ennemi juré de cette peste qui ronge et gaspille sans cesse son grain, il termine en écrivant : « Qu'auriez-vous fait de ce p'tit plein de bon sens ? Comme moi, vous lui auriez r'donné la clé des champs[19]. » Ainsi se termine l'amusante série de fables d'Alexandre Mahé sur le monde animalier des prairies de l'Ouest canadien, fort appréciée des lecteurs du temps pour ses clins d'œil à leur société. Maints informateurs et connaisseurs en ont fait mention avec le sourire aux lèvres.

Après la Première Guerre mondiale, l'avènement de la radio réduit considérablement l'isolement des gens dans les grandes étendues canadiennes. Mais les temps sont durs et Alexandre Mahé ne fait l'acquisition d'un poste récepteur que vers 1939-1940. Rares sont ses compatriotes de la région de Saint-Vincent qui en possèdent un avant cette date[20]. Tout comme dans le monde « Internet » d'aujourd'hui, il n'y a pas de réglementation. Les Américains envahissent l'espace radiophonique canadien et leurs ondes puissantes sont captées à des milliers de kilomètres à la ronde. Il n'y a pas un grand choix d'émissions en français en Alberta, mais de temps à autre, certaines viennent d'Edmonton qui sont diffusées par la station radiophonique de l'Université de l'Alberta, CKUA, ou par CJAC, une station privée[21]. Il était aussi possible d'entendre des émissions en français sur les ondes courtes, diffusées de partout dans le monde. Par contre, les postes pouvant capter les ondes courtes et les longues sont nettement plus chers et, par conséquent, moins de gens en sont propriétaires.

En 1940, à la suite de son achat, Alexandre Mahé écoute assidûment la radio dans sa maison de ferme de Saint-Vincent et il devient vite un habitué des ondes, tant longues que courtes. Il suit l'évolution de la guerre sur les ondes courtes, qu'il capte d'Europe, d'Afrique, de Montréal et d'ailleurs en

19. *Ibid.*

20. Témoignage de Laura Forrend.

21. Corr. [A. Lepage], Saint-Vincent, *La Survivance*, 6 décembre 1930.

Amérique du Nord. En 1942, *Le Travailleur* publie un de ses poèmes qui se plaint du silence temporaire d'une station qu'il apprécie hautement, CBFY de Radio-Canada à Montréal, qui passe sur les ondes courtes depuis 1941[22]. Comme d'autres « gens des Prairies et au-delà, amateurs du français à l'écoute », qui taquinent en vain « l'aiguille de leur poste écouteur », pour

> De l'heure de vêpres jusqu'aux matines,
> Y entendre de l'espagnol, du portugais,
> De l'italien, de l'espéranto, de l'anglais;
> Mais, de Montréal, rien, pas de français !
> CBFY devenu totalement muet[23].

Fermée pour réfection, la station revient le jour de Pâques, à la grande joie des auditeurs. Maintenant devenue CBFW, elle diffuse sur les ondes longues. Le poète loue le retour de cette « Madelon pécheresse » « revenue égayer la maison », maintenant convertie, « prêchant les bons effets de la pénitence; tous les jours, de midi à minuit[24] ». Mais on comprend que le nouvel arrangement n'est pas très efficace, car « la pécheresse Madelon » disparaît encore et le poète termine avec cet appel :

> Chère Madelon, CBFW, si tu as rechu,
> Reviens à nous quand même;
> Pour nous, tu n'es point la déchue
> Que l'on voue au mépris suprême.
> Madelon, Madeleine même déconvertie,
> Reviens encore, parles à tes amis.
> Nous nous ennuyons de toi :
> De toi, charmeuse et infidèle à la fois,
> Reviens, même si à nouveau tu as péché,
> Reviens, d'avance tu es pardonnée[25].

Durant plusieurs années encore, l'infidèle Madelon ne se fera entendre que pendant de très brefs moments. La diffusion d'émissions en français par le poste CBK (Watrous) en Saskatchewan, sera longtemps limitée à moins d'une heure par jour[26]. En 1949, après une lutte acharnée pour obtenir un permis de radiodiffusion et une campagne de financement soutenue par les Franco-Albertains et l'appui du Conseil de la vie française en Amérique, la station CHFA est lancée pour desservir l'Alberta, et ce, à la suite de l'ouver-

---

22. Lacombe, *Paul-Émile Breton*, p. 72.

23. Isidore Cassemottes, « À Radio-Canada, CBFY et CBFW : Au caprice des ondes », *Le Travailleur*, 4 juin 1942.

24. *Ibid.*

25. *Ibid.*

26. Lacombe, *Paul-Émile Breton*, p. 64-69.

ture d'une station de langue française au Manitoba, où une campagne semblable avait eu lieu[27].

## Différends de la francophonie nord-américaine (1940-1945)

Français d'origine, Alexandre Mahé réagit vivement à l'éclatement de la Deuxième Guerre mondiale et à la soudaine capitulation de la France devant l'ennemi. Le 18 juin 1940, il est à l'écoute de la BBC sur les ondes courtes lorsqu'il entend avec soulagement et joie le premier appel du général Charles de Gaulle en direct de Londres[28]. C'est un grand événement pour lui et quelques jours plus tard, il sera encore plus heureux et fier d'apprendre que des marins bretons sont les premiers à répondre en masse à l'appel du 18 juin[29]. La flotte entière des pêcheurs de l'île de Sein, au large de la Bretagne, se rallie au général et traverse la Manche.

Un bout de papier sur lequel est griffonnée une courte liste de ses stations préférées, leur position numérique et l'heure de diffusion des émissions qui viennent, entre autres, de Boston, Londres et Brazzaville, témoigne de son écoute assidue de la radio durant cette période[30]. On sait aussi qu'il envoie de l'argent au bureau de la France Libre à Londres et qu'il reçoit, en retour, une petite lettre de remerciement écrite par le général De Gaulle[31]. Tout au long du conflit, il reçoit par la poste les communiqués de cette organisation, les discours du général et les numéros de *France-Libre*, qui visent un public international, ainsi que ceux de son homologue canadien, *France-Canada*[32]. Sur l'endos d'un des discours du général se trouve le brouillon d'un poème, signé Isidore Cassemottes, peut-être destiné aux périodiques de la France Libre :

> Un vieux colon depuis longtemps au Canada
> Tire du fond de son gousset
> Une obole de vingt dollars
> Produit de la vente d'un de ses goûts
> Qu'il veut diviser en deux égales parts.
> L'une pour la France restant ferme au combat

---

27. Céline Bélanger, « La fondation de CHFA », *Aspects du passé franco-albertain*, Histoire franco-albertaine, 1, A. Trottier, K.J. Munro et G. Allaire (dir.), 1980, p. 123-146; Lacombe, *Paul-Émile Breton*, p. 61-80; Gosselin, *Le Conseil de la vie française*, p. 61-71.

28. Témoignage de René Mahé.

29. Témoignage de Germaine Champagne.

30. Alexandre Mahé, horaires d'émissions, IRFSJUA, s.d.

31. Témoignage de René Mahé.

32. Cette collection a été déposée à l'IRFSJUA avec ses papiers personnels.

L'autre pour égayer nos soldats et marins
Qui sans répit à l'ombre de nos trois couleurs
Écussonnées de la double croix de Lorraine
Se battent en lions, comme à Bir Hachein,
Et qui aidés de nos intrépides aviateurs
Bouteront, bientôt, hors de chez nous
Sous l'égide de la Bergère de Domrémy,
Jeanne la Pucelle, notre sœur à tous
Le Boche ignoble notre perpétuel ennemi[33] [...].

Dans la région de Saint-Vincent, Alexandre Mahé établit un comité de la France Libre, dont il est élu président; un don de 29 $ de la part de ce regroupement est signalé dans le périodique *France-Canada*[34]. Depuis le 22 octobre 1940, en Alberta, des sympathisants du général De Gaulle s'organisent et une première rencontre de « Alberta's Aid to Général Charles de Gaulle » (qui devient au cours des ans « France quand même » et « France Forever ») a lieu à Calgary[35]. À cette réunion sont présents une vingtaine de personnes et deux journalistes des grands quotidiens de la ville. Plusieurs membres sont Français ou Belges, mais le groupe comprend des francophiles de toutes les origines. L'organisme fait rapidement boule de neige dans la province, comme il semble le faire ailleurs dans le monde. Un pharmacien de souche française d'Edmonton, Étienne Michaud, forme un groupe dans cette ville au début du mois de décembre. À sa suggestion, les deux cercles se partagent la province d'Alberta; celui de Calgary s'occupe des communautés avoisinantes de Red Deer, jusqu'à la frontière américaine, tandis que celui d'Edmonton se charge de la partie nord de la province[36]. Les relations entre les deux associations sont fréquentes et amicales : échanges de renseignements et encouragement mutuel en ce qui concerne les conférences, les collectes de fonds et le recrutement de combattants pour la France Libre. En 1941 et au cours des années suivantes, d'autres associations s'établissent à Trochu et à Red Deer ainsi que dans le petit, mais très actif, village houiller de Blairmore, où une soixantaine de personnes assistent à la première réunion.

Ces groupes sont très présents dans la province. En juillet 1941, les Français Libres de Calgary défilent dans deux voitures « décorées aux armes

33. IRFSJUA, Alexandre Mahé, Brouillon d'un poème à l'endos d'un discours du général De Gaulle.

34. *France-Canada*, août 1944.

35. Glenbow Archives [GA], Auguste Bernard Papers, [ABP] M7948, *Alberta's Aid to General Charles de Gaulle*, « France quand même » (France Forever), Union Block, Room 23, Calgary, Alberta, 22 octobre 1940.

36. GA, ABP, « Minutes de la séance du 6 décembre 1940 », Comité de la France Libre, Calgary.

des Forces françaises libres » lors de la grande parade du Stampede à Calgary, qui est alors, comme aujourd'hui, l'événement le plus couru de la province[37]. L'année suivante, deux jeunes aviateurs du cercle défileront, arborant le drapeau tricolore à la croix de Lorraine, accompagnés d'une jeune fille habillée en Alsacienne[38]. Des activités semblables se déroulent dans les autres villes et provinces du Canada : à Winnipeg, une vente de macarons, connue sous le nom de *tag-day*, recueille 4 200 $ pour la cause et une autre à Edmonton, 1 000 $[39]. Le groupe de Calgary a des recettes dépassant 2 000 $ en 1943, dont plus de la moitié est envoyée au comité national de la France Libre; en 1941, le cercle de Vancouver a plus d'une centaine de membres et il organise un bal du Mardi gras pour collecter des fonds. La soirée remporte un franc succès[40].

En entendant le premier appel du général De Gaulle en juin 1940, Alexandre Mahé s'est immédiatement rallié à celui qui affirmait la certitude d'une victoire totale. Il est bien déçu et attristé de l'incapacité du maréchal Pétain, ce héros de Verdun, qui avait refusé de moderniser l'armée française et avait préféré se fier au système de tranchées pour protéger la France, et cela, en dépit de la preuve de l'inefficacité de ce réseau durant le carnage de la Première Guerre mondiale. À la maison, sur la ferme, il ne tolère plus d'avoir sous les yeux la grande photo encadrée du maréchal qui, depuis vingt ans, était suspendue au mur, à la place d'honneur, dans le salon familial. Il met le cadre au « cachot » dans une petite remise pour le bois de chauffage, attenante à la maison. La photo est accrochée face au mur et elle y reste pendant bien des années, jusqu'au jour où quelqu'un la remet à l'endroit pour admirer les galons du maréchal, lesquels devaient lui sembler particulièrement impressionnants[41]. Mais à vrai dire, ce sujet reste un point sensible dans la famille. L'aînée des petits-enfants se souvient des réactions passionnées de son doux « pépère », normalement calme et serein, qui haussait le ton lorsque le débat venait sur le tapis et la fillette de constater alors, à son grand étonnement aussi, que le teint clair de son aïeul devenait écarlate[42].

---

37. GA, ABP, « Minutes de la réunion du 1er juillet, 1941 ».

38. GA, ABP, « Minutes de la réunion mensuelle du 24 juillet 1942 ».

39. GA, ABP, « Minutes de la réunion du 10 septembre 1941 »; témoignage de Paulette Crévolin, qui fut la secrétaire du cercle d'Edmonton, au cours d'une recherche par l'auteure pour l'IRFSJUA, 20 juin 1990.

40. GA, ABP, « Réunion mensuelle du comité de la France-Combattante, Calgary, 26 mai 1943, « Vancouver », *La Survivance*, 22 janvier 1941.

41. Témoignage de René Mahé.

42. Témoignage de Thérèse Champagne-Schiesser lors d'une conversation concernant les papiers de notre aïeul et la France Libre.

Si cette cause qu'Alexandre Mahé prend à cœur provoque un dialogue intense localement, c'est aussi le cas dans toutes les communautés de langue française de l'Amérique du Nord. Dans *Le Conseil de la vie française, 1937-1967*, Paul-É. Gosselin note que « les querelles entre pétainistes et gaullistes faillirent en ruiner l'existence » [du conseil], ce qui est confirmé par Éric Amyot dans son étude à ce sujet[43]. *La Survivance*, comme la plupart des journaux de langue française au Canada, prônera longtemps la perspective pétainiste. Par contre, en janvier 1941, trois des lettres d'Alexandre Mahé, portant « St-Vincent, Alberta, Canada » comme adresse, paraissent dans le journal franco-américain *Le Travailleur*. La première, signée « A.M. » et adressée au rédacteur Beaulieu, appuie la France Libre, alors que le mouvement n'est pas encore pris au sérieux[44].

> Pauvre France ! qui aurait prévu une pareille catastrophe ? tout perdre... Nous avions trop mis notre confiance dans quelques vénérés vieillards qui n'avaient plus les aptitudes pour diriger les terribles événements de ces jours de deuil. Et maintenant, la tâche surhumaine de refaire la France, notre France retombe sur les Français du dehors[45]...

La deuxième lettre aborde la question de la capitulation de Léopold III telle qu'elle est présentée dans un article qui loue le roi des Belges, publié dans *Le Travailleur* au début de décembre, écrit par le jésuite Paul de Mangeleere[46]. La lettre d'Isidore Cassemottes paraît en première page; il est d'avis qu'il faut juger le roi avec un esprit critique, puisque l'information à son sujet n'a pas encore été étudiée à fond par les juges militaires et qu'il est trop tôt pour le considérer comme « un héros des temps modernes », comme le propose de Mangeleere[47].

En février 1941, une contribution de taille d'Isidore Cassemottes est publiée dans *Le Travailleur* concernant la ville de Dakar. Depuis le mois d'août 1940, sous les directives de Churchill et de De Gaulle, elle est devenue un haut lieu d'intérêt à la suite de l'échec de sa mise sous le contrôle des Forces françaises libres et des Alliés, qui avaient rallié la France équatoriale française et espéraient intégrer l'alliance de l'Afrique occidentale française par le Sénégal et sa capitale[48]. Ayant vécu une dizaine d'années en Afrique,

43. Gosselin, *Conseil de la vie française*, p. 111; Amyot, *Le Québec entre Pétain et De Gaulle*.

44. A.M., « Le cas du roi Léopold », *Le Travailleur*, 2 janvier 1941; Jean-Louis Crémieux-Brilhac, *La France libre, de l'appel du 18 juin à la Libération*, Gallimard, 1996, p. 217-219.

45. A.M., « Le cas du roi Léopold », *Le Travailleur*, 2 janvier 1941.

46. « Justice !... », Paul de Mangeleere, *Le Travailleur*, 5 décembre 1940.

47. « Justice !... ? », Isidore Cassemottes, *Le Travailleur*, 9 janvier 1941.

48. Crémieux-Brilhac, *La France libre*, p. 116-120.

Mahé fait un résumé de l'histoire de Dakar et explique son importance stratégique dans la présente guerre.

Comme beaucoup de Français de sa génération, il est fier de la puissance coloniale de son pays d'origine et il n'hésite pas à le défendre. Cela est confirmé dans une lettre que le président de l'ACFA, le docteur L.O. Beauchemin, lui adresse au printemps de 1941, approuvant la missive qu'il a envoyée au rédacteur du *Farm and Ranch Review* de Calgary à propos de quelques réflexions négatives concernant les colonies françaises. Ayant devant lui une copie de la lettre de Mahé, Beauchemin répond qu'il préfère attendre avant d'écrire au rédacteur, afin de mieux connaître sa réaction[49]. La réponse ne tarde pas à venir, le rédacteur admet son ignorance de la situation et s'excuse d'avoir laissé passer les propos de son correspondant; il termine en disant qu'il sympathise avec la cause du général De Gaulle, admire son courage et son énergie, mais qu'il regrette le sentiment anti-britannique trop souvent associé à ce mouvement[50].

Si Alexandre Mahé est très engagé dans le discours concernant la France Libre et De Gaulle, aucune lettre de lui ne paraît dans *La Survivance* avant le début de février 1942. Si ce journal se disait être sans affiliation politique et que des articles de différentes tendances étaient publiés, cela n'empêchait pas pour autant la rédaction d'avoir sa propre perspective. Par exemple, lorsqu'un bref communiqué annonçant une réunion, à Edmonton, du Comité local de « France quand même » (un des divers noms du regroupement de la France Libre) est publié à la page éditoriale le 7 janvier 1942, il est suivi d'un article de la rédaction déplorant les différentes prises de position concernant De Gaulle et Pétain. Il n'est pas étonnant que *La Survivance* appuie le maréchal Pétain; cette position était presque exclusivement celle du clergé catholique canadien-français. Pour compliquer l'intrigue, le gouvernement canadien poursuivait encore, à cette date, ses relations diplomatiques avec Vichy.

Paul-Émile Breton, rédacteur de *La Survivance*, publie un article de fond sur le sujet, « Pourquoi se mépriser », le 28 janvier 1942. Il y critique un article qui appuie la conscription et attaque ceux qui approuvent encore

---

49. IRFSJUA, Dr L.O. Beauchemin à A. Mahé, Calgary, 23 avril et 2 mai 1941. GA, ABP; si le docteur Beauchemin appuie la cause de la France Libre, à cette date, il n'a pas encore assisté à une seule des réunions du groupe de Calgary. La première mention de son nom concerne plutôt son épouse, alors qu'elle donne un thé au profit de l'église de la Sainte-Famille auquel les membres du comité sont tous priés d'assister, en juillet 1942. Le docteur fait plusieurs propositions à la réunion du 25 novembre 1942 et c'est la première fois que sa présence est notée. Il devient ensuite un membre plus actif.

50. L. Peterson, president and publisher, *The Farm and Ranch Review*, to Mr. A. Mahe, April 25, 1941.

Pétain et le régime de Vichy, article qui avait été publié, en français, dans l'édition du samedi d'un des quotidiens de langue anglaise de la ville, l'*Edmonton Bulletin*, et qui fait aussi allusion à sa parution dans l'*Edmonton Journal*[51]. Breton reproduit aussi l'article pour ses lecteurs et décourage fortement l'opposition Pétain et De Gaulle, qu'il considère comme une dispute de « clan », et demande que la campagne de dénigrement cesse[52]. Le sujet est doublement sensible, puisque le Canada se retrouve encore une fois en pleine crise de conscription et qu'un plébiscite fédéral doit avoir lieu le 28 avril 1942.

L'affaire du *Bulletin*, le plus important journal de la ville d'Edmonton, et lu un peu partout dans la province, fait couler beaucoup d'encre dans *La Survivance*. En 1942, le *Bulletin* consacre une page entière de son édition du samedi à la France Libre et à la campagne de Charles de Gaulle. Pendant près d'un an et demi, des articles de fond, toujours en français, sont publiés presque chaque samedi; la grande majorité sont des communiqués de l'organisation de la France Libre. Devant cette concurrence, on a la nette impression que la rédaction de *La Survivance* craint de faire piétiner ses plates-bandes, mais aussi que les désaccords des Franco-Albertains fassent surface en plein jour. Dans « Pourquoi se mépriser ? », Breton semonce les brebis égarées qui osent dénoncer Pétain[53]. La semaine suivante, il critique l'*Edmonton Bulletin* pour sa « campagne injurieuse contre les Canadiens français » – une « menace à l'unité du pays »; le dernier des trois sous-titres pose la question « La démocratie[54] ? » Les Canadiens français, précise-t-il, sont Canadiens avant d'être impérialistes. Dans les semaines qui suivent, le « Courrier des lecteurs » attire aussi la foudre de quelques habitués du journal, visant surtout un des auteurs du *Edmonton Bulletin*, qui dit se nommer « Roland Morrier » et qui soutient la perspective pétainiste de Breton, du cardinal Villeneuve et du gouvernement de Vichy[55].

Isidore Cassemottes reprend aussi sa plume pour commenter l'éditorial de Breton, « Pourquoi se mépriser ? »; sa lettre est publiée la semaine suivante. Si l'éditorial est au point, écrit-il, « le caractère sourcilleux des Français ne l'acceptera pas en bloc : histoire peut-être de tiques. Du reste, ces Français, ça rouspète partout et toujours[56] ». L'éditorial de Breton est inspiré

51. « La Tribune libre », *La Survivance*, 4 mars 1942.

52. *La Survivance*, 4 février 1942.

53. « Pourquoi se mépriser ? », *La Survivance*, 4 février 1942.

54. Paul-Émile Breton, « Le cri de race est lancé », *La Survivance*, 11 février 1942.

55. La réconciliation et la bonne entente chrétienne sont les approches que prônent *Un Français tout court* et *C.-L.S.* en s'adressant à « La Tribune libre », *La Survivance*, 4 février 1942.

56. Isidore Cassemottes, « Monsieur le Rédacteur », *La Survivance*, 11 février 1942.

d'une allocution du cardinal Villeneuve, qui cherchait aussi à calmer les esprits dans les régions de Montréal et de Québec, écrivant : « Pourquoi se mépriseraient-ils réciproquement, quand ils travaillent sincèrement et héroïquement pour la même France. » Mais le problème, rappelle Cassemottes, est que Pétain collabore avec l'envahisseur nazi. Les résistants français qui se font prendre en France sont condamnés à mort et fusillés par des Français, aux ordres du maréchal. Si Pétain avait vraiment du pouvoir, poursuit Cassemottes, il utiliserait son droit de grâce, mais il ne le fait pas. Cassemottes conclut :

> [Il] serait imprudent et même dangereux de la part du Canada de rompre les relations diplomatiques avec le gouvernement de Vichy; mais les particuliers ne sont point tenus d'employer des termes à l'eau de rose quand ils appellent un chat, un chat et le gouvernement de Vichy « un faux... un mirage[57] ».

Il compare la situation à celle que Jeanne d'Arc a affrontée au lendemain de la bataille d'Azincourt (25 octobre 1415), alors que les intrigues de collaboration avec l'ennemi anglais étaient courantes.

Cassemottes ajoute que l'encre n'était pas sèche sur sa lettre que la station WRUL de Boston annonçait sur les ondes courtes qu'un vapeur de Saint-Étienne débarquait une cargaison à Tunis, pour Rommel en Lybie, information transmise par les services de renseignements de Washington, que Cassemottes considère fiables. Quel crève-cœur, termine-t-il, de voir un tel gouvernement présidé par un glorieux maréchal de France, mais « [...] comment nommer un gouvernement qui n'est même pas maître chez-lui[58] ? » Le débat continue de faire rage dans les pages de *La Survivance* et dans celles de l'édition du samedi de l'*Edmonton Bulletin*. Mais Alexandre Mahé se retire du débat qui s'enflamme au sujet de la conscription[59].

Les articles modérés d'Étienne Michaud, organisateur et président du comité de la France Libre à Edmonton, qui passent aussi dans l'*Edmonton Bulletin* et qui sont basés sur des événements courants, n'attirent point les critiques comme celles de Roland Morrier[60]. Michaud, un ancien marin, appuie solidement la cause du combat de la France Libre et ses articles sont irréprochables. Le premier, dont nous ne savons pas la date exacte, probable-

57. *Ibid.*

58. *Ibid.*

59. Il rectifie une de ses fautes, ayant écrit « message » au lieu de « causerie » du cardinal Villeneuve, et il signale deux typos, « entérinée » au lieu de « exténuée » et « pourraient encore » au lieu de « pouvaient encore ». Il signe son nom. A. Mahé, « Courrier du lecteur », *La Survivance*, 18 février 1942.

60. GA, Étienne Michaud Papers, M837, coupures de presse, « Morts pour le Canada », s.d.; « Un desastre [*sic*] maritime », *Edmonton Bulletin*, 28 février 1942.

ment de l'automne de 1941, intitulé « Morts pour le Canada », rappelle la perte de la flotte de la France Libre, torpillée au large de Saint-Pierre-et-Miquelon par des sous-marins allemands dans l'embouchure du fleuve Saint-Laurent et où trente-deux marins ont trouvé la mort. Le deuxième article, du 28 février 1942, « Un desastre [*sic*] maritime », explique comment le grand paquebot *Normandie*, que le général De Gaulle aurait bien aimé avoir pour sa flotte et qui venait de couler dans le port de New York, était victime d'un acte de sabotage extrêmement bien organisé.

En août 1942, une deuxième lettre d'Isidore Cassemottes paraît dans *La Survivance* sur deux sujets de guerre, les alliances politiques et la propagande allemande[61]. Il commente l'excellence d'un article de Jean Patoine concernant la religion en Russie, mais il conteste l'opinion selon laquelle une alliance entre la Russie et les Alliés serait obligatoirement néfaste pour la civilisation et la religion. De telles coalitions ont déjà existé et il cite celle de François Ier avec le Grand Turc au lendemain de la bataille de Pavie, perdue par les Français en 1525. Dans ce cas, elle fut avantageuse pour tous ceux concernés et, malgré des prédictions de désastre, elle garantissait plus de liberté religieuse. Cassemottes trouve que ceux qui voient dans l'alliance des Soviets et des Alliés la fin catastrophique de la chrétienté voient « probablement aussi juste que ceux qui prédisaient la même chose en 1525[62] ».

Dans la même lettre, il critique la présence d'un article intitulé « Des enfants et du sang nouveau pour la France[63] ». Il admet être surpris que ce texte qui « sent le Boche à plein nez » ait été publié tel quel dans le journal franco-albertain sans aucun avis ni commentaire.

> [Si] les lecteurs de *La Survivance* possèdent des idées assez précises et justes sur [...] l'amélioration du bétail, ses colonnes ne permettent guère la discussion du sujet. Quant au mythe de la dégénération de la race française, c'est une vieille rangaine [*sic*] de fous ou de crapules [...] Au fait, cette abracadabrante annonce venant de Vichy ne doit pas surprendre outre mesure; les débuts de la rapide fortune de Laval ne sont qu'un secret de polichinelle. Avec l'âge ce cinique [*sic*] personnage revient à ses premiers stupres, mais cette fois ce virtuose de la débauche cherche – à titre de variante – à masculiniser sa première profession. En insérant ces quelques remarques dans un prochain numéro de *La Survivance*, vous contribuerez à cicatriser les cœurs saignants que cet article a certainement atteints et les hauts le cœur qu'il a suscité[64].

---

61. Isidore Cassemottes, « La Tribune libre », *La Survivance*, 12 août 1942.
62. *Ibid.*
63. *Ibid.*
64. *Ibid.*

Les discussions concernant la France de Vichy et la France Libre vont en s'intensifiant durant cette période; la question est loin d'être simple. Si De Gaulle avait l'appui de Winston Churchill, le président américain Roosevelt l'avait pris en grippe. Les Britanniques voulaient à tout prix que les Canadiens conservent leurs relations diplomatiques avec Vichy, qui, en cas de revirement, se retrouverait dans le camp des Alliés. L'affaire se complique lorsque les forces anglo-américaines envahissent l'Afrique du Nord le 8 novembre 1942 et que l'amiral Jean Darlan, second du maréchal Pétain, connu pour sa collaboration avec les Allemands, après quelques jours se range aux côtés des Alliés[65]. C'est la « Troisième France » – celle de Pétain et de Laval sous la domination de l'Axe, la deuxième est appuyée par De Gaulle et des républicains français et l'autre, c'est celle que les Américains appuient lors de leur débarquement en novembre 1942 au Maroc et en Algérie, sous le général Henri Giraud et l'amiral Darlan[66].

Quelques jours plus tard, le 11 novembre, à Londres, le général De Gaulle, qui refuse toujours d'accepter l'armistice, prononce un discours mémorable qui rappelle que le ciment de l'unité française, c'est le sang de ceux qui sont morts pour elle. L'historien Crémieux-Brilhac considère que ce discours, qui touche les cœurs, a fait tourner le courant en faveur de De Gaulle; par la suite, les Français ne cesseront de se rallier à sa cause[67]. Dorénavant, la résistance à l'extérieur de la France se consolide et se renforce. Exclu du jeu par Roosevelt et Churchill, De Gaulle ne fait rien en ce qui concerne l'Afrique du Nord et il se concentre sur l'Afrique occidentale, où il est solidement appuyé. Dans la confusion initiale du débarquement américain à Alger, les Alliés anglo-américains ne réussissent pas comme ils le souhaitent et les Allemands réussissent à occuper la Tunisie. Si Darlan cède le contrôle des Forces de l'air et de terre à Giraud, on sait qu'il conserve le régime répressif et raciste mis en place par Vichy. Lorsqu'il est assassiné, le 24 décembre 1942, le général Giraud lui succède comme chef des armées françaises à l'extérieur de la France. Il est alors question que De Gaulle cède sa place comme chef des Forces françaises libres à Giraud, qui le devance en rang, étant un général cinq étoiles.

La question Giraud-De Gaulle suscite des réactions considérables au sein de la communauté franco-albertaine. Lorsque le rédacteur Paul-Émile Breton publie son article de fond « À quand l'entente », il se prononce et il

---

65. Crémieux-Brilhac, *La France libre*, p. 429.

66. Crémieux-Brilhac, *La France libre*, p. 440; Jean-François Muracciole, *Histoire de la France libre*, Presses universitaires de France, 1996, p. 49-51.

67. Crémieux-Brilhac, *La France libre*, p. 427-429.

souhaite que De Gaulle se conforme à Giraud. Mais le président du cercle de la France combattante de Calgary, Baptiste Cayron, lui adresse un reproche, précisant que de nombreux membres de son organisme trouvent son attitude fâcheuse et qu'en « dépréciant cette mesure de sagesse prise par notre chef, le Général de Gaulle, vous suscitez notre complète réprobation[68] ». Cayron est d'avis que « l'entente entre Français contre l'ennemi s'impose », mais cela « n'implique pas, cependant, que certaines fautes contre la France doivent être si vite oubliées[69] ».

Une riposte de la rédaction du journal suit l'article de Cayron. Celle-ci loue le général Giraud d'avoir dit qu'il ne se mêle pas de politique et recevoir l'appui des hauts placés comme Churchill et Roosevelt; entre-temps, la France Libre collabore avec les communistes et se bat pour tel ou tel parti français[70]. Il est vrai que Giraud se vante de ne jamais lire les journaux et de n'avoir que du dégoût pour la politique[71]. Évadé d'une prison allemande en avril 1942, il ne songe qu'à réarmer la France, et il s'allie avec les Américains pour cette raison, car ils sont les seuls qui ont des armements pour pouvoir le faire. Arrivé à la direction de l'armée française d'Afrique du Nord, il intègre sous sa direction d'anciens vichyssois, qui ont collaboré avec le régime nazi, ayant même fait feu sur les Alliés. Bien plus, il ne désavoue pas les politiques de Vichy et laisse en place des lois antisémites instaurées en Algérie par Pétain. C'est surtout à cause de sa lenteur à abolir ces lois répressives que De Gaulle tarde à lui céder les rênes.

Lorsqu'elle fait fureur, la querelle Giraud-De Gaulle provoque des discussions de grande intensité, et ce, partout dans le monde. En mars 1943, Alexandre Mahé adresse deux lettres à *La Survivance* concernant ce débat. S'il signe la première de son nom de plume, il le délaisse la semaine suivante pour mieux exprimer son engagement, terminant avec « Rosser les Boches, tout est là, c'est la chose essentielle et primordiale », qu'il signe, A. Mahé[72]. Sans doute, le choix des titres est à la discrétion du rédacteur; la lettre du 17 mars porte « Giraud-de Gaulle », tandis que celle du 24 mars est intitulée « De Français à Français ». En Alberta, la lettre de Cayron appuyant De Gaulle suscite une réponse de Philippe Montaig qui paraît dans le numéro du 10 mars. Montaig applaudit « la lettre vibrante de patriotisme de Mr Cayron »,

---

68. Baptiste Cayron, « La France Libre », *La Survivance*, 24 février 1943.

69. *Ibid.*

70. Paul-Émile Breton, « Note de la rédaction », « Opinion du lecteur », *La Survivance*, 24 février 1943.

71. Muracciole, *Histoire de la France libre*, p. 45.

72. Isidore Cassemottes, « Opinion du lecteur », *La Survivance*, 17 mars 1943; A. Mahé, « De Français à Français », « La Tribune libre », *La Survivance*, 24 mars 1943.

mais il suggère que De Gaulle prenne « une attitude franchement sympathique » envers ceux qui ont été obligés de collaborer avec l'ennemi et d'oublier leur passé malheureux pour mieux rallier les forces et battre l'Allemand[73].

C'est une lettre à laquelle Alexandre Mahé se croit obligé de répondre. La semaine précédente, il avait souligné que les prises de position des Canadiens et des Français concernant la querelle Giraud-De Gaulle ne devaient pas être vues comme « de la bisbille entre cousins[74] ». Il s'agissait d'une différence de perception et de connaissance du fond de l'histoire, les Français étant les acteurs, les autres ne pouvant être que des spectateurs. Il était important de comprendre les Français et de les écouter. Cette inattention à la situation interne avait causé des problèmes aux Alliés anglo-américains lors de leur débarquement en Afrique du Nord; ils n'avaient pas bien compris l'ampleur de l'appui pour Vichy dans cette région. Cette bavure avait mené à la perte de la Tunisie au profit des Allemands, une situation ayant de curieuses analogies avec ce qu'avait connu Jeanne d'Arc à la suite de la délivrance d'Orléans[75].

Dans sa deuxième lettre, Alexandre Mahé commente les idées avancées par Montaig et pense qu'elles se rapprochent de celles d'Antoine de Saint-Exupéry. L'appel de celui-ci est fort connu pour avoir été publié dans le *New York Times* du 29 novembre 1942 et reproduit plus tard dans *Le Travailleur*, comme un peu partout dans la presse nord-américaine, en anglais et en français[76]. Mais, rappelle-t-il, malgré son grand prestige, Saint-Exupéry a été sévèrement repris par l'éminent philosophe Jacques Maritain, lui aussi réfugié aux États-Unis, qui précise qu'en dépit des idées nobles de son compatriote de ne pas juger ni condamner les Français « en otage » dans leur pays, il est parfois essentiel de porter un jugement.

Le problème de la lettre de Montaig, poursuit-il, c'est qu'elle entremêle le vrai et le faux. La question primordiale est de savoir si les chefs français ont eu tort de solliciter l'armistice. Aussi, il est important de savoir si,

---

73. Ph. Montaig, « L'entente entre Français », « L'opinion du lecteur », *La Survivance*, 10 mars 1943.

74. Cassemottes, « Giraud-de Gaulle », *La Survivance*, 17 mars 1943.

75. *Ibid.*

76. A. Mahé, « De Français à Français », « Opinion du lecteur », *La Survivance*, 24 mars 1943; Crémieux-Brilhac précise que cette lettre de Saint-Exupéry était très connue, son appel fut diffusé sur les ondes de la radio américaine avant d'être publié dans le *New York Times* en anglais et ensuite en français, plaidant pour l'union des Français, tout en justifiant l'armistice et le rôle de Pétain, *La France libre*, p. 444. Certaines de ces idées avaient déjà été exprimées dans *Courrier de guerre*, publié en 1942, et furent reprises dans la dernière partie de *Lettre à un otage*, publiée en février 1943 à New York – mais sans nommer Pétain. Voir Antoine de Saint-Exupéry, *Œuvres*, Gallimard, Bibliothèque de la Pléiade, 1959, p. 403-405.

comme l'écrit Montaig, « la clique de politiciens véreux que Pétain traduisit devant un tribunal » étaient vraiment si malhonnêtes que le prétendait le vieux maréchal. L'un de ces politiciens « véreux », rappelle Alexandre Mahé, est Charles de Gaulle, dont le projet de loi sur la mécanisation de l'armée avait été refusé par la Chambre des députés de France, faiblesse qui mena à la capitulation subite du pays devant Hitler. Ce sont les deux questions essentielles, précise-t-il; opposer De Gaulle et Giraud sur des questions secondaires ne vaut rien du tout.

Au début d'avril 1943, dans un article au *Travailleur*, Cassemottes reprend encore une fois le sujet. Le *New York Times* est très influencé par la perspective du président américain, Franklin Delano Roosevelt, qui appuie fortement Giraud. Cassemottes explique qu'il ne croit pas que Giraud ait un droit plus légitime à la direction que De Gaulle, mais il les voit surtout comme des égaux parce qu'ils contribuent à la France. Il reconnaît que *Le Travailleur* est très influencé par la perspective américaine et il signale comment un grand nombre d'articles qui paraissent dans les journaux sont le produit de « certains grands réfugiés de France, qui ont cru apporter à l'Amérique un souffle de la France éternelle et la *vérité*. Ces malheureux... hélas ! ont surtout apporté la confusion[77] ! » Malgré son long exposé de 3 000 mots, la rédaction reproduit à la suite de sa lettre un article du *Messager* de Lewiston (Maine) portant le titre de « À quoi se résume, en réalité, la controverse De Gaulle-Giraud », qui assure les lecteurs que De Gaulle est un insoumis et que Giraud est le chef légitime des Français hors de France.

Dans son histoire *La France libre*, Crémieux-Brilhac rappelle ce que ni Alexandre Mahé ni la rédaction du *Travailleur*, du *Messager* et de *La Survivance* ne semblent connaître à l'époque. Les lettres écrites en prison de Giraud à Pétain, à qui il assurait sa collaboration toute entière, avaient été publiées en janvier 1943 dans le très populaire magazine américain *Life*, ce qui avait soulevé un tollé général au sujet de Giraud[78]. Au printemps de 1943, la publication du mémoire de Giraud à Pétain sur les causes de la défaite, un texte dans lequel il dénigre le « matérialisme » des Français, scandalise les Britanniques qui s'inquiètent des conséquences d'avoir pour chef des Forces françaises libres un homme qui admet ne même pas croire aux principes démocratiques. À l'unisson, tous se tournent vers le général De Gaulle et, en août 1943, il est incontestablement considéré comme le chef des Français et on ne parle plus de Giraud.

---

77. « De Gaulle-Giraud », Isidore Cassemottes, *Le Travailleur*, 8 avril 1943.

78. Crémieux-Brilhac, *La France libre*, p. 460-462.

S'il y a eu des commentaires des lecteurs du *Travailleur* au sujet de la lettre de Mahé, rien n'a été publié à cet effet. Mais dans les pages de *La Survivance*, le débat se poursuit, car Montaig, pas trop heureux de la réponse qui lui a été adressée, répond à son tour. Cet habitant de la petite communauté d'Énilda dans la région de Rivière-la-Paix est aussi d'origine française, en plus d'être un ancien combattant de la Première Guerre mondiale. Il se dit fier que sa lettre figure en compagnie de celle du si illustre Saint-Exupéry, mais Montaig, tout en appuyant le maréchal Pétain, révèle ses tendances réactionnaires en se plaignant des pratiques socialistes courantes en France et en disant désirer non seulement « rosser le Boche », mais l'abattre, « le supprimer comme une bête malfaisante qu'il faut attacher[79] ». Mahé ne lui adresse aucune réponse.

Mais depuis le printemps de 1943, en Alberta, le vent a aussi tourné en faveur de l'effort de guerre. Entre mars et juin de cette même année, *La Survivance* publie plusieurs listes de combattants franco-albertains ainsi qu'un article sur une collecte de fonds à Calgary pour la France Libre, où est présent le Dr L.O. Beauchemin, président de l'ACFA et ancien agent consulaire de la France, précise-t-on[80]. L'ordre établi s'est finalement rallié aux « renégats ». L'ancienne secrétaire du comité de la France Libre d'Edmonton nous a assuré que le clergé et la rédaction de *La Survivance* étaient ouvertement pétainistes et que certains des curés évoquaient le sujet en chaire[81]. Mais, disait-elle : « Nous les laissions parler et nous nous organisions quand même. » Elle rappelait aussi que certains membres du clergé étaient gaullistes et militaient activement pour cette cause. Le clergé et les laïcs se ralliaient à cause de leur amour pour la France, dont certains étaient citoyens, et où ils avaient encore de la famille. Paulette Crévolin était encore adolescente lorsqu'elle s'est jointe au groupe de la France Libre, mais puisqu'elle savait dactylographier, elle en devint immédiatement leur secrétaire. Ce travail de bénévolat lui fut très utile, car elle fut ensuite active dans la fondation de l'Alliance française à Edmonton, agent consulaire pour la France à Edmonton après la guerre et, surtout, secrétaire de Lucien Maynard, avocat et politicien d'Edmonton.

Ce n'est que vers la fin de la guerre qu'Alexandre Mahé revient commenter au sujet du conflit mondial en répondant à une lettre de Marcel

---

79. P. Montaig, « En réponse à M. Mahé », « Opinion du lecteur », *La Survivance*, 14 avril 1943.

80. « Première liste de nos compatriotes de l'Alberta en service actif », 24 mars 1943; « Liste de nos militaires canadiens-français de l'Alberta », 7 avril 1943; « Nos militaires », 14 avril 1943; « Les Canadiens français font leur part », 5 mai 1943; « France Combattante de Calgary », 30 juin 1943, *La Survivance.*

81. Témoignage de Paulette Crévolin, 20 juin 1990.

Denault de Thérien, qui avait écrit à *La Survivance*, le 9 mai 1945, demandant si la cause de la guerre devait être attribuée à la classe dirigeante ou au peuple dirigé. Il cite l'article de *France-Libre* du 15 septembre 1944, intitulé « Le traité de Versailles a 25 ans », où l'auteur, Léopold Schwartzchild, soutient que pour la Première Guerre mondiale, comme pour la deuxième, il s'agit d'une lutte pour empêcher que l'Europe (et le monde) soit dominée par une seule puissance, situation périlleuse pour la sécurité et la prospérité des nations d'outre-mer, qui a suscité l'engagement des Américains dans le conflit[82]. Tout en pensant que la géographie y est pour quelque chose, Cassemottes admet qu'il ne comprend plus « la civilisation moderne, ou barbare ». Il ajoute en terminant que la conférence mondiale des nations à San Francisco, qui se déroule en ce temps, a la tâche délicate et formidable de diviser également les territoires et qu'il faut à tout prix éviter de répéter les erreurs de l'histoire en cédant la maîtrise du pouvoir à une seule puissance, car les Russes ont droit à ce partage, malgré l'effort des Américains pour les baillonner. Il est certain que ce n'est que son opinion, mais il se prononce, et la rédaction de *La Survivance* continue de publier ses lettres.

Après la Deuxième Guerre mondiale, les lettres d'Alexandre Mahé à *La Survivance* traitent de sujets beaucoup moins pénibles que ceux des années précédentes. Dans l'une d'elles, il reprend un de ses thèmes préférés : la valorisation de la langue et de la culture françaises. De chez lui, il avait écouté les émissions venant de la conférence mondiale pour l'établissement des Nations Unies à San Francisco en 1945. Lorsqu'en 1955, Radio-Canada diffuse une série sur l'établissement de la charte des Nations Unies, « Reportage à travers le temps », il l'écoute avec grand intérêt. Mais reprenant la plume de Cassemottes et, au risque d'être classé « parmi les vieux grincheux et grognons qui d'une bagatelle font une montagne », il rappelle un fait divers ayant rapport à l'usage du français dans ces grandes assemblées[83]. Sans doute son intention est-elle de démontrer aux lecteurs franco-albertains, qui deviennent de plus en plus anglophiles, que le français est encore apprécié ailleurs au monde. Il considère qu'il faut souligner les instances où d'autres peuples reconnaissent l'importance de la langue française.

La série de Radio-Canada avait négligé de faire mention du débat qui avait eu lieu concernant le français lors de la conférence de San Francisco. Alexandre Mahé l'écoutait de son poste de radio et la réception des ondes

---

82. Isidore Cassemottes, « Pour essayer de comprendre », « Opinion du lecteur », *La Survivance*, 23 mai 1945.

83. Isidore Cassemottes, « Reportage à travers le temps à Radio-Canada », « La Tribune libre », *La Survivance*, 31 mars 1954.

courtes était particulièrement bonne en ce jour, car il avait entendu en direct, et sans interruption, un délégué russe dans la salle de conférence à San Francisco[84]. À la suite de la lecture de la traduction anglaise du discours qu'il venait de donner en russe, ce dernier avait enchaîné avec la version française. Le président de l'Assemblée était intervenu et avait demandé qu'il cesse son discours, qu'il trouvait superflu, mais le délégué l'ignora. Se faisant interrompre une seconde fois par le président, qui lui assura que le discours en français n'était pas nécessaire, ce fut au conférencier russe d'insister et de préciser qu'au contraire, le français était une langue internationale et qu'il était important que les nombreux délégués qui ne comprenaient que le français entendent aussi son discours, qu'il reprit et qu'il termina[85].

Les chauds débats qui sont menés dans les pages de *La Survivance* et du *Travailleur* démontrent qu'une certaine couche de la francophonie albertaine se sent directement concernée par la Deuxième Guerre mondiale. Si ceux qui écrivent aux journaux ne sont pas tous du même avis qu'Alexandre Mahé, les rédacteurs s'intéressent aux discussions de leurs lecteurs, puisqu'ils publient leurs lettres. Nous constatons aussi que, malgré leur relatif éloignement du conflit, les Franco-Albertains se tiennent à la page avec les moyens qu'ils ont; à cette époque où les conditions matérielles s'étaient améliorées, la radio avait maintenant une place importante.

En ce qui concerne Alexandre Mahé, il n'hésite pas à se prononcer dans le débat, citant les journaux ou des émissions entendues à la radio, dans l'espoir d'aider à éclaircir les problèmes épineux concernant la France. Il nous semble aussi que ses interventions ne se font que lorsqu'il considère qu'un sujet a une certaine importance. Sa petite lettre de félicitation au Dr Aristide Blais lors de sa nomination au Sénat en est un exemple. Aussi, sa courte série de poèmes adressée au Goffeur vise à amuser et à intéresser un public qui ne semble pas beaucoup lire le seul journal de langue française en Alberta. Avec la capitulation de la France et la résistance du général De Gaulle, Alexandre Mahé donne son avis sur cette situation compliquée qui n'est pas très bien comprise par les médias. Pour lui, il est important de comprendre la perspective d'un Français expatrié, car les discours des politiciens au sujet du général De Gaulle et du maréchal Pétain sont variés et la confusion est

84. *Ibid.*

85. Puisque la délégation américaine est la plus nombreuse à l'assemblée, la présidence leur revient. Le délégué Edward Stettinus, secrétaire d'État américain, en devient le président, mais au début, il a de la difficulté à bien mener les débats des conférenciers. Dans ses mémoires, l'honorable Lester B. Pearson explique que celui-ci s'améliore après un certain temps. Voir *Mike, the Memoirs of the Rt. Ho. Lester B. Pearson*, Vol. 1, *1897-1948*, University of Toronto Press, 1972, p. 274.

grande. Après la guerre, il peut se permettre de revenir dans un domaine qu'il connaît bien, la promotion du français. Avec le cas de la série radiophonique de Radio-Canada, il se permet de commenter une émission et de donner son opinion. D'après lui, il est important de se prononcer; c'est ainsi que peuvent se faire les améliorations.

# Chapitre X

## « La force des faibles[1] » : le temps des bilans

Entre 1945 et 1963, environ deux douzaines de lettres d'Alexandre Mahé sont publiées par le rédacteur de *La Survivance*. Comme par le passé, elles commentent généralement un article dans le journal ou, de temps à autre, maintenant que la radio de langue française commence à se faire entendre en Alberta, elles font référence à des émissions de radio, captées sur les ondes courtes ou longues. Depuis 1949, après une longue lutte, face à beaucoup d'opposition, les Franco-Albertains ont leur propre station à Edmonton, CHFA, et son antenne est dirigée vers le nord de la province, où habitent la majorité des Canadiens français. C'est l'aboutissement de plus de dix ans d'efforts et de campagnes de financement à l'intérieur de la province ainsi que dans l'est du pays[2].

Alexandre Mahé encourage cette cause : il aide aux collectes de fonds et y contribue lui-même, mais nous n'avons pas recensé de ses lettres à ce sujet durant ce temps[3]. Après, il fera plusieurs fois référence aux vaillants efforts de ses concitoyens. Lorsque la station de radio CHFA est installée, il commentera de temps à autre les émissions qu'il y entend, écrivant au sujet de leur contenu presque comme s'il s'agissait d'articles dans le journal, touchant soit Radio-Canada, soit la conférence d'inauguration des Nations Unies à San Francisco, soit le message de Noël du Pape, en 1947, diffusé de Rome[4].

---

1. Isidore Cassemottes, « La force des faibles », « La Tribune libre », *La Survivance*, 19 mars 1954.

2. Bélanger, « La fondation de CHFA », p. 123-146; Lacombe, *Paul-Émile Breton*, p. 61-80.

3. Témoignages de René Mahé et de Germaine Champagne.

4. Isidore Cassemottes, « La force des faibles », 19 mars 1954; « Reportage à travers le temps à Radio-Canada », 31 mars 1954; « Réflexions sur un message de Noël », *La Survivance*, 7 janvier 1948.

C'est pour lui le temps des bilans et au lieu de broyer du noir au sujet des pertes linguistiques, qui sont constamment en évidence dans son milieu minoritaire, avec l'aide d'autres lecteurs de *La Survivance*, il fait le tour des gains et des contributions de la francophonie albertaine. Par les lettres, qu'il adresse à ses compatriotes, il essaie de les encourager et il tâche de leur démontrer qu'ils possèdent de très grandes forces. Alexandre Mahé jongle aussi avec l'histoire du passé métis et missionnaire de la région et il compose une ode à ce sujet lors de l'érection canonique du diocèse de Saint-Paul. Se faisant le barde de son pays, il prend le temps de célébrer ce gain des Canadiens français catholiques de la province. Il médite aussi sur le sens de la fête de Noël avec une deuxième contribution en vers, durant cette période, au journal franco-albertain. Si on perçoit un ralentissement dans la production de ses correspondances durant cette dernière partie de sa vie, les divers sujets qu'il aborde dans ses écrits sont néanmoins à point sur les besoins et les gains de la francophonie provinciale.

## Le forum du courrier des lecteurs de *La Survivance*

En 1954, un article écrit en jargon portant le titre provoquant « Vous perdez du terrain », signé « Un Bon Canayen », soulève une vive réaction de la part d'Isidore Cassemottes et de plusieurs autres lecteurs de *La Survivance*[5]. L'analyse de la lettre du « Bon Canayen » et de celles de ses « partisans », d'après leur style coq-à-l'âne et la panoplie d'attaques stéréotypées qu'ils lancent aux lecteurs et aux correspondants, donne nettement l'impression d'un coup monté. Alexandre Mahé se méfie dès le début, pensant que l'article du « Bon Canayen » pourrait être un canular et il le signale dans sa première lettre à ce sujet. Et il est tout à fait possible que le rédacteur se soit fait avoir, car en 1953, Paul-Émile Breton, qui avait été rédacteur pendant quinze ans, venait de prendre sa retraite et son successeur, Séverin Pelletier, devait moins bien connaître ses lecteurs[6].

Dans une courte lettre à « La Tribune libre », « Un Bon Canayen » se dit convaincu qu'il est inutile d'essayer de conserver le français en Alberta et que les avantages socioéconomiques sont nettement meilleurs si on utilise l'anglais. Il débobine les clichés courants concernant l'assimilation :

> [...] Pardé don pas vot tant, travaillé avec nous autes les sages qui savai que ça sans venait. Pourquoi la chicane. On peu ête bon catholic en anglais. Y en a pas benben qui pardes leur religion [...] Les savans, venés vouz zen avec nous

---

5. Un Bon Canayen, « Vous perdez du terrain », « La Tribune libre », *La Survivance*, 20 janvier 1954.

6. Trottier, « Les débuts de *La Survivance* », p. 121.

> autes et pu de bataille. On est plus que vous autes à pensé comme moé [...] Ben vit on va tout mené pis vous auré honte[7].

Ce qui est étonnant, et qui laisse à penser qu'il s'agit d'un coup monté, est que, soudainement, il y a un véritable foisonnement de lettres à « La Tribune libre » en réponse au « Bon Canayen », particulièrement celles qui semblent venir de collégiens. Canular ou politique encouragée par l'ACFA ou la rédaction de *La Survivance*, il est impossible de le dire, mais d'autres lecteurs réagissent aussi à la lettre provocante. Et, encore mieux, ils prennent goût à la critique littéraire.

Trois lecteurs répondent au cours de la semaine suivant la parution de la première lettre, dont deux qui se disent d'accord avec le « Bon Canayen ». La semaine d'après, un autre lecteur, signant « Bravo », commente l'excellence de « La Tribune libre » qui « permet à qui que ce soit d'y exprimer son idée quoi qu'il en soit de telle ou telle clique », tandis qu'un « Voyageur parisien », qui se dit en voyage d'affaires au Canada, écrit de Vancouver qu'il a été intéressé et un peu diverti par les lettres dans « La Tribune libre » du numéro du 27 janvier[8]. Disant ne pas avoir lu la première lettre du « Bon Canayen », il suggère que le critique a peut-être exagéré, mais il remarque que le français qu'il a entendu durant son séjour de cinq semaines à Edmonton était de piètre qualité.

Une réponse d'Isidore Cassemottes paraît aussi dans ce même numéro. Selon lui, cela ne vaut pas vraiment la peine de répondre à ce genre de lettre, mais il faut tout de même le faire. Sous le titre de « Faut-il continuer ou flancher ? », il écrit que le « Bon Canayen » est un pauvre désemparé pittoresque « qui a flanché pour de bon » et avec qui il ne sert à rien de discuter[9]. Le problème est plus sérieux pour celui qui signe « Bravo Bon Canayen ! », car il est des vaincus qui ont oublié leur culture et leurs origines et qui croient que la lutte est inutile – « à moins qu'on ne se trouve en face d'un farceur, pince sans rire[10] ». Mieux vaut remercier ces pauvres transfuges de leur franchise et prendre leurs plaintes comme de la vapeur s'échappant de soupapes, poursuit-il. Par contre, il n'accepte pas qu'on dise que rien n'a été fait en Alberta,

> [...] il y a 25 ans, avait-on seulement un programme de français pour nos écoles ? Et que dire de notre poste de radio CHFA conquis à la suite de luttes épiques et de puissantes oppositions ? Et voyons ! Bon Canayen et Hermans

7. « Vous perdez du terrain », *La Survivance*.

8. Bravo, « La Tribune libre », *La Survivance*, 3 février 1954.

9. Isidore Cassemottes, « Faut-il continuer ou flancher ? », « La Tribune libre », *La Survivance*, 3 février 1954.

10. *Ibid.*

> Lajoie, n'avez-vous pas vu sur *La Survivance* la jolie liste des premiers souscripteurs du Club de la Radio qui ont versé plus de $700.00 sans autre pression qu'un simple appel; et pour quelques semaines à venir ce rythme va se maintenir. Une dette de quelques $50,000 qu'une poignée d'écouteurs amortissent en quelques années, est-ce là une reculade ? Allons, pauvres fatigués, entre deux bâillements de lassitude, sortez chacun $5.00 de votre gousset pour le Club de la Radio [...]. Continuez quand même votre abonnement à *La Survivance* et, de temps à autre donnez-y vos impressions en « Tribune Libre ». Ça fera plaisir à plus d'un lecteur quand même[11].

Que le « Bon Canayen » et ses collègues se fassent traiter de lâcheurs et de conquis ne leur sied pas; ils reviennent à l'attaque, se disant offensés, convaincus qu'ils peuvent devenir de véritables partenaires de la société anglophone. Cassemottes n'y croit pas et précise que tout Canadien français peut réussir, à condition

> que ces talents que La Providence lui a donnés, ne soient pas tous d'abord étouffés par un système vicieux de première éducation contraire à son cœur et à son esprit. [...] Vouloir dès sa prime enfance lui imposer une autre forme de pensée est un acte stupide de déformation mentale. Pourquoi, par exemple, ne pas accorder aux Canadiens français en minorité dans les provinces à majorité anglaise le même traitement et les mêmes avantages que reçoit la minorité anglaise dans la province de Québec ? C'est ce que les Canadiens français réclament, et tant qu'ils ne leur sera pas donné justice, ils restent en droit et en fait sous le régime des vaincus des Plaines d'Abraham[12].

Il termine en citant la lettre de son interlocuteur, qui le visait personnellement en faisant allusion à son origine française et non canadienne : « Certes, Cassemottes a le droit de circuler librement dans ce pays » et il a « aussi le droit d'écrire la vérité et en regardant dans le miroir de l'Histoire il voit le sort des vainqueurs qui n'ont pas su raison garder[13] ». Il ajoute qu'il se peut que les lecteurs pensent que Cassemottes a tort, mais il suggère qu'il est bon de réfléchir un peu et, peut-être, verront-ils qu'il a raison. Durant les semaines suivantes, il poursuit la discussion avec modération, mais surtout, il ne répond pas directement aux propos incendiaires qui semblent lui être adressés dans la rubrique du 3 mars, dans une riposte presque incohérente intitulée « Ça bucke[14] ». Encore une fois, nos moyens sont limités en ce qui concerne la véracité du discours de la rubrique de « La Tribune libre » de *La Survivance* et il ne nous semble pas prudent d'avancer des hypothèses encore plus minces à ce sujet.

---

11. *Ibid.*

12. Isidore Cassemottes, « Le miroir de l'histoire », « La Tribune libre », *La Survivance*, 3 mars 1954.

13. *Ibid.*

14. *Ibid.*

## Le bilan des lecteurs : actifs et gains de la francophonie albertaine

Isidore Cassemottes a l'occasion de revenir à la défense des Canadiens français après avoir entendu « À mon avis », une des émissions à contenu éditorial diffusées à CHFA trois fois par semaine[15]. Il trouve que l'opinion émise par le commentateur est un peu trop sévère envers « les siens » (c'est-à-dire les Canadiens français). Il précise que les Français, tout comme les Canadiens français, sont trop rapides à se blâmer pour leur manque de réussite dans telle ou telle entreprise, tout en louant les autres groupes ethniques qui ne semblent pas avoir de défauts et, en conséquence, réussissent mieux. Mais d'après son expérience personnelle, il considère que c'est un complexe d'infériorité commun et « à chance égale et même inégale, le Français de France, d'Amérique et autres lieux du globe, peut damer le pion à quiconque, quel que soit le terrain sur lequel ils s'affrontent ». Les Canadiens français de l'Ouest ont autant de chance de réussir, mais

> [...] s'il arrive que quelques-uns se montrent hargneux, c'est parce qu'ils se sont trouvé devant une tâche momentanée au-dessus de leurs forces. Cette langue, qui s'extériorise souvent par un besoin de chicane agaçante n'est que l'effet d'une cause. Quand on veut corriger, redresser, guérir, il faut d'abord en rechercher la cause; s'attaquer à l'effet n'avance à rien, sinon à aggraver le mal. Mais au lieu de blâmer sévèrement les vôtres, je préfère moi, montrer la force des « chicaneux[16] ».

Comme exemple, il rappelle que lorsque la permission est finalement accordée aux Franco-Albertains d'ériger une station de radio dans leur province, la Société Radio-Canada leur a dit qu'ils devraient tout faire eux-mêmes et qu'ils ne recevraient aucune aide financière. Cette petite minorité, dite « faible », s'est levée et a montré ce que Cassemottes appelle « la force des faibles », une force qui agit lentement et s'appuie sur son droit; elle ne meurt pas, elle atteint son but.

Les lecteurs de *La Survivance* continuent d'écrire à « La Tribune libre » et la rubrique devient, pour la première fois depuis le début de la publication du journal, un vrai forum de discussion où sont commentés des causeries entendues à la radio et des articles publiés dans *La Survivance* et autres journaux et périodiques. Le rédacteur et le typographe de *La Survivance* doivent peiner à leur tâche, car dans un petit encadré, une note avertit les auteurs que les textes qu'ils envoient à la rédaction doivent être brefs, sinon ils ris-

---

15. Isidore Cassemottes, « La force des faibles », « La Tribune libre », *La Survivance*, 10 mars 1954.

16. *Ibid.*

quent de se faire retrancher. Cinq lettres sont publiées dans « La Tribune libre » le 3 mars et la rubrique reste achalandée presque toutes les semaines de l'année.

Plusieurs fois, comme dans le cas des forums de discussion du courrier électronique d'aujourd'hui, Alexandre Mahé se sert de la tribune pour lancer une question aux lecteurs et il ne reçoit pas toujours de réponse. L'un de ses sujets de prédilection est l'instauration du christianisme dans l'ancienne Gaule. N'ayant pas accès à une bonne bibliothèque, il demande de l'aide. Il s'adresse ainsi à un contributeur qui signe « Un humaniste du Collège Saint-Jean », lui rappelant qu'il a déjà « si méticuleusement balayé le pas de porte de ses cousins de France » dans un article au sujet du taux élevé d'alcoolisme dans ce pays, et il lui demande de vérifier un petit renseignement pour lui, lequel, faute de ressources convenables, Cassemottes n'arrive pas à confirmer[17]. « L'humaniste du Collège Saint-Jean » ne répond pas, mais un charitable correspondant de l'Université d'Ottawa vérifie la référence en question et lui communique la réponse. Cassemottes le remercie dans « La Tribune libre » et il propose aux autres lecteurs d'utiliser la rubrique de cette même façon, ce qui donnerait l'occasion à quelque chercheur inconnu de faire des recherches « à la fois instructives et agréables[18] ». Par contre, son rôle de critique n'est pas toujours apprécié de la rédaction. Ayant fait remarquer la présence de statistiques contradictoires dans l'hebdomadaire entre un article du mois de janvier et un du mois d'avril, le rédacteur publie une réponse et se dit non responsable des statistiques fournies par des agences de presse ou des conférenciers à la radio[19].

« La Tribune libre » du 25 août 1954 contient trois longues lettres discutant encore des progrès de la francophonie albertaine. Le cultivateur Louis Normandeau publie une conférence qu'il a donnée à la radio au début du mois, sur les Jésuites, leur départ de l'Alberta et leur contribution à la francophonie de l'Ouest, tandis que « Pamphile » critique, par écrit, cette conférence. Isidore Cassemottes poursuit la discussion commencée par « Un Bon Canayen » sur la viabilité de la production littéraire des Franco-Albertains[20]. Alexandre Mahé croit, pour l'avoir souvent dit dans ses lettres, que dans l'entreprise de la colonisation, cela prend une génération ou deux avant que les preuves de la réussite ne se manifestent, particulièrement sur le plan cul-

---

17. Isidore Cassemottes, « Sainte Blandine », *La Survivance*, 31 mars 1954.

18. Isidore Cassemottes, « Merci à La Tribune libre », *La Survivance*, 19 mai 1954.

19. Isidore Cassemottes, « Qui dit vrai? » et « N.D.L.R. », « La Tribune libre », *La Survivance*, 28 avril 1954.

20. Isidore Cassemottes, « Le traquenard des Statistiqes [*sic*] à J. P. », *La Survivance*, 25 août 1954.

turel, tout dépendant du bon établissement des institutions éducatives et du temps alloué à la formation des étudiants. Il précise que la vitalité française dans l'Ouest peut se percevoir autrement que par les statistiques qui, trop souvent, donnent un aperçu fort négatif de la situation.

En création littéraire, en Alberta, il mentionne Georges Bugnet, qui est très célèbre à l'époque, et la moins bien connue Marie-Anna Roy, sœur de Gabrielle, qui vient d'écrire un roman, *Le pain de chez nous*, sur ses expériences d'enseignante en Alberta[21]. Il admet que la récolte littéraire est encore mince, mais il précise que des moyens doivent être mis en place pour encourager la création dans la région[22]. Il suggère qu'il serait temps de reprendre la « Page des jeunes » à *La Survivance* et qu'un tel forum pourrait donner aux enfants le goût d'écrire. Au cours des semaines et des mois suivants, d'autres noms lui viennent à l'esprit et il envoie des rectifications à « La Tribune libre ». Il fait des suggestions pour encourager les nouveaux écrivains et d'autres lecteurs lui proposent des auteurs[23]. Georges Bugnet intervient lorsqu'un lecteur suggère que les auteurs devraient être natifs de la province pour être considérés Albertains. Il signale que ce genre de pensée est un non-sens et que lorsqu'un Albertain gagne un prix pour son blé à Chicago, on ne va pas dire qu'il est Américain parce qu'il a émigré de ce pays il y a vingt-cinq ans[24].

La bibliographie est courte, mais on y cite les noms de Paul-Émile Breton, Émile Petitot, Cornélie Pépin et Jean-Baptiste Boulanger, ce dernier ayant mérité une médaille de l'Académie française pour son livre sur Napoléon. Si quelques lauriers sont lancés, les commentaires ne sont pas tous favorables. Alexandre Michotte ne ménage pas les injures qu'il lance à Cornélie Pépin pour son *Histoire de Saint-Paul*, tandis qu'un lecteur pessimiste conclut que « si l'Alberta n'a produit aucun ou peu d'écrivains en un demi-siècle, c'est mauvais signe, et rien ne sert de cacher les faits[25] ».

En ce qui concerne l'écrivain albertain le plus assidu à *La Survivance*, qui n'a jamais réussi à se faire publier autrement que dans les journaux, il ne compte pas parmi ces auteurs. Cassemottes contribue encore à l'hebdomadaire avec deux poèmes de taille[26]. « Autrefois St-Paul-des-Cris... Diocèse de

21. *Ibid.*

22. Isidore Cassemottes, « Une absolution S.V.P. », *La Survivance*, 22 septembre 1954.

23. Isidore Cassemottes, « Réponce [*sic*] à REC », « La Tribune libre », *La Survivance*, 14 octobre 1954.

24. Georges Bugnet, « Ce titre d'Albertain », « La Tribune libre », *La Survivance*, 27 octobre 1954.

25. Alexandre Michotte, « L'histoire de St-Paul », « La Tribune libre », *La Suvivance*, 22 septembre 1954; REC, « Production littéraire en Alberta », *ibid.*, 29 septembre 1954.

26. Isidore Cassemottes, « Autrefois St-Paul-des Cris... Diocèse de Saint-Paul aujourd'hui » et « Épilogue », *La Survivance*, 20 octobre et 3 novembre 1954.

Saint-Paul aujourd'hui » est, par le moyen de la fiction, un éloge au passé métis et missionnaire du Nord-Est de l'Alberta. Composé pour souligner l'inauguration du diocèse de Saint-Paul, le long poème, publié en octobre 1954, est suivi quelques semaines plus tard d'un épilogue basé sur des faits historiques. Nous reproduisons un bref passage qui nous semble particulièrement représentatif de sa qualité descriptive des prairies de l'Alberta :

> [...] On était à la fin d'un de ces courts étés.
> Au temps où l'eau est très basse
> Alors qu'en un point, la rivière traverse à gué.
> Des hommes sveltes, aux épaules carrées.
> Et des femmes, à la démarche un peu lasse,
> Attendaient pour le lendemain
> Qu'aux petites heures du matin
> L'étroite chaussée reliant les deux rives
> Ne soit plus guère submergée.
> Seuil de roche ou batture de sable
> Que le courant a toujours épargné,
> Passage invisible qu'à l'eau stable
> Est meilleure traversée que radeau en dérive,
> Et constamment, aux Cris des bois, permit
> De visiter leurs frères : les Cris des prairies[27] [...]

L'épilogue de ce poème nous a aussi semblé particulièrement fascinant, et utile, si ce n'est que pour l'explication des sources de son inspiration et des témoignages de ses informateurs; nous l'avons cité plusieurs fois dans ce travail.

En 1957, au début de janvier, la rédaction de *La Survivance* publie son conte en vers intitulé « De Nazareth à Bethléem », histoire du voyage de Marie et de Joseph, auquel il ajoute une rencontre avec un bon Samaritain qui leur indique la grotte pour s'abriter et où naît l'enfant Jésus[28]. Le sujet peut faire un peu cliché, mais il nous paraît tout à fait normal qu'il veuille contribuer au répertoire des contes de Noël qui passaient chaque année dans les pages du journal franco-albertain ainsi qu'à la radio. Le conte est publié une deuxième fois en 1963, mais sous une forme abrégée et simplifiée; la nouvelle version a perdu de sa fraîcheur et, surtout, elle manque de cohésion par endroits, ce que nous préférons attribuer à la rédaction du journal[29]. Le nouveau rédacteur de *La Survivance*, tout comme le « Goffeur » l'avait fait une vingtaine d'années auparavant, oublie aussi un des « t » de « Cassemottes »,

27. Le retrait d'un vers est d'origine. *Ibid.*

28. Isidore Cassemottes, « De Nazareth à Bethléem », *La Survivance*, 2 janvier 1957.

29. Isidore Cassemottes, « De Nazareth à Bethléem », *La Survivance*, 2 janvier 1963.

mais Alexandre Mahé est sans doute trop las pour reprendre sa plume et faire des rectifications de la taille de celles qui avaient engendré la série de poèmes au « Goffeur ».

Après 1954, il envoie quelques légères critiques et commentaires qui sont publiés. Il parle des erreurs de prononciation des annonceurs de la radio albertaine dans « Mauvaises traductions et fausses liaisons », insistant sur l'importance d'une bonne articulation et d'un langage standard en ondes[30]. Il pose des questions au sujet de ce qui semble être des réunions non conformes à la constitution de l'ACFA[31]. Il note aussi l'importance de veiller à ce que le français soit utilisé publiquement dans les communautés franco-albertaines lors des événements culturels[32]. Mais après 1963, plus rien. Il a après tout 83 ans. Petit à petit, Isidore Cassemottes avait cessé son travail de niveleur de l'opinion publique.

En 1959, Alexandre Mahé rend visite à sa famille en France, visitant ses hauts lieux de mémoire. Le voyage se fait en avion et le séjour d'un mois ainsi que les nombreux déplacements le fatiguent beaucoup; il revient épuisé. Chaque jour, lorsqu'il habite toujours à Saint-Paul, il s'efforce de marcher pour aller chercher son courrier au bureau de poste. Il nous dit qu'il est obligé de marcher, que c'est la seule façon d'éloigner la mort qui le guette, qui attend qu'il s'arrête pour le happer pour de bon. Cyniquement, il dit à une voisine que oui, hélas, il est atteint d'une maladie incurable : celle de la vieillesse ! Octogénaire en 1960 et souffrant de glaucome, il continue à lire, mais malgré les médicaments, sa vue baisse et la lecture le fatigue.

Lorsqu'il vint habiter chez-nous, après le décès de son épouse, notre mère nous a demandé de lui faire la lecture, ce que nous faisions régulièrement en revenant de l'école. Il nous laissait choisir dans sa collection de volumes préférés et il nous surprenait. Il les connaissait si bien et il les avait lus et relus maintes fois. De plus, il nous disait de choisir où commencer et il nous suivait immédiatement. Sur une coupure de presse du *St. Paul Journal*, on le voit, vers 1965, tenant son grand chapeau à large bord, qui discute avec l'ambassadeur de France, François Leduc, et le consul français d'Edmonton, Marcel Olivier, tous deux en visite à Saint-Paul : « Ambassador Chats with Old Timer Frenchman[33] ». Depuis le temps qu'il signait un peu cynique-

30. Isidore Cassemottes, « Mauvaises traductions et fausses liaisons », « La Tribune libre », *La Survivance*, 16 mars 1954.

31. Isidore Cassemottes, « Y a-t-il du nouveau à l'A.C.F.A. ? », « La Tribune libre », Isidore Cassemottes, 5 octobre 1955.

32. Isidore Cassemottes, « Un comité de vigilance, s.v.p. », « La Tribune libre », *La Survivance*, 2 mai 1956.

33. *St. Paul Journal*, s.d.

ment « Un Vieux Colon », il l'est devenu vraiment. Il pose aussi de plus en plus souvent sa plume pour mieux saisir sa canne et une journée de décembre 1968, il n'en a plus besoin.

# Conclusion

Presque cent ans après l'arrivée d'Alexandre Mahé dans l'Ouest canadien et son installation dans la campagne du Nord-Est albertain, ses écrits aident à mieux comprendre les préoccupations des colons canadiens-français de cette région du pays. Grâce à son penchant pour la lecture et l'écriture, cet émigrant français, devenu citoyen canadien en 1912, est souvent le porte-parole de ses voisins avec qui il travaille à la construction d'une nouvelle société. La mise en contexte des articles de journaux et des papiers personnels d'Alexandre Mahé permet d'aller au-delà de la biographie traditionnelle et de l'histoire locale pour arriver à la micro-histoire, c'est-à-dire une étude approfondie du petit pour obtenir une nouvelle perspective du plus grand. Nous nous sommes inspirée des travaux de Giovanni Levi et de la micro-histoire pour écrire une biographie sociale et, comme il a écrit, mieux « comprendre ce qui paraît inexplicable et déroutant au premier abord[1] ». Si les documents d'Alexandre Mahé sont de qualité inégale et essentiellement de nature secondaire, à l'aide d'autres sources, incluant des sources orales, il est possible de les remettre en contexte, d'approfondir leur interprétation et de mieux saisir leur sens.

En arrivant au Canada, ce colon français de souche gallo-bretonne devient Canadien français. Il fait partie d'un groupe qui est alors passablement diversifié. Il travaille au développement de sa nouvelle communauté et ses écrits nous permettent de découvrir des aspects méconnus de l'histoire de la francophonie de l'Ouest canadien. Il ne figure pas parmi ces Français isolés dans des collectivités anglophones, comme le note Allaire, tels les Bertin, les Giscard et les Gheur, qui donnent généralement l'impression que la francophonie s'est incorporée dans la majorité anglophone sans ne laisser de trace[2]. On ne le compte pas parmi les auteurs renommés de sa génération dans l'Ouest, tels les journalistes Frémont, D'Hellencourt et Bugnet et le roman-

1. Levi, « Usages de la biographie », p. 1330-1331.

2. Allaire, « Le rapport à l'*autre* », *Francophonies minoritaires*, p. 174-175.

cier Constantin-Weyer[3]. Malgré sa plume fertile et ses tendances intellectuelles, n'ayant jamais réussi à se faire publier par une maison d'édition, Alexandre Mahé n'est qu'un amateur des lettres, bien ancré dans sa communauté d'adoption, où il est, avant tout, un cultivateur.

*Francophonies minoritaires au Canada* nous offre un survol de l'évolution de la francophonie hors du Québec, mais il reste important de continuer d'ajouter à ce genre d'historiographie. La biographie sociale d'un des membres de cette société permet de mieux comprendre ceux qui ont œuvré à sa construction et de voir plus aisément dans le miroir terne de l'histoire. Dans le cas d'Alexandre Mahé, le travail est facilité par le fait qu'il s'est exprimé maintes fois sur sa société, tant dans ses articles publiés dans les journaux francophones que dans ses papiers personnels.

Il est difficile de catégoriser les colons qui s'installent dans l'Ouest canadien au début du XX^e^ siècle, car leurs origines sont diverses : les villes et les campagnes de la vallée du Saint-Laurent, bien sûr, mais aussi les filatures de la Nouvelle-Angleterre, les chantiers forestiers du nord de l'Ontario, les champs des Prairies américaines et les mines d'or de la Colombie-Britannique, du Yukon et de l'Alaska. Alexandre Mahé leur ressemble néanmoins comme bourlingueur et aventurier. Piqué d'une grande curiosité et d'un goût pour le voyage, après avoir vécu et travaillé au Sénégal et dans l'arrière-pays de la Gambie pendant une dizaine d'années ainsi qu'à Paris pendant quelques mois, il choisit de s'installer dans l'Ouest canadien. Il jette son dévolu sur une région située au nord-est de l'Alberta, Saint-Vincent, là où la prairie est garnie d'une ancienne épinettière et où il se construit un chez-soi. Il espère, même s'il ne fait pas fortune, qu'il pourra au moins être son propre maître. En élisant de se placer dans un endroit majoritairement francophone, il est heureux de se retrouver avec des colons qui parlent la même langue que lui et qui ont les mêmes valeurs. Son premier objectif est la réussite de son entreprise. En même temps qu'il commence à développer son *homestead*, il ouvre un petit magasin. Cette stratégie lui assure un revenu en attendant qu'un chemin de fer ne soit construit dans la région, infrastructure essentielle aux fermiers pour écouler leur blé sur les marchés mondiaux. Son idée de tenir un magasin est bonne, car dix ans s'écouleront avant que la voie ferrée ne devienne accessible. Mais un magasin n'est pas une œuvre de charité et lorsqu'il voit que son commerce décline sérieusement, il liquide ses stocks et le vend.

En arrivant en Alberta, il s'associe immédiatement, avec ses nouveaux compatriotes, à la construction de la collectivité et de la paroisse. Il ajoute sa

---

3. Allaire, citant Lapointe et Tessier, dans *Histoire des Franco-Canadiens de la Saskatchewan*, p. 132-133.

voix à celle de ses voisins pour recruter de nouveaux colons dans la région et aider à ce que leur langue, leur foi et leur culture soient protégées. Puisqu'il manie facilement la plume – chose rare dans ces nouvelles contrées de colonisation – il met cette habileté au service de sa communauté, soit comme correspondant ou comme secrétaire du cercle local de l'organisation laïque des Canadiens français de la province, l'ACFA. Sans doute figure-t-il parmi les colons privilégiés, les *privileged settlers*, expression chère à l'historien Lewis G. Thomas, c'est-à-dire les mieux nantis grâce à leur classe sociale, leur fortune et leur formation scolaire ou professionnelle[4]. Mais dans la région du lac Saint-Vincent, si Alexandre Mahé est plus avantagé que les autres, il ne semble pas tellement le penser : il se trouve bien seul, surtout lorsqu'il voit les colons de souche nord-américaine qui arrivent en groupes familiaux, facilitant grandement leur établissement initial. Au moment de son installation, il écrit à son frère qu'il se sent « pas mal gueux » et que sa bourse devient de plus en plus étriquée. Mais comme les autres ne roulent pas sur l'or non plus, il croit pouvoir faire bon ménage avec eux et s'en sortir[5]. Au fil des ans, il s'associe à ses voisins, travaille et contribue aux activités religieuses et laïques; il veille, de concert avec les autres paroissiens, à ce que leur curé soit un prêtre qui parle leur langue.

S'il écrit souvent au nom de sa paroisse, il n'hésite pas pour autant à prendre la plume en son propre nom ou sous le couvert d'Isidore Cassemottes ou d'Un Vieux Colon, pseudonymes qui ne sont pas un grand secret pour ceux qui connaissent le milieu et qui savent lire un peu entre les lignes. Ce sont des noms qu'il a choisis avec soin dans le but de montrer aux lecteurs franco-albertains, constamment exposés à l'anglais, que le français est une belle langue – que la langue de Molière possède des mots tout aussi savoureux et évocateurs de leur milieu que la langue de Shakespeare. Il veut avant tout défendre et protéger ce que les francophones de l'Alberta ont construit. Tel que mentionné dans une de ses lettres au *Travailleur*[6], Alexandre Mahé, alias Isidore Cassemottes, écrit pour tous ses concitoyens qui n'ont pas la formation scolaire leur permettant de se défendre avec leur plume. Il rallie ses compatriotes en louant leurs réalisations, que certains cyniques s'amusent à dénigrer. « La force des faibles, dit-il, c'est parfois la force des chicaneux, épuisés dans une lutte qui semble au-dessus de leurs moyens, mais une force qui démontre un pouvoir qui s'appuie sur son droit[7]. » Il est vrai qu'il ne

---

4. Thomas, « The Privileged Settlers », *Rancher's Legacy*, p. 151-167.

5. GC, Lettre à Louis Mahé, 21 janvier 1910.

6. Un Vieux Colon, « Un mot aux lecteurs du *Travailleur* », *Le Travailleur*, 18 mai 1933.

7. Isidore Cassemottes, « La force des faibles », « La Tribune libre », *La Survivance*, 10 mars 1954.

parle pas beaucoup du déclin de l'usage de la langue française dans les communautés françaises de l'Alberta ni de l'assimilation des francophones; son but est de semer l'espoir et de cultiver le sentiment d'appartenance et non de céder à un sentiment défaitiste. Les rédacteurs des journaux le soutiennent, ou du moins doivent penser que ses nombreuses missives sont utiles aux francophones de l'Alberta, puisque ses lettres sont publiées régulièrement.

Alexandre Mahé est depuis son enfance un catholique engagé et, en même temps, un francophile convaincu. Mais ayant grandi dans une culture militante en Bretagne, il est sensible à l'importance des origines de sa culture bretonne et de sa conservation pour la survie du groupe. Arrivé au Canada, il est animé par le même esprit combatif pour la sauvegarde et la promotion de la culture minoritaire, non pas bretonne ou catholique cette fois, mais canadienne-française. Sans renoncer à ses origines bretonnes, il épouse la cause de sa nouvelle minorité et se sert de ses talents pour militer au nom de ses compatriotes canadiens-français. Il ne s'engage pas sur tous les plans et dans tous les débats; il choisit plutôt d'intervenir là où il pense avoir des compétences et une action efficace. Par exemple, il intervient peu sur la question des écoles françaises. De même, bien qu'il aide lors des collectes de fonds pour la radio française en Alberta, cause qu'il considère très importante, il préfère laisser la parole à ceux qui sont mieux placés que lui. Par contre, ses écrits démontrent comment tout ce qui concerne l'agriculture l'intéresse et une de ses grandes priorités est d'encourager le recrutement d'autres colons cultivateurs de langue française pour accroître le nombre des Franco-Albertains. Il est heureux de l'établissement de l'Association canadienne-française de l'Alberta, car il croit que c'est essentiel pour les Canadiens français de se doter d'institutions laïques. Il est catholique pratiquant, fort actif, mais il se méfie de laisser le soin de l'enseignement de la langue et de la pratique du culte en français à l'Église catholique, ayant connu ses positions souvent intransigeantes en France lors de la séparation de l'Église et de l'État. De plus, il est très déçu du choix de l'Église catholique d'imposer un évêque anglophone aux catholiques majoritairement francophones du nord de la province. Lorsque le journal de langue française *La Survivance* est pris en main par l'ACFA, il croit que c'est une bonne chose parce que l'hebdomadaire est à même de représenter tous les Canadiens français et de les unir dans une cause commune. Sa participation soutenue à ce journal à titre de correspondant et, de temps à autre, de critique démontre à quel point il considère cette publication indispensable à la survie linguistique et culturelle du groupe. Il exploite la rubrique du courrier des lecteurs pour susciter le dialogue et soulever la participation d'autres lecteurs.

Dans ses lettres, on perçoit comment les Franco-Albertains ont traversé des périodes difficiles, dont entre 1920-1940, après la nomination d'un évêque anglophone; la série « Lettres d'Alberta » du « Vieux Colon » au *Travailleur* parle publiquement de ce geste aux visées assimilatrices. Les premières années de la Deuxième Guerre mondiale sont aussi une période de tensions pour la société franco-albertaine, voire nord-américaine. Pour Alexandre Mahé, le problème de fond n'est pas celui de la résistance à la conscription, qui préoccupe beaucoup de ses compatriotes de souche canadienne-française, mais plutôt le terrible conflit qui est en train de détruire son ancien pays, qu'il aime toujours. Trente ans au Canada n'ont pas changé le fait que ce Breton est aussi un Français et même s'il a quitté son pays pour en prendre un autre, rien n'empêche qu'il soit fidèle à son ancienne patrie. S'il n'est peut-être pas typique des Canadiens français qui l'entourent à Saint-Vincent, il n'est pas le seul Français (ou Canadien français) en Alberta qui croit qu'il est important d'agir. La création de nombreux chapitres de la France Libre en Alberta, et ailleurs dans l'Ouest canadien ainsi que partout au pays, démontre qu'un grand nombre de Canadiens français et de francophiles étaient du même avis que lui.

La radio lui permet de rester mieux informé de la situation outre-mer. C'est par elle qu'il peut prendre le pouls de la guerre et qu'il peut entendre l'appel de Charles de Gaulle en juin 1940. Il voit dans le général français une solution, un espoir auquel il croit et pour lequel il milite à sa façon. Malgré sa grande dévotion à la religion catholique, l'approche pétainiste que favorise alors la majorité du clergé canadien-français n'est pour lui qu'un leurre des nazis, sans valeur aucune. C'est ce qu'il tâche de faire comprendre à ses compatriotes dans ses lettres aux journaux. Sans hésiter, il s'efforce d'éclaircir les enjeux concernant les combats et les politiques de guerre, qui sont parfois obscurs pour les Canadiens français ainsi que pour les Franco-Américains, tout comme pour l'ensemble du public d'ailleurs.

Les journaux peuvent aussi offrir de la place aux lecteurs, non seulement une tribune, mais aussi des espaces réservées aux jeunes et il encourage ses enfants à participer. Malgré ses origines familiales françaises, en tant que membre du cercle local de « l'Avant-garde », sa fille Germaine évoque, dans une petite composition patriotique et bien « canadienne », l'importance d'aimer et de conserver la langue française et d'être fier de cette culture que « nos ancêtres ont su garder depuis les débuts de la Nouvelle-France dans la vallée du Saint-Laurent[8] ». Même si Alexandre Mahé publie de temps à autre

8. Germaine Mahé, « Pourquoi je suis avant-gardiste », *La Survivance*, 3 janvier 1933.

des poèmes, les sujets qu'il aborde sont généralement engagés et de nature politique, donc susceptibles d'intéresser les abonnés de *La Survivance* et du *Travailleur*. Sa courte série « Chicanes au Goffeur », poèmes d'un « La Fontaine » de l'Alberta, traite de sujets que les lecteurs connaissent bien, et dont certains se souviennent toujours. Plus historiques, ses poèmes « Souvenirs, testament et prière du vieux défricheur » et « Saint-Paul-des-Cris » louent la contribution des colons, des Métis et des missionnaires de langue française au développement de l'Ouest. D'une façon toute simple, il fait l'éloge du bons sens des gens ordinaires, comme ceux qui l'entourent, et il prend le temps de valoriser un passé qui s'éloigne et qui s'oublie, essayant de consolider l'embryon d'une culture française dans l'Ouest canadien.

En se faisant porte-parole, il ne cherche pas à se mettre en valeur personnellement. Nous voyons qu'il préfère rester dans l'ombre. Par exemple, il accepte d'être secrétaire, conseiller et marguillier, mais jamais président des organisations et des associations auxquelles il a participé activement. Son cas reflète aussi la société dans laquelle il a choisi de vivre. Son coin de pays était une société multiculturelle, de par ces francophones qui étaient venus de partout pour s'installer ensemble sur cette grande plaine dans le Nord-Est de l'Alberta. Alexandre Mahé ne fait qu'apporter sa pierre à la construction de leur nouvelle société.

Il croit qu'avec de très faibles moyens, il est possible de créer des choses valables, parfois très bonnes ou mêmes belles. Dans une lettre à *La Survivance* en 1956, il cite l'exemple de la cathédrale Saint-Corentin, à Quimper, en Bretagne, dont les jolies tours ont été érigées avec la contribution d'un sou par diocésain pendant cinq ans, épisode qu'il prend le temps de raconter aux lecteurs de l'hebdomadaire albertain[9]. Puisque le contexte de cette lettre n'est pas expliqué, nous ne pouvons que supposer qu'il fait allusion à une situation que les lecteurs du journal connaissent. Mais cette missive, une de ses dernières, en dit beaucoup sur ce qui fut essentiellement sa philosophie tout au long de sa vie. Il était heureux de rendre service à sa communauté, mais il préférait ne pas s'imposer. Sa méthode était de procéder en douceur. Il encourageait celles et ceux de son entourage à lire, afin qu'ils en viennent à saisir les beautés et les charmes de la langue et de la culture françaises pour encore mieux les apprécier[10]. Souvent, il répétait à qui voulait l'entendre cette petite ritournelle puisée directement dans le *Petit Catéchisme* : « Il faut connaître et apprendre pour pouvoir aimer »; pour lui, il en était ainsi de la langue et de la culture françaises en milieu minoritaire[11].

9. Isidore Cassemottes, « Le sou de saint Corentin », *La Survivance*, 1 août 1956.

10. Témoignage de Germaine Champagne.

11. *Ibid.*

L'histoire d'Alexandre Mahé fait partie de l'histoire de la diaspora française de l'Amérique du Nord. Son cheminement est celui de l'émigrant qui quitte son pays et qui cherche à mieux gagner sa vie ailleurs. En son for intérieur, et dans le cercle familial, il conserve sa culture bretonne et française. Regroupé avec d'autres gens de culture française, aux origines si diverses, il insiste sur leur rêve mutuel, l'existence d'un peuple français dans l'Ouest canadien, et il fait ce qu'il peut pour aider à la réalisation de ce but commun dès qu'il prend un *homestead* et qu'il ouvre son magasin[12]. Après, il travaille au sein de sa collectivité et il devient son porte-parole; qu'il ait eu interaction et approbation est clair, sinon il n'y aurait pas eu une cinquantaine d'années de lettres dans les journaux de langue française.

Si le travail est lent, il ne se décourage pas pour autant. Toujours, il continue d'encourager l'élaboration d'outils institutionnels pour mieux former les membres de cette société et, de cette façon, aider à la réalisation du rêve commun. Lorsque la vision du clergé de langue française, la *gesta dei per francos*, la colonisation solide et permanente de l'Ouest par des catholiques de langue française, se révèle impraticable, Alexandre Mahé ajuste son tir et se bat pour que la lutte se fasse hors des églises et par les laïcs. À sa façon, il milite pour la reconnaissance de la contribution de la culture française dans l'ensemble du pays et pour l'établissement et la conservation des institutions de langue française en Alberta, qu'il s'agisse des hôpitaux, des écoles, des collèges ou des monuments célébrant les exploits du passé. D'autres, qui étaient à ses côtés, se battaient pour les mêmes choses et, encore aujourd'hui, le combat continue.

Alexandre Mahé aimait les hauteurs sur les terres pour leurs grandes et belles perspectives; à force de l'étudier, nous arrivons à la conclusion que c'était un homme qui voyait loin. En bâtisseur, il pense à l'édifice qu'il est en train d'ériger avec ses compatriotes, réfléchissant aux meilleures façons de s'y prendre et, ensuite, veillant à son bon entretien pour mieux assurer sa pérennité. Son histoire est un des éléments de l'histoire des Canadiens français de l'Ouest et son fil conducteur est la survivance canadienne-française en Alberta entre 1909 et 1968. Par sa biographie sociale et la micro-histoire de sa région, il est possible de comprendre un peu mieux la société dans laquelle il a vécu ainsi que la trajectoire des colonisateurs qui, comme lui, sont restés des héros méconnus.

---

12. Fridman et Roy, « Présentation », *Canadian Folklore Canadien*, p. 5.

# ANNEXES

# Annexe 1 – Plan d'un canton

Chaque canton, ou *township*, mesure six milles par six milles et a une superficie totale de 23 040 acres. Chaque carreau numéroté, ou section, comprend 640 acres; le quart d'un carreau est la concession du *homestead*, 160 acres, un quart de section.

- Terres des écoles (carreaux 11 et 29).
- Terres des compagnies de chemin de fer (carreaux impairs).
- Terre de la compagnie de la Baie d'Hudson (carreaux 8 et les trois quarts du carreau 26, un total de 26 quarts à chaque cinquième canton).
- Terres de *homesteads* (carreaux pairs, excepté le carreau 8 et les trois quarts du carreau 26).
- Allocations de chemins, 66 pieds de largeur, de trois côtés de chaque quart.

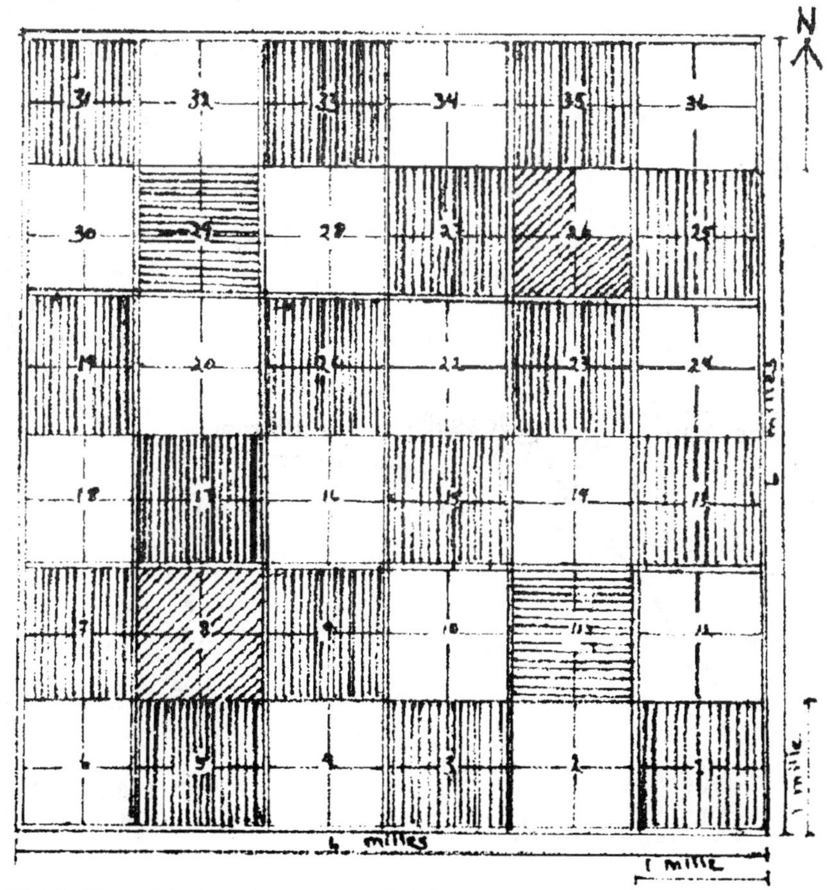


Tiré de Chester Martin, « Dominion Lands Policy », H.L. Thomas (dir.), *Canadian Public Land Use in Perspective*, Toronto, McLelland and Stewart, 1973, p. 233.

## Annexe 2 – Carte 1. Guégon et région

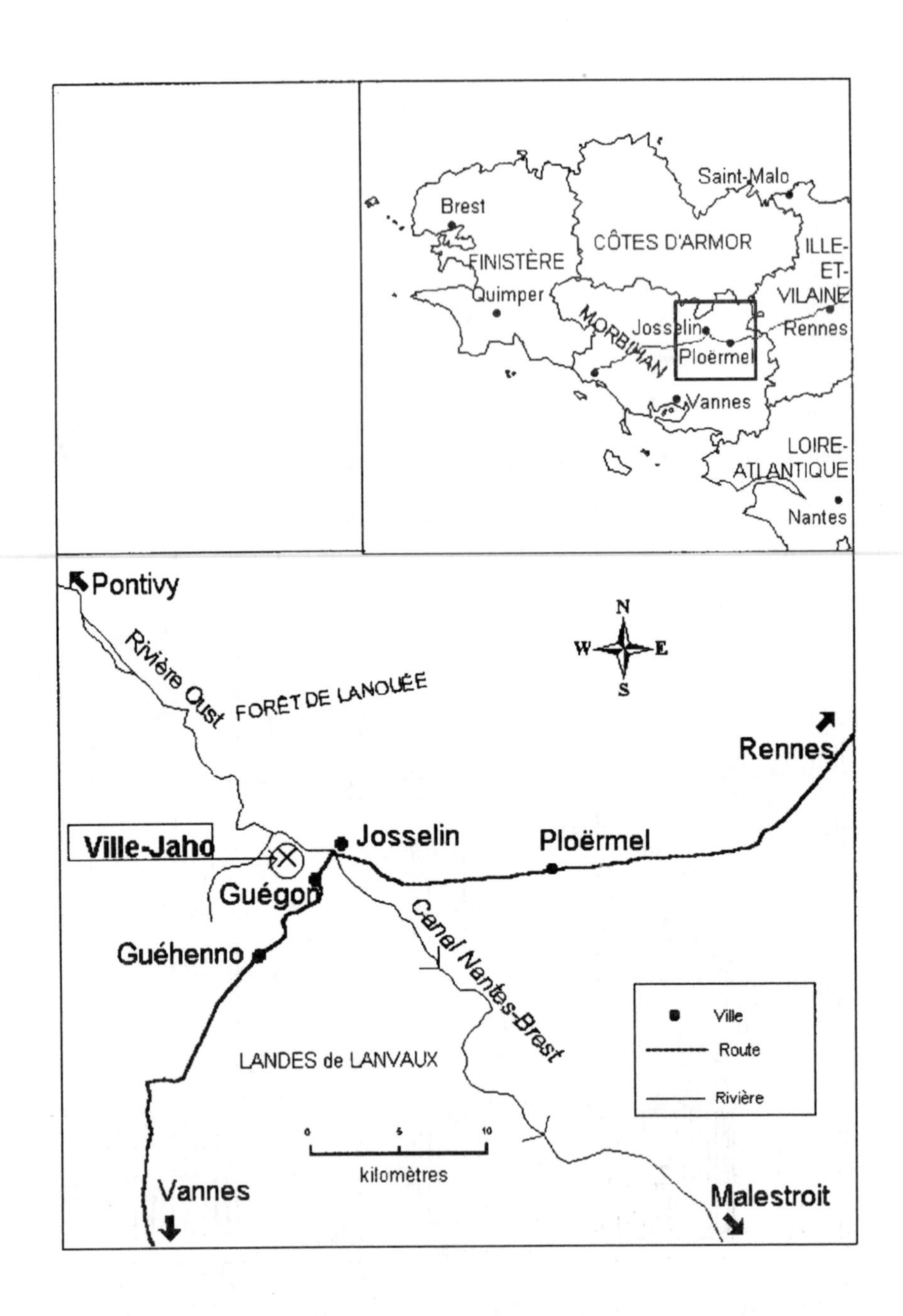

# Annexe 3 – Carte 2. Région de Saint-Vincent avant la colonisation

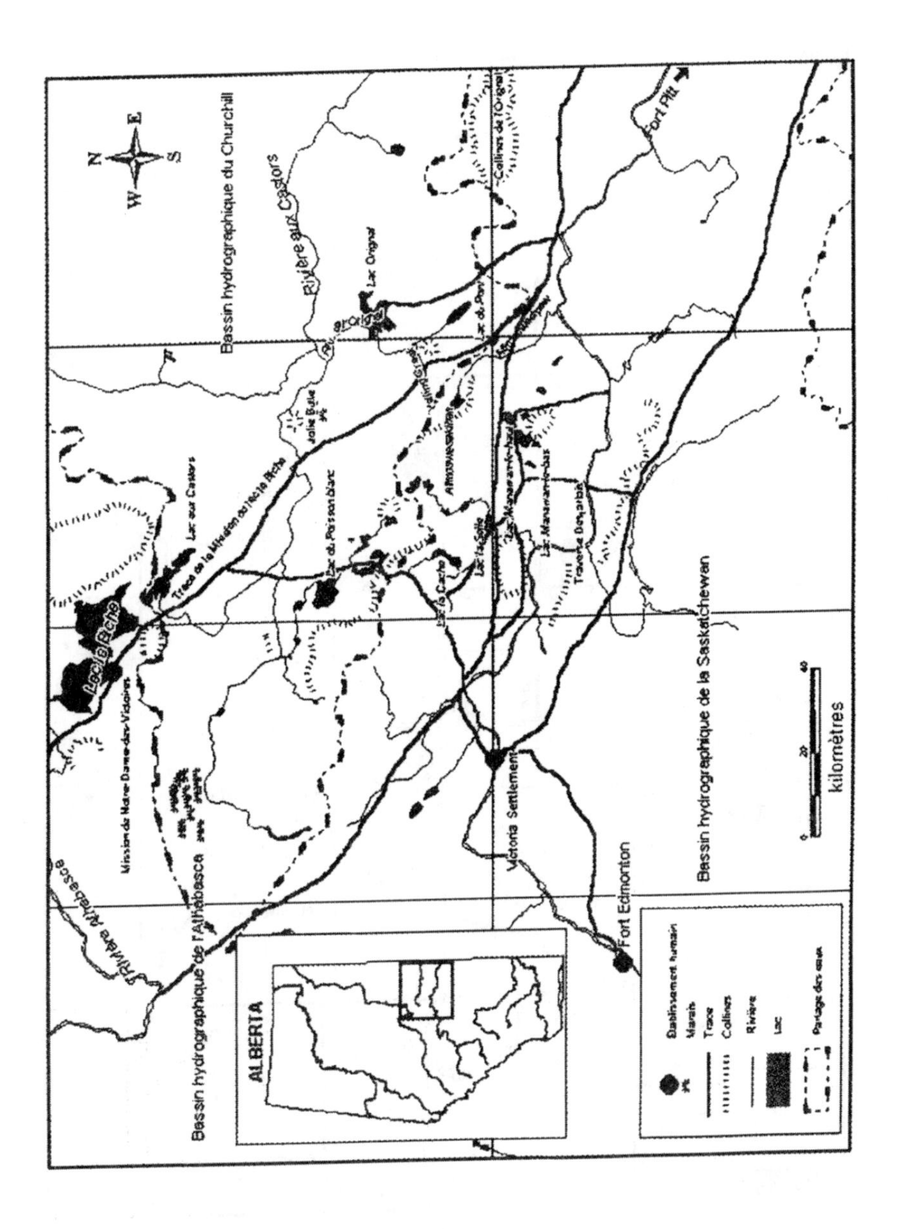

## Annexe 4 – Carte 3. Région de Saint-Vincent (1910-1930)

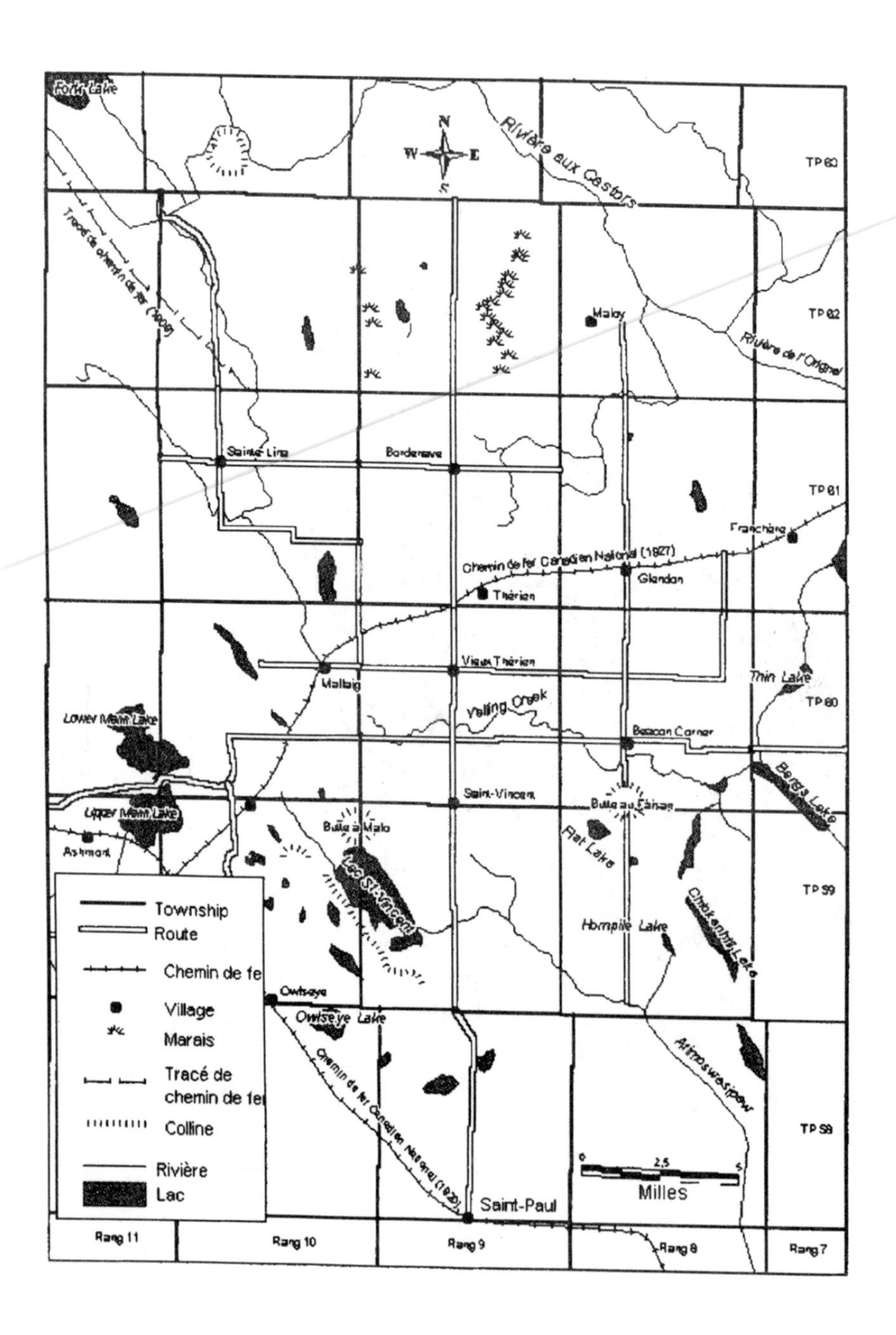

# Annexe 5 – Photographies

1. Alexandre Louis Mahé, France, 1908, GC.

2. Joséphine Nayl et son frère Jean, France, s.d., GC.

3. Saint-Charles, Ontario, 1908. Joséphine Nayl et son frère, l'abbé Émile Nayl (tenant l'appareil photo), et des amis, GC.

4. Carte postale, démolition d'un talus, Buléon, Morbihan, France, Théophile Guillo, époux d'Alphonisme Mahé, ses quatres fillettes et des inconnus, s.d., GC.

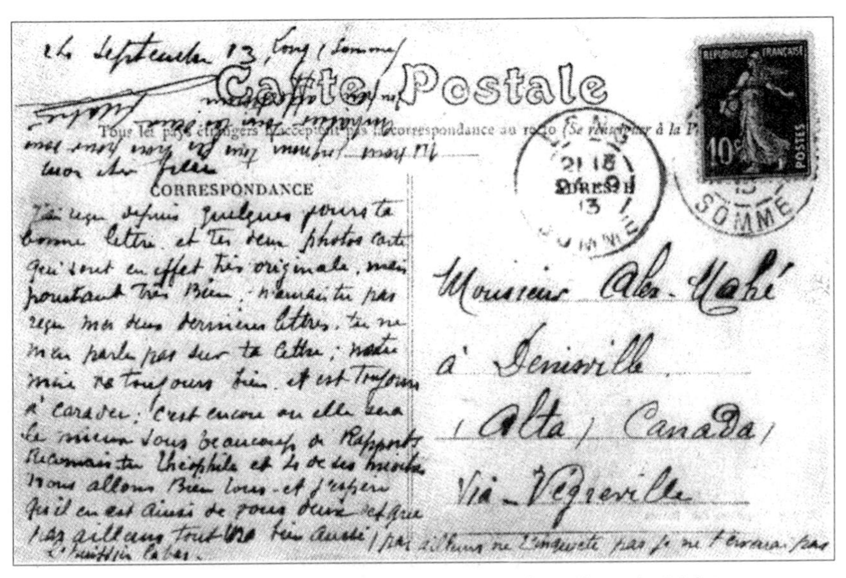

24 Septembre 13, Long (Somme)

Carte Postale

Tous les pays étrangers n'acceptent pas la correspondance au recto (Se renseigner à la P[illegible]

CORRESPONDANCE

J'ai reçu depuis quelques jours ta bonne lettre et tes deux photos carte qui sont en effet très originale, mais pourtant très bien. n'aurais tu pas reçu mes deux dernières lettres, tu ne m'en parle pas sur ta lettre ; notre mère va toujours bien et est toujours à Caradec ; c'est encore où elle sera le mieux sous beaucoup de rapports. Reconnais tu Théophile et 4 de ses [illegible] Nous allons bien tous et j'espère qu'il en est ainsi de vous deux [illegible]

Monsieur Alex. Mahé
à Deniville
(Alta) Canada
Via Vegreville

5. Endos de la même carte postale, Louis Mahé à Alexandre Mahé, 24 septembre 1913, Long, Somme, France, GC.

6. Alexandre et Joséphine Mahé devant leur première maison-magasin chez Limoges avec une paire d'orignaux orphelins, recueillis dans le bois sur leur ferme après que leur mère fut tuée par un chasseur, Saint-Vincent, 1912, GC.

7. Devant le magasin A. Mahé, à Thérien, Alexandre et Joséphine Mahé et un inconnu, 1916, GC.

8. Pique-nique de la Saint-Jean, lac Saint-Vincent, 24 juin 1916, *Souvenirs*, p. 21.

9. Jean, Germaine et René Mahé dans la Ford, à la ferme Mahé, 1921, GC.

10. Le trio Albert Larrieu en visite à la ferme Mahé, tournée de 1922, GC.

11. En péniche, Eugène Champagne (debout), Julien Beauregard (à l'extrême droite), enfants Champagne et amis, lac Saint-Vincent, été 1930, *Du Passé au présent*, St-Paul, St-Édouard, p. 201.

12. Équipe de balle de camp, 1927, 1re rangée, de g. à dr. : Jacques et J.-B. Dargis, Albert St-Arnault, Maurice et Henri Hébert, Pierre Michaud, Euclide Normand, Ludger Bilodeau; 2e rangée : Dorrila Bilodeau, Henri Michaud, Napoléon Lamoureux, Edgar Jodoin, Napoléon Michaud, Henri Côté, Henri Bilodeau, Joseph St-Jean; 3e rangée : Idaïe Gascon, Moïse Hébert, *Souvenirs*, p. 486.

13. Germaine Mahé avec des poulains, à la ferme Mahé, vers 1932, GC.

14. Corvée de sciage de bois de chauffage pour l'église, jour de la Saint-Joseph, 19 mars 1934, CC.

15. Corvée de sciage de bois de chauffage pour l'église; en avant-plan, René Mahé, 19 mars 1934, CC.

16. Église de Saint-Vincent, hiver 1939-1940, CC.

17. Paroissiens assistant à la messe de la Saint-Jean-Baptiste devant l'école Arctic, 24 juin 1934, CC.

18. Écoliers devant l'école Arctic, Saint-Vincent, hiver 1935, CC.

19. Écoliers partant de l'école Arctic, Saint-Vincent, hiver 1935, CC.

20. Défilé des chars allégoriques de la Saint-Jean-Baptiste à Saint-Vincent, 1935, CC.

21. Chars allégoriques des infirmières et des sages-femmes
de Saint-Vincent, défilé de la Saint-Jean-Baptiste à Saint-Vincent, 1935, CC.

22. Char allégorique « Avenir de Saint-Vincent »,
défilé de la Saint-Jean-Baptiste à Saint-Vincent, 1935, CC.

23. En-têtes de la rubrique « Dans le trou du Goffeur », *La Survivance*, env. 1941 et 1948.

24. Soixante-quinzième anniversaire de Joséphine Mahé, à la maison de la ferme, à Saint-Vincent, 1954, GC.

25. Joséphine et Alexandre Mahé sur le perron
de leur maison de retraite à Saint-Paul, mai 1957, GC.

AMBASSADOR CHATS WITH OLD TIMER FRENCHMAN

His Excellency Mr. Francois Leduc, Ambassador to France, while on a visit to St. Paul last week, stops to chat with an old timer, Frenchman Mr. Alexandre Mahé. On the right, Marcel Olivier, French Consul of Edmonton.

26. Alexandre Mahé discutant avec François Leduc, ambassadeur de France au Canada, et Marcel Olivier, consul de France à Edmonton, lors de leur visite à Saint-Paul, mai ou juin 1966, *St. Paul Journal*, GC.

# Annexe 6 – Quelques poèmes d'Isidore Cassemottes (Alexandre Mahé)

## Le goffeur et le siffleux

Par belle matinée de printemps
Au sommet d'un button
Planté sur son séant Monsieur Goffeur scrutait l'horizon
Alerte et guilleret
Tout petit et curieux
Avant de partir examinait les guérets
S'assurant de son mieux
Que toujours et prestement
Il pourrait revenir au logis
Dans son trou se mettre à l'abri
Du bec crochu de l'épervier
Des serres acérées de l'émerillon
De l'enfant de sa 22 armé
Aussi les chiens rodant à travers les sillons
Qui lui sautent dessus sans la moindre façon.

Pensant à cela goffeur toujours bien planté
Les deux pattes avant sur la poitrine croisées
Vit venir trottinant sur ses courtes pattes
Tout en s'arrêtant d'étape en étape
Traînant à terre son ventre pansu
Un gros siffleur des plus dodus
Les deux bestioles se cousinent, dit-on;
Étant de la famille des rongeurs
Se bonjourent à leur façon
Car siffleux et goffeurs
Ne manquent pas l'occasion
D'entretenir leurs familiales relations.
Maître siffleux commença les compliments
S'enquit de la santé de son petit cousin
Et des autres goffeurs ses voisins.
Toujours sur son séant planté

Goffeur répondit par trilles répétés
À son cousin le siffleux
Que malgré la longueur de la froide saison
Tout eut été pour le mieux
Si à la fin le manque de provisions
Ne l'eut contraint de sortir de sa tanière
Et que roder sur neige par froide saison
Avait beaucoup gâté la fin de son hiver.
– Et vous mon cousin, votre gros bedon
Fait penser que vous eûtes bonnes provisions.
– Des provisions ! je n'en fait point
Répondit Siffleux à son maigre cousin.
Je me blottis dans mon trou à morte saison,
Et tout l'hiver je m'assoupis et je sommeille,
Au printemps, vois-tu, je me porte à merveille
En attendant les moissons.
Se croyant très fier de cette supériorité
Siffleux voulut se faire conseiller.
Commença une leçon d'architecture
Pour s'abriter des dangers de la nature.
D'architecture souterraine
Sur l'art de creuser des garennes.
Subitement survint un chien
Qui mit fin à cet entretien.
Dans son trou, goffeur, vif, alerte, disparut
Et le siffleux de claquer les dents tant qu'il put.
Cette suprême défense en cas de danger
N'empêcha nullement le dogue de le happer.
Malgré ce malheur survenu à l'un des deux
Espérons que de *La Survivance* Siffleux
Taquinera encore dans son trou le goffeur
À notre joie à tous amis lecteurs.

*La Survivance*, le 27 novembre 1940 [les fautes typographiques ont été corrigées, JC].

## Une chicane au Goffeur

Petit goffeur, toi qui ne voudrais pas
Voir les hommes se gruger entr'eux,
Pense donc tout un peu à ton cas :

Tu me gruges et tu ne t'en aperçois pas ?
Cet été, tu me grugeais de mon blé
Et voilà mon petit véreux
Que tu gruges mon nom
Tout comme mes moissons.
Pourquoi à mon nom un S as-tu omis ?
Tu m'as pourtant bien vu tout l'été
Casser des mottes à m'éreinter.
Tu savais fort bien que Cassemottes
Ça s'écrit avec un S;
Viens pas me dire que tes menottes
Ont manqué d'adresse
T'en es pas à ton premier coup d'essai
T'as sur la conscience bien d'autres forfaits.
Voyons ça : dans l'autre *Survivance*
Mes vers ont été grugés en abondance
Massacrés et maltraités.
À les faire prendre en pitié.
Je me croyais un poète, déjà fameux
En me grugeant tu me transforme en rimeux !
J'écrivais : « Alerte et guilleret. »
Tu me fais dire : « Alerte et guelleret. »
Pourquoi me faire ainsi écrire le français ?
Pour un goffeur t'es pas mal savant :
Oui, tu sais qu'on ne met pas
Un a à « compliments. »
Ce n'est pas tout, ne le crois pas;
J'écrivais encore ceci en alexandrin :
« Pensant à cela goffeur toujours bien planté. »
Alors voilà-t-y pas mon tout petit malin
Qu'un « a » tu m'as prestement grugé.
Tout ça n'est encore que peccadille,
Car des poètes tu me chasses de la famille
En me faisant dire – ce qui n'a pas de sens –
« Goffeur répondit par trilles répétés
« Et son cousin le siffleux
« Qui malgré la longueur de la froide saison. »
Tu m'obliges à rétablir le vrai sens :
« Goffeur répondit par trilles répétés

« À son cousin le siffleux
« Que malgré la longueur de la froide saison. »

Pour une fois, je te donne le pardon
Mais si pour ton malheur tu recommences...
Pas de pitié à croque-siffleux
– C'est le nom de mon chien, soit dit entre nous deux –
Tu serviras ni plus ni moins de pitance;
À moins que je te livre à mon chat
Qui peut te croquer comme un rat,
Et maintenant que t'as la tremblote
Ne gruge jamais plus.

*La Survivance*, le 11 décembre 1940.

## Mince les étrennes

Voila-t-il pas que le Goffeur et le Siffleux
Pour leur cadeau de bonnes étrennes
Se sont fait portraiturer tous les deux;
Pour le cas c'est bien de la veine
De se voir sur le journal en page une et deux.
Du coup, qui va être jaloux ?
Car nous apprend Goffeur : de « la jalouserie »
« Le monde en est rempli. »
Un qui est bien content
De ne pas voir sa figure sur le papier
Je le dis privément
C'est Isidore Cassemottes sans le nommer.
Quand il se regarde dans le « miroiré »
Se voyant fourbu, tout déguenillé
Il se dit : « C'est plus « moué » qui suis « moué »
Tellement il se trouve miteux et râpé.
Cassemottes avec une vieille jaquette
À côté de Goffeur, frais, dispos et pimpant
Partant en voyage courtiser Fleurette !
Que c'est beau, être jeune et bien habillé !
De tout menu, d'un coup devenir bien grand,
Très bien vêtu d'un neuf et ample capot

Avec sur son crâne aplati
Un chapeau melon bien arrondi,
Et lieu et place d'un pauv' petit calot
Sur la tête mis tout de côté
Suivant la mode qui le fait ainsi porter;
D'avoir aux pieds, « escarperis » cirés et vernis
Et le pinceau de la queue bien peigné aussi.
Cas'mottes ne porte que des « souliers de bœufs »
Comme c'est la manière dans le monde des gueux.
Siffleux, lui, parait un vieux pépère
Qui médite sur les humaines misères
Des pauvres et invétérés poivrots
Qui folichonnent et gambadent comme des sots.
Il vous trouve cinq Diogène en Alberta :
Où pourront bien se loger ces nouveaux venus ?
Car, me dit-on, c'est pas chaud dans ce pays là :
Allons, dans un tonneau, c'est chose entendue.
Pour éclairer ce petit logis de Siffleux le fanal suffit.
Mais que pensez-vous qu'il faudra pour les chauffer ?
Une provision de ouiski bien à leur portée.

Saint-Vincent, *La Survivance*, le 12 janvier 1941, « La Tribune libre ».

## Nouveaux souhaits de Bonne Année au Goffeur

La veille du jour de l'An mon ami Hormidas Zéphirin
Est venu me faire une visite, à cela rien de surprenant
Zéphirin est bon et agréable voisin
Depuis très longtemps nous sommes en bons rapports.
Quand je donne une veillée, toujours il y assiste,
Mais ce jour-là, il me paraissait tracassé;
C'est ce que je remarquai au premier abord.
Zéphirin est une homme affable et poli,
Un très brave Canadien de vieille lignée
Qui en des termes aisés et toujours jolis
Vous fait dire vous-même ce que lui pense.
De sa poche il retira *La Survivance* :
« C'est toi, me dit-il, qui est l'ami Zidore ?
Ma foi, c'est pas pour te vanter
Ta prose se lit et se relit encore :

Tes vers ne sont pas non plus du tout mal tournés.
Mais tes souhaits de bonne année c'est en païen
Qu'au Goffeur tu les as l'autre jour formulés. »
– Voyons ! que je lui dis : « Goffeur n'est pas chrétien.
– Ah ça ! tu te trompes, il est même Canadien.
– Hé quoi ! je lui répondis : « Un Goffeur baptisé ! »
– Tu l'as dit, c'est en plein la vérité.
– Et toi Zéphirin comment as-tu su ça ?
– « Voyons Zidore, t'as pourtant des connaissances,
Penses-tu que si Goffeur n'était pas chrétien
Il pourrait écrire dans la *La Survivance* ?
S'il n'en était pas ainsi, je te le dis bien :
Par l'Évêque, le Cardinal et le Pape
Le journal serait depuis longtemps condamné. »
– Oh là Zéphirin ! tu me donnes une tape;
À en crère, j'ai p'tête ben fait un péché.
– Si t'en as fait un, t'as qu'à le réparer :
En chrétien, au Goffeur, souhaite la bonne année.
Comment en un homme instruit et baptisé
Un goffeur a-t-il bien pu se métamorphoser ? !
Ça me surpasse... mais Zéphirin l'affirme...
Comme à trop y penser ça me rendrait infirme.
J'aime mieux, au Goffeur, quelque soit son séjour
Souhaiter une bonne et heureuse année
Et le Paradis à la fin de ses jours.

*La Survivance*, le mercredi 8 janvier 1941, « La Tribune libre ».

## Un disparu retrouvé

Vous connaissez not' vieil ami : le Goffeur?
Il est absent, sans permission;
C'est inquiétant pour beaucoup de lecteurs
Qui se demandent, avec raison,
Dans quel coin est tapi
Ce petit étourdi.
Quel est son sort?
Certes, il est disparu...
Mais, est-il mort?
Est-il sous clé, en qualité de prévenu?

Pour avoir - qui sait - trop parlé
Et peut-être ainsi livré
Des secrets d'État,
Comme l'on fait, dit-on, cinq ou six rats
Et deux ou trois souris,
Qui, astheur en sont bien marris
Bah! Rien de tout ça!
En région de *La Survivance*,
Goffeur tanné de son trou
A déserté, le rodeux, pour des vacances.
Il est retrouvé. Dévines où?
Dans le champ de Cassemottes, parbleu!
Pris au piège le petit gueux;
Par l'une des ses menottes
Réduite en compote.
Se voyant pincé pour de bon,
Il m'a dit dans son jargon :
– « Cassemottes, me voilà bien mal pris,
En tes mains, tu tiens ma vie.
Accorde-moi un instant
Que je te dicte mon testament.
Ma peau ne valant rien du tout,
Et ma chair et mes os pas davantage
Voici ma dernière pensée
Écris-là, jusqu'au bout;
Qu'elle soit bien marquée sur ton papier.
Je te la livre sans autres bavardages.
Pourquoi, toi Isidore, pourtant bon garçon,
Cherches-tu à me détruire pour de bon? »
– Parce que, lui dis-je, tu dévastes mes champs.
Et que de la Chandeleur
Jusques à la Toussaint
Tu ne cesses, petit rongeur
De gaspiller mon grain.
– Tout doux! tout doux!
Me répondit ce curieux petit filou.
Qui de nous deux
Était le premier en ces lieux?
Est-ce, chez vous, la coutume et l'usage

Que le premier occupant
Soit détruit par le dernier arrivant?
Cela ne saurait être sage,
Et, tôt ou tard, vous mériterait châtiment.
Ah! si vous étiez sages comme feue grand'maman
Qui me redisait bien souvent
Quand tu verras les fous
Lassés de se battre, de s'entretuer tous,
Et que tu tâcheras de prêcher la paix
Aux hommes de bonne volonté,
Tu leur suggéreras une des causes de leurs forfaits
En leur conseillant de relire leur grammaire
Où ils trouveront un' des causes de leurs misères.
Car tu verras, toi, qui deviendra un savant,
Qu'il existe des pronoms personnels.
– C'est une leçon qu'apprennent les p'tis enfants
Dès qu'ils connaissent les consonnes et les voyelles.
Il y en a surtout un : c'est le premier
De la première personne du singulier
Ne l'écris pas toujours avec la majuscule,
Prêchant la paix, ça te rendrait ridicule.
Voilà! moi Goffeur, j'ai tout dit
Ce que tu as écrit.
Si j'ai bien parlé
Cassemottes, laisse-moi en liberté.
Qu'auriez-vous fait de ce p'tit plein de bon sens?
Comme moi, vous lui auriez r'donné la clé des champs.

*La Survivance*, le 20 mars, 1946, « Le trou du goffeur », Isidore Cassemottes.

## Souvenir, testament et prière du vieux défricheur

(À ceux qui sont morts à la tâche)

Ah ! ma bonne vieille et chère amie
Encore à moi penses-tu toujours.
Toi, à qui sans relâche mon pauvre vieux cœur
Se remémore le souvenir attendri ?
Depuis si longtemps à cœur de jour
Ce bon souvenir adoucit mon dur labeur.

C'était, dis, t'en souviens-tu ?
De jour morose, au cours d'une flânerie
Dans la basse échoppe servant de magasin.
En te caressant tu effaça mon ennui
Et me redonna l'espoir des beaux lendemains.
Oui, dis-moi, t'en souviens-tu ?
De ce moment, du souffle de mon haleine
Où ton cœur me dit, en langage muet
Que ne me prends-tu pour compagne de ta vie ?
En tes vaillantes mains je serai fidèle
Que tu travailles, dormes ou fasse le guet.
Ô bon Canadien ! Souviens-toi
Que toujours, oui toujours, je fus de tes aïeux
La gardienne de leurs champs, de leurs toits
Et tu me contas en une langue sans mot
Sous le baiser et la caresse de mes yeux mi-clos,
L'histoire de ta vie, de ton humble destinée.
Du jour où sortant de l'ardente fournaise
Tu jaillis, étincelante gerbe de feu.
Comme une coulée de flamboyante braise,
Reflet éblouissant des étoiles des cieux :
Pour n'être plus bientôt
Sous les coups redoublés.
Entre enclume et marteau
D'un adroit et vigoureux forgeron
Qu'une fine cognée
Qu'il présenta de bien jolie façon
Au sortir d'un rouge brasier fulgurant
Pour te plonger en eau froide, glacée
Créant ainsi avecque ton tranchant
Ton âme solide de bon acier.
De ce jour lointain, presque oublié
Je n'eus plus que toi pour ma bien aimée
Que toi pour attaquer les sombres bois
Voilant de tous côtés mes horizons
Que toi pour abattre les verts sapins
Devant bâtir les murs de ma maison
Et la charpente et le rude toit
De ce rustique abri où du soir au matin

Je dormirais en rêvant aux futurs moissons
Que grâce du ciel aux bienfaisantes rosées
Dorées, mûries par l'ardent soleil de l'été
Enfin sur nos aires nous accumulerions.
Dis-moi, lointaine amie, qu'es-tu devenue ?
De tous oubliée, t'ai-je égarée ou perdue ?
Pourtant toujours je te garde mon souvenir
Parcelle de mon cœur que rien ne saurait ternir.

Et maintenant que mes pas s'alourdissent
Et que mes gestes se ralentissent
De toi, je me souviens à cœur de jour.
De toi qui déjà bien dolente, presq'usée
A l'âge de ma charrue encore accrochée
À force de coups tu fendais toujours
La souche tenace à l'effort de mes bœufs
Et sous l'effort de leurs muscles bandés, tendus,
Tu déblayais l'obstacle devant ma charrue.
Ô vous ! ma hache, ma charrue, mes bœufs.
Secours bénis des humbles, des déshérités
Ô de vous, personne ne se souvient plus !
Simple trinité, aujourd'hui bien oubliée;
Et pourtant, sans vous que serions-nous devenus
Alors qu'il fallait du soir au matin
Sans répit nous défendre des maringouins
Par de pesantes volutes d'âcre fumée
Sortant de quelques souches de bois coti
Recouvertes de fumier mal pourri
Oui, sans vous que serions-nous devenus ?
Aurions-nous grossi l'innombrable cohue
Des pauvres gens, sans maison ni feu
Promenant partout sur la terre leurs ennuis.
Blâmant de leur sort indu, la terre et les cieux
A moins que nous fussions devenus
Par l'électorale mollesse des gouvernants
De gras, plutôt des maigres secourus
Encouragés, en somme, d'être fainéants
Mais de bons et enragés votants.
Ah ! mes bœufs roux, ma charrue basse, ma hache !
Souvenir ancien, oui, souvenir du passé.

Le progrès maintenant allège notre tâche.
Et nous rompt de soucis, de dettes impayées
De taxes dues et autres mécontentements
Qui de notre vie chasse tout agrément.
Fichu progrès qui vole ce que nous avons
Not' blé, not' crème, nos œufs, même nos cochons.
C'est là, j'en conviens bien volontiers,
Pour les jeunes malins, radotage de vieux
Qui racontent en ronchonnant sans se lasser,
Que dans leur jeune temps tout allait pour le mieux.
Ronchonnage de vieux tant que vous voudrez.
Cela n'empêche, aujourd'hui comme autrefois
Qu'aux revenus il faut dépenses ajuster.
Et se dire pour de bon, une seule fois,
Que capital et revenu ensemble mangés
Assurant à tout coup durable pauvreté
Pauvreté et perpétuelle indigence
Qu'avec vous : mes bœufs, ma charrue, ma hache
Nous tenions au loin à force d'endurance.
Nous les vieux durs à cuire, rudes à la tâche
Ô! mais de tous ces vieux et premiers arrivants,
Mon Dieu, me voici dans les derniers survivants!
Et je sens déjà que la lumière du jour
À mes pauvres yeux va s'éteindre pour toujours.
Avant que la mort ne ferme ma paupière
Et que du soleil, je perde la lumière.
Je demande à ceux qui m'enseveliront
De placer, à côté de moi, dans mon cercueil
D'une vieille charrue basse, les mancherons
Et mon livre de messe bien précieux recueil;
Un chapelet dans mes doigts noueux enlacé :
Finalement : une hache des plus usées.
Alors tout en m'aspergeant d'une eau bénite
Au bon Dieu vous redirez cette prière
Qu'avant de m'endormir, tout seul je récite
En pensant à toutes ces vieilles misères :
« Seigneur, vous qui êtes infiniment juste et bon
À ceux qui dans la brousse vinrent les premiers
Y fonder un foyer, bâtir une maison,

Ne soyez pas trop sévère pour ces pionniers.
S'ils ne furent pas toujours de grande sainteté.
Songez aux grands maux qu'aux début ils ont soufferts.
Si parfois leur patience était bien à bout
Et que les mots qu'ils disaient étaient un peu verts
Ils vous en demandent bien pardon à genoux.
Devant leurs bœufs affolés, fuyant éperdus,
Leurs imprécations, leurs petits et gros jurons
Etaient dits, cela va de soi bien entendu
Contre ces mouches noires, flèches du démon.
Et s'il leur arrivait, une fois en passant
De vous demander de défaire cette mouche
Qui agaçait leurs bœufs en perpétuel tourment.
Ce n'était pas, disons-le leur sans retouche,
Une façon bien chrétienne de vous prier;
C'était quand même une courte prière
Beaucoup trop brusquement à vous mal adressée
Courte prière récité tout à l'envers
Prière que dans votre très grande bonté
Vous avez quand même écoutée, entendue
Car depuis de nombreuses et maintes années
Cette bestiole du diable a disparu.
Une dernière fois, écoutez les vivants :
À tous ceux qui ont ouvert ce beau grand pays.
Ils furent des pionniers courageux et vaillants,
Écoutez-nous et exaucez-nous aujourd'hui
À tous ces vieux infatigables colons
Au nom du bon Jésus et de Sainte Marie
À deux genoux, humblement nous vous supplions
Donnez leur l'éternel repos en Paradis.
Ainsi soit-il.

Saint-Vincent, le 22 octobre 1940; *Le Travailleur*, le 18 janvier 1943.

## À Radio-Canada, CBFY et CBFW : au caprice des ondes

CBFY, Montréal de Radio-Canada
Était, voilà peu, station à ondes courtes
Pour gens des Prairies et au-delà,
Amateurs du français à l'écoute.

Poste émetteur tout nouveau venu,
CBFY était la benjamine de la tribu :
De la tribu des ondes mystérieuses
Tout à la fois enjôleuses et volages,
Plaisantes, amusantes, gaies et joyeuses
Qui, tout d'un coup, boudant, vous cachent leur visage.

Vont-elles en d'autres pays
Se chercher de nouveaux amis ?
Ou, devenues muettes, mutines,
Se jouent-elles de voir leurs amateurs
Taquiner l'aiguille de leur poste écouteur ?

De l'heure de vêpres jusqu'aux matines,
Y entendre de l'espagnol, du portugais,
De l'italien, de l'espéranto, de l'anglais;
Mais, de Montréal, rien, pas de français !
CBFY devenu totalement muet.

Cependant, quelque jour, taquinant le bouton
De la bande de vingt-cinq mètres,
On captait, ô surprise! une jolie chanson :
Une chanson, parfois, d'amour ou d'amourette,
Et l'on se disait : « Voici notre Madelon
Revenue égayer les gens de la maison. »

Tous applaudissaient ce retour impromptu
Et tous pardonnaient à l'infidèle revenue,
Comme si jamais elle n'avait déserté
Les ondes mystérieuses des régions éthérées.

## Retraite

Un beau matin – c'était huit jours avant Pâques –
CBK (la station poste de Watrous[1]) nous dit :
« CBFY, de Montréal, pour une semaine
Restera muet, pour y faire des réfections.
Il reviendra après le prochain samedi;
Un peu de patience, c'est chose certaine. »

---

1. Poste régional et transmetteur des Prairies canadiennes.

Durant la Sainte Semaine, des... réfections.
Ç'avait l'air d'une bonne retraite fermée
Pour que Madelon se voue à la sainteté...
Le jour de Pâques, par maussade matin,
CBFY, Madelon, quoi ! nous revient.
Ce n'était plus CFBY, mais CBFW.
Madelon, après une retraite fermée,
Était maintenant Madeleine convertie,
Changeant de bandes et de fréquence
Pour prêcher les bons effets de la pénitence;
Tous les jours, de midi à minuit.

## Rechute et pardon

Hélas ! Les prédicateurs souvent l'ont dit :
« Quand la maison est bien nettoyée,
Sept démons violents, furieux, enragés
Se lancent à l'assaut des nouveaux convertis
Et tâchent de s'y installer à demeure;
Redevenus maîtres de leur première esclave,
Ils la dominent par la crainte et la peur;
Pour ainsi la maintenir dans leurs entraves. »

Chère Madelon, CBFW, si tu as rechu,
Reviens à nous quand même;
Pour nous, tu n'es point la déchue
Que l'on voue au mépris suprême.
Madelon, Madeleine même déconvertie,
Reviens encore, parles à tes amis.
Nous nous ennuyons de toi :
De toi, charmeuse et infidèle à la fois,
Reviens, même si à nouveau tu as péché,
Reviens, d'avance tu es pardonnée.

Saint-Vincent, le 10 avril 1942; *Le Travailleur*, le 4 juin 1942.

## Sans titre

Un vieux colon depuis longtemps au Canada
Tire du fond de son gousset

Une obole de vingt dollars
Produit de la vente d'un de ses goûts
Qu'il veut diviser en deux égales parts.
L'une pour la France restant ferme au combat
L'autre pour égayer nos soldats et marins
Qui sans répit à l'ombre de nos trois couleurs
Écussonnées de la double croix de Lorraine
Se battent en lions, comme à Bir Hachein (Hakein)[2]
Et qui aidés de nos intrépides aviateurs
Bouteront, bientôt, hors de chez nous
Sous l'égide de la Bergère de Domrémy,
Jeanne la Pucelle, notre sœur à tous
Le Boche ignoble notre perpétuel ennemi.

[Cette dernière partie est rayée d'un grand x.]
Et, si, entre deux batailles, perdues ou gagnées
Mais conduisant quand même à la victoire
Un Français, jeune ou vieux croisé,
De la plume ou au crayon
À l'auteur de ces lignes répondait tantôt
Cela serait comme le bruit d'un joyeux écho
Devant notre France blessée :
La victoire, oui! oui! nous l'aurons
Et ce sera bientôt.

Manuscrit, crayon, collection IRFSJUA.

## De Nazareth à Bethléem

Marie, écoutez la trompette du héraut :
C'est César-Auguste, l'Empereur
Qui ordonne à tous ses sujets féaux
D'aller, en plus bref délai, et, sur l'heure,
Se faire inscrire en la ville de leurs pères.
À Bethléem, ville de Juda, pour nous deux :

2. Bir Hakein en Libye fut le lieu d'une résistance de la part des soldats français menés par le général Marie Pierre Koenig contre les Allemands et les Italiens en 1942. Ils réussirent éventuellement à rejoindre les lignes anglaises. Koenig commanda les Forces françaises de l'intérieur en 1944.

La ville des beaux jardins et des riches terres,
La ville du roi David, père de nos aïeux.

« Joseph, mais comment pourrons-nous bien y aller ?
Vous savez que mes jours sont proches
Et que le voyage comptera maintes journées;
Oui, comment pourrons-nous aux approches
De cette saison aux jours les plus courts,
Ou les nuits sont longues, froides et obscures;
Les chemins raboteux à la marche sont durs;
Les détrousseurs guettent, dit-on, à plus d'un détour. »

« Vos craintes, Marie, guère ne sont plus fondés :
Les routes sont sûres et toujours bien protégés.
La nuit, nous aurons la tente pour abri,
Vous coucherez sur la natte de pailli
Et moi, enroulé d'un manteau, sur le sol nu.
Ainsi, en sept ou huit jours tout au plus,
Prenant un repos au milieu de la journée
Par étapes, le voyage sera terminé ».

« Pardonnez-moi, Joseph, pardonnez ma faiblesse.
Des femmes, à l'encontre des hommes, sont craintives,
Et souvent éprouvent d'illusoires détresses.
À vos justes avis je suis attentive,
Je suis à vos ordres, mon cher et digne époux.
Fixez le jour et l'heure, quand partirons-nous ? »

« Demain matin, à la pointe du petit jour,
Car déjà l'âne porte le bât dans la cour.
Juste avant le départ je le chargerai
De la natte roulée, des outres pleines d'eau,
Des provisions de bouche, aussi du fléau
Pour abattre les gerbes que nous achèterons,
En cours de route, pour allonger nos provisions.
La paille sera bonne pour les animaux.
De tout menus fagots en fascines liés
Pour allumer le feu de chacun de nos repas.
C'est là tout le bagage que nous emporterons,
Et la toile de tente qui le tout couvrira.
Notre bon voisin, le serviable Gédéon

Nous prête, pour un merci, son bœuf porte-faix;
Il vous servira de docile monture;
De son pas lent et mesuré
Jusqu'à Bethléem, la ville du pain, si bien nommée.

Hors de Bethléem, sur l'étroit chemin poudreux
Un homme et une femme marchaient lentement.
Comme deux égarés en quête d'un logement.
Leur air songeur et triste indiquait que leurs yeux
Sollicitaient la rencontre d'un bon passant,
D'un bon Samaritain, aussi pauvres qu'eux,
Qui leur trouverait un logement pour la nuit,
Car rapidement approchait l'heure pour Marie;
Et la clarté du jour allait en déclinant.

D'un tortueux sentier
Déboucha un berger.
Joseph aussitôt l'interpella et lui dit :
« Je viens de Nazareth, c'est à huit jours d'ici
À Bethléem, nous sommes deux pauvres étrangers;
En ville point n'avons trouvé place pour loger.
Ma femme n'est pas bien, elle attend un enfant.
Pourrais-tu, toi charitable passant,
Indiquer un refuge our nous abriter ? »
Enveloppé dans son ample houppelande,
La houlette à la main, le berger se retourna
Et dit : « Suivez-moi, là, au coin de la lande,
À quelque cent pas d'ici, tout à flanc de colline
Une grotte sert de refuge aux pauvres passants
Qui devers notre saint Temple s'acheminent.
De reste, nous y voici. J'entre le premier.
Un rayon de lune y déverse sa clarté.
Pour l'âne ainsi que le bœuf, voici la crèche;
Deux piquets plantés en terre pour les attacher.
L'endroit en somme n'est pas trop revêche,
Quoique par trop aéré;
Qu'à cela ne tienne, je vais y remédier
Avec la grande toile de tente
Bien attachée et bien tendue,

J'en boucherai l'entrée béante.
Ainsi la grotte sera moins malséante
Pour la naissance de votre nouveau venu.

Déjà la Vierge avait mis au monde l'Enfant Jésus.
L'ayant enveloppé de langes
  Sur la paille fraîche
  De la pauvre crèche
Elle coucha son Fils tout frêle et bien tenu.
Le petit âne debout et le bœuf couché,
De leur tiède haleine tenaient l'Enfant réchauffé.
« C'est votre Sauveur, par les prophètes promis,
Disait un ange au charitable berger;
Il est Fils du Dieu vivant et Fils de Marie.
Courez vers vos compagnons, les bergers de nuit.
Dites-leur : « Cette nuit, le Sauveur nous est né
Dans la grotte de Bethléem que vous connaissez ».
Sur l'heure, jaillissant d'un irréel cratère.
Une éblouissante gerbe de feu
Irradia de lumière la voûte des cieux.
De cette merveilleuse et fluorescente nuée,
Un chœur de douces et angéliques voix chantait :
  « Gloire à Dieu
  Au plus haut des cieux
  Et paix sur la terre
  Aux hommes de bonne volonté ».
Alors, entre eux tous, se dirent les bergers :
« Laissons là paître nos troupeaux
Et, à la grotte, allons sur l'instant, adorer
Le Sauveur qui cette nuit même nous est né ! »

*La Survivance*, le 2 janvier 1957.

# Bibliographie


## Sources primaires

Archives provinciales de l'Alberta, Edmonton
Fonds oblats
Chalifoux, Charles, ccsp
Drouin, Éméric, notes concernant *Joyau dans la Plaine*
Paroisse Saint-Vincent, 1908-1972

Fonds des Sœurs de l'Assomption
Chroniques, couvent de Saint-Vincent, 1929-1965

*Homestead* Records, Province of Alberta, Microfilm

Glenbow Museum and Archives, Calgary
Étienne Michaud Papers
Auguste Bernard Papers

Institut de recherche, Université de l'Alberta, Faculté Saint-Jean
Fonds Alexandre Mahé

Collection privée Germaine Champagne

Collection privée Juliette Champagne

Collection privée René Mahé

## Informateurs et informatrices

Sœurs de l'Assomption de la Sainte-Vierge, Nicolet (QC).
Rose Béliveau, s.a.s.v., entrevue et notes, 9 juin 1994.

Clémence Brouillette, s.a.s.v., entrevue et notes, 9 juin 1994.

Madeleine Laffond, s.a.s.v., entrevue et notes, 8 juin 1994.

Ida La France, s.a.s.v., entrevue et notes, 9 juin 1994.

Saint-Paul (Ab)

Alphonse Brousseau, entrevues, notes et enregistrements, 15 août 1994, 6 mai 1995, 26 octobre 1995, 7 janvier 1996.

Anna Brousseau-Piquette-Martin, entrevues, notes et enregistrements, 10 mai 1995, 30 octobre 1995.

Germaine Champagne, dialogue constant, documents, photos et notes, juin 1994-août 2000.

Laura Forrend, entrevues, notes, photos et enregistrements, 4-8 mai 1995.

Roland et Germaine (Piquette) Gratton, entrevues, notes, photos et correspondance, 15 avril 1997, enregistrements, 10 août 1994, 8 mai 1995, entrevues, 13 janvier 1995, 30 octobre 1995, 9 décembre 1997, 11 janvier 2000.

Saint-Vincent (Ab)

Paul et Isabelle Brousseau, entrevue, visite et enregistrement, 12 août 1994.

Jacques Dargis, entrevue et enregistrement, 9 novembre 1995.

Jean et Cécile Michaud, entrevue et notes, 16 août 1994.

Armand et Marguerite (Dallaire) Martin, 18 août 1994.

Marguerite (Mercier) Irwin et Gérard Mercier, notes, 16 août 1994.

Alfred Gratton, notes, visite, documents et photos, 27 octobre 1995.

Georges et Simone Leroux, entrevue, enregistrement et notes, 6 novembre 1995.

René Mahé, documents, photos et notes, juin 1994-août 2000.

Louis et Patricia Mahé, enregistrement et notes, 2 novembre 1995.

## Sources secondaires

### *Articles*

Allaire, Gratien. « Les débuts du mouvement coopératif franco-albertain, 1939-1946 », *Demain, la francophonie en milieu minoritaire ?*, Raymond Théberge et Jean Lafontant (dir.), Collège universitaire de Saint-Boniface, 1986, p. 229-245.

Allaire, Gratien. « Pour la survivance : l'Association canadienne-française de l'Alberta », *Les outils de la francophonie*, Vancouver/Winnipeg, Centre d'études franco-canadiennes de l'Ouest, 1988, p. 67-100.

Allaire, Gratien. « La construction d'une culture française dans l'Ouest canadien : la diversité originelle », *La construction d'une culture : le Québec et l'Amérique française*, Gérard Bouchard (dir.) et Serge Courville (collab.), Sainte-Foy, CEFAN, PUL, 1993, p. 343-360.

Allaire, Gratien. « De l'Église à l'État : le financement des organismes francophones de l'Ouest, 1945-1970 », *L'État et les minorités*, Jean Lafontant (dir.), Saint-Boniface, Éditions du Blé, 1993b, p. 229-245.

Allaire, Gratien. « Le rapport à l'*autre* : l'évolution de la francophonie de l'Ouest », *Francophonies minoritaires au Canada : l'état des lieux*, Joseph Yvon Thériault (dir.), Moncton, Éditions d'Acadie, 1998, p. 163-189.

Artibise, Alan F.J. « The Urban West : The Evolution of Prairie Towns and Cities to 1930 », *The Canadian City Essays in Urban and Social History*, edited by Gilbert A. Stetler and Alan F.J. Artibise, Ottawa, Carleton Library, 1984, p. 138-194.

Baker, William M. « The Significance of Biography in Historical Study : T.W. Anglin and the Evolution of Canadian Nationalism », *Boswell's Children*, edited by R.B. Fleming, Toronto, Dundurn Press, 1992, p. 240-258.

Baudoux, Mgr Maurice. « Le fait français dans l'Ouest », *Le Canada Français*, Vol. XXXI, n° 8, 1944, p. 623-630.

Bélanger, Céline. « La fondation de CHFA », *Aspects du passé franco-albertain*, Histoire franco-albertaine, 1, Alice Trottier, Kenneth J. Munro et Gratien Allaire (dir.), 1980, p. 123-146.

Bélanger, Réal. « Écrire sur la carrière politique de Wilfrid Laurier. Quelques réflexions et hypothèses sur la biographie de personnages politiques au Québec », *Boswell's Children*, edited by R.B. Fleming, Toronto, Dundurn Press, 1992, p. 177-190.

Bertho, Catherine. « L'invention de la Bretagne : genèse sociale d'un stéréotype », *Actes de la recherche en sciences sociales*, n° 35, 1980, p. 45-62.

Cadrin, Gilles. « Nation et religion, l'établissement des paroisses "nationales" d'Edmonton », *Écriture et politique, les actes du septième colloque du Centre d'études franco-canadiennes de l'Ouest*, Université de l'Alberta, Faculté Saint-Jean, 1987, p. 173-183.

Champagne, Juliette. « Mise en contexte d'un livre de comptes du milieu rural franco-albertain : le cas d'Alexandre Mahé de Saint-Vincent, 1909-1945 », Variations sur un thème : la francophonie albertaine dans tous ses états, sous la direction de Nathalie Kermoal. *Salon d'histoire de la francophonie albertain*, p. 47-78.

Cinq-Mars, Marcelle. « Représentations et stratégies sociales d'un marchand étranger à Québec : le journal de Johann Heinrich Juncken (septembre 1788-mai 1789), *Revue d'histoire de l'Amérique française*, Vol. 44, n° 4, 1991, p. 549-566.

Couture, Paul M. « The Vichy-Free French Propaganda War in Québec, 1940 to 1942 », *Canadian Historical Association, Historical Papers 1978 Communications historiques*, p. 200-216.

Danysk, Cecilia. « "Showing These Slaves Their Class Position" : Barriers to Organizing Prairie Farm Workers », David C. Jones and Ian MacPherson, eds., *Building Beyond the Homestead : Rural History on the Prairies*, University of Calgary Press, 1985, p. 163-177.

Faucher, Albert. « L'émigration des Canadiens français au XIX^e siècle : position du problème et perspectives », *Recherches sociographiques*, Vol. 3, 1964, p. 277-317.

Fridman, Viviana et Alain Roy. « Présentation », Transactions identitaires/ Identity Transactions, *Canadian Folklore Canadien*, Vol. 18.2, 1996, p. 5-11.

Friesen, Gerald. « The Prairie West since 1945 : An Historical Survey », *Readings in Canadian History, Post-Confederation*, R. Douglas Francis and Donald Smith, editors, Holt, Rinehart and Winston of Canada Limited, 1986, p. 606-616.

Gaboury-Diallo, Lise. « L'exotisme chez Henri-Émile Chevalier », *La langue, la culture et la société des Franco-Canadiens de l'Ouest*, 1984, p. 66-75.

Gagnon, Anne. « "Our parents did not raise us to be independent" : The Work and Schooling of Young Franco-Albertan Women 1890-1940 », *Prairie Forum*, Vol. 19, n° 2, 1994, p. 169-188.

Gauthier, Émile. « L'Émigration bretonne », *Bulletin de l'entr'aide bretonne de la région parisienne*, Paris, 1953, p. 128-144.

Genuist, Paul. « *Du vent, Gatine !* : le rêve albertain revu et corrigé cent ans après », *Après dix ans... bilan et prospective*, CEFCO, 11, Université de l'Alberta, Faculté Saint-Jean, 1992, p. 105-114.

Hall, D.J. « Clifford Sifton Immigration and Settlement Policy », *The Prairie West, Historical Readings*, edited by R. Douglas Francis and Howard Palmer, Edmonton, Pica Pica Press, 1985, p. 281-308.

Huel, Raymond. « Les évêques francophones et la mosaïque culturelle dans l'Ouest canadien », *Perspectives sur la Saskatchewan française*, Société historique de la Saskatchewan, 1983, p. 285-296.

Huel, Raymond. « La mission Notre-Dame-des-Victoires du lac la Biche et l'approvisionnement des missions du Nord : le conflit entre M^gr V. Grandin et M^gr H. Faraud », *Western Oblate Studies 1/Études oblates de l'Ouest 1*, Western Canadian Publishers, 1989, p. 17-36.

Jaenen, Cornelius J. « French Roots in the Prairies », *Two Nations, Many Cultures, Ethnic Groups in Canada*, ed. Jean Leonard Elliott, Scarborough, Prentice-Hall Canada Inc., 1979.

Lagrée, Michel. « Le recrutement des maîtres d'école en Bretagne (XIX^e^ et première moitié du XX^e^ siècle) », *Sociétés villageoises et rapports villes-campagnes au Québec et dans la France de l'Ouest, XVII^e^ au XX^e^ siècle*, François Lebrun et Normand Séguin (dir.), Colloque franco-québecois d'histoire rurale comparée, Trois-Rivières, 1985, p. 337-346.

Lagrée, Michel. « Le clergé breton et le premier centenaire de la Révolution française », *Annales de Bretagne*, T. 91, 1984, p. 249-267.

Lalonde, André. « Les Canadiens français de l'Ouest : espoirs, tragédies, incertitude », *Du continent perdu à l'archipel retrouvé*, Dean Louder et Eric Waddell (dir.), Québec, Les Presses de l'Université Laval, 1983, p. 82-95.

Laperrière, Guy. « "Persécution et exil" : la venue au Québec des congrégations françaises, 1900-1914 », *Revue d'histoire de l'Amérique française*, Vol. 36, n° 3, 1982, p. 389-411.

Lavoie, Yolande. « Les mouvements migratoires des Canadiens entre leur pays et les États-Unis au XIX^e^ et au XX^e^ siècles : étude quantitative », *La population du Québec : études rétrospectives*, Hubert Charbonneau (dir.), Montréal, Boréal Express, 1973, p. 73-88.

Le Bihan, Jean. « Enquête sur une famille bretonne émigrée au Canada (1903-1920) », *Prairie Forum*, 22, 1998, p. 73-102.

Lehr, John C. and Yossi Katz. « Ethnicity, Institutions, and the Cultural Landscape of the Canadian Prairie West », *Canadian Ethnic Studies*, XXVI, n° 2, 1984, p. 70-87.

Levi, Giovanni. « Les usages de la biographie », *Annales ESC*, n° 6, 1989, p. 1325-1335.

Mahé, Yvette T.M. « L'enseignement du français dans les districts scolaires bilingues albertains, 1885-1939 », *Cahiers francophones de l'Ouest*, Vol 4, n° 2, 1992, p. 291-305.

Martin, Chester. « Dominion Lands Policy », Vol. II, *Canadian Frontiers of Settlement*, Edited by W.A. Mackintosh and W.L.G. Joerg, Toronto, The Macmillan Company of Canada Limited, St. Martin's House, 1938, New York, Krause Reprint, Millwood, 1974.

Medick, Hans. « "Missionnaires en canot", les modes de connaissances ethnologiques, un défi à l'histoire sociale ? », *Genèses* 1, 1990, p. 24-46.

Motut, Roger. « Le passé tel que je l'ai connu en Saskatchewan », *La langue, la culture et la société des francophones de l'Ouest*, 3, Université de Regina, Centre d'études bilingues, 1983, p. 13-22.

Moreau, Joseph. « Le Collège des Jésuites (1913-1942) », *Aspects du passé franco-albertain*, 1980, p. 21-29.

Munro, Kenneth J. « Le Sénat, une institution importante pour la francophonie albertaine », *Après dix ans... Bilan et prospective*, Actes du 11^e^ colloque du CEFCO (1991), Edmonton, 1992, p. 255-267.

Murison, Barbara. « Scottish Emigration and Political Attitudes : Old Wine in New Bottles », *Boswell's Children,* edited by R.B. Fleming, Toronto, Dundurn Press, 1992, p. 151-163.

Painchaud, Robert. « The Franco-Canadian Communities in Western Canada since 1945 », *Eastern and Western Perspectives, Papers from the Joint Atlantic Canada/Western Canadian Studies Conference*, University of Toronto Press, 1981, p. 3-18.

Painchaud, Robert. « French-Canadian Historiography and Franco-Catholic Settlement in Western Canada, 1870-1915 », *Canadian Historical Review*, LIX, 4, 1978, p. 447-466.

Painchaud, Robert. « Les origines des peuplements de langue française dans l'Ouest canadien, 1870-1920 : mythes et réalités », *Mémoires de la Société royale du Canada*, Série IV, T. XII, 1975, p. 151-163.

Palmer, Howard. « Canadian Immigration and Ethnic History in the 1970's and 1980's », *Journal of Canadian Studies/Revue d'études canadiennes*, Vol. 17, n° 1, 1982, p. 35-50.

Pénisson, Bernard. « Un colon français en Alberta vers 1905-1909 : Antoine Randon », *Après dix ans... bilan et prospective*, CEFCO, 11, Université de l'Alberta, Faculté Saint-Jean, 1991, p. 237-253.

Pénisson, Bernard. « L'émigration française au Canada (1882-1929) », *L'émigration française. Études de cas : Algérie, Canada, États-Unis*, Série internationale n° 24, Paris, Publications de la Sorbonne, 1985, p. 51-106.

Quenneville, Jean-Guy. « Indiens, Métis et Cowboys : la saga de Jean-Louis Légaré », *La langue, la culture et la société des francophones de l'Ouest*, actes du troisième colloque du Centre d'études bilingues, Université de Regina, 25-26 novembre 1983, p. 23-35.

Rasporich, A.W. « Utopian Ideals and Community Settlements », *The Prairie West : Historical Readings*, R. Douglas Francis and Howard Palmer, editors, Edmonton, Pica Pica Press, 1985, p. 338-361.

Revel, Jacques. « L'histoire au raz du sol », préface, in Giovanni Levi, *Le pouvoir au village : histoire d'un exorciste dans le Piémont du XVII^e^ siècle*, Paris, Gallimard, 1989.

Rex, John. « The Nature of Ethnicity in the Project of Migration », *The Ethnicity Reader : Nationalism, Multiculturalism and Migration*, edited by Montserratt Guibernau and John Rex, Cambridge, UK, Polity Press, 1997, p. 269-283.

Savary, Claude (dir.). « Un Québec émigré aux États-Unis : bilan historiographique », *Les rapports culturels entre le Québec et les États-Unis*, Québec, IQRC, 1984, p. 103-130.

Silver, A.I. « French Canada and the Prairie Frontier, 1870-1890 », *The Prairie West : Historical Readings*, edited by R. Douglas Francis and Howard Palmer, Edmonton, Pica Pica Press, 1985, p. 140-162.

Smith, Donald. « A History of French-Speaking Albertans », edited by Howard and Tamara Palmer, *Peoples of Alberta. Portraits of Cultural Diversity*, Saskatoon, Saskatchewan, Western Producer Prairie Book, 1985.

Spry, Irene M. « The Transition from a Nomadic to a Settled Economy in Western Canada, 1856-96 », *Transaction of the Royal Society of Canada*, Vol. IV : Series IV : Section II, 1968, p. 187-201.

Stanley, George F.G. « Alberta's Half-Breed Reserve, Saint-Paul-des-Métis, 1896-1909 », *The Other Natives/the-les Métis*, Vol. 2, *1885-1978*, Antoine Lussier and D. Bruce Sealey, eds., Winnipeg, Manitoba Metis Federation/Éditions Bois-Brûlés, 1978, p. 75-107.

Thomas, Lewis G. « The Writing of History in Western Canada », *Eastern and Western Perspectives*, Papers from the Joint Atlantic Canada/Western Canadian Studies Conference, University of Toronto Press, 1976, p. 69-83.

Thomas, Lewis G. « The Privileged Settlers », *Rancher's Legacy*, Patrick A. Dunae, ed., Western Canada Reprint Series, University of Alberta Press, 1986, p. 151-167.

Thomas, Lewis G. « Associations and Communications », *Canadian Historical Association, Historical Papers*, 1973, p. 1-12.

Thompson, John Herd. « Bringing in the Sheaves : The Harvest Excursionists, 1890-1929 », *Canadian Historical Review*, LIX, 4, 1978, p. 467-489.

Trottier, Alice. « Les débuts du journal *La Survivance* », *Aspects du passé franco-albertain*, A. Trottier, K.J. Munro et G. Allaire (dir.), Histoire franco-albertaine, 1, 1980, p. 112-121.

Voisey, Paul. « Rural Local History and the Prairie West », *Prairie Forum*, Vol. 10, n° 2, 1985, p. 327-338.

Wilhelm, Bernard. « Le pot de terre contre le pot de fer : la lutte entre Notre-Dame d'Auvergne et Gravelbourg, *À la mesure du pays...*, Jean-Guy Quenneville (dir.), Saskatoon, University of Saskatchewan, 1991, p. 121-132.

Wilhelm, Bernard. « L'État premier de la littérature française de l'Ouest : les récits de pionniers », *Écriture et politique*, Gratien Allaire, Gilles Cadrin et Paul Dubé (dir.), CEFCO, 7, 1989, Edmonton, Faculté Saint-Jean, p. 259-264.

Wonders, William C. « Far Corner of the Strange Empire », *Great Plains Quarterly*, Spring 1983, p. 92-108.

Yans-McLaughlin, Virginia. « Metaphors of Self in History : Subjectivity, Oral History, and Immigration Studies », *Immigration Reconsidered : History, Sociology, and Politics*, edited by Virginia Yans-McLaughlin, Oxford University Press, 1990, p. 254-290.

## *Livres*

Amyot, Éric. *Le Québec entre Pétain et de Gaulle : Vichy, la France libre et les Canadiens français, 1940-1945*, Montréal, Fides, 1999.

Ariel, France. *Canadiens et Américains chez eux – journal, lettres, impressions d'une artiste française*, Montréal, Granger Frères, Ltée, 1920.

Berger, Carl. *The Writing of Canadian History : Aspects of English-Canadian Historical Writing since 1900*, University of Toronto Press, 1986, 1988.

Bertin, Pierre. *Du vent, Gatine !*, Paris, Arléas, 1989.

Brekilien, Yann. *La vie quotidienne des paysans en Bretagne au XIX*[e] *siècle*, Paris, Hachette, 1966.

Briard, Jacques, André Chédeville *et al. Bretagne, images et histoire*, Alain Croix (dir.), iconographie réunie par Christel Douard, Presses universitaires de Rennes, 1996.

Burnet, Jean. *Next Year Country*, University of Toronto Press, 1951.

Champagne, Claude. *Les débuts de la mission dans le Nord-Ouest canadien. Mission et Église chez M*[gr] *Vital Grandin, o.m.i. (1829-1902)*, Éditions de l'Université d'Ottawa, 1983.

Champagne, Joseph-Étienne. *Les Missions catholiques dans l'Ouest canadien (1818-1875)*, Ottawa, Éditions des Études oblates, Scolasticat Saint-Joseph, 1949.

Champagne, Juliette. *Notre-Dame-des-Victoires, Lac-La-Biche, 1853-1963, Entrepôt et couvent-pensionnat*, Edmonton, Interpretative Matrix and Narrative History, Lac La Biche Mission Historical Society and Historic Sites Services Alberta Culture and Multiculturalism, 1992.

Champagne, Juliette et Joseph Le Treste. *Souvenirs d'un missionnaire dans le Nord-Ouest canadien*, texte établi et commenté par Juliette Champagne, Sillery, Septentrion, 1997.

Chaput, Hélène. *Donatien Frémont, journaliste de l'Ouest canadien*, Saint-Boniface, Éditions du Blé, 1977.

Coues, Elliot, ed. *New Light on the Early History of the Greater Northwest*, « The Manuscript Journals of Alexander Henry and David Thompson », Vol. II, *The Saskatchewan and Columbia Rivers*, Minneapolis, Ross and Haines, 1897, 1965.

Coulombe, Danielle. *Coloniser et enseigner : le rôle du clergé et la contribution des Sœurs de Notre-Dame du Perpétuel Secours à Hearst, 1917-1942*, Essai/Le Nordir, 1998.

Crémieux-Brilhac, Jean-Louis. *La France libre, de l'appel du 18 juin à la Libération*, Nouvelle revue française (nrf), Gallimard, 1996.

Dawson, Carl A. *Group Settlement. Ethnic Communities in Western Canada*, Canadian Frontiers of Settlement, edited by W.A. Mackintosh and W.L.G. Joerg, Vol. VII, Toronto, The Macmillan Company of Canada Limited, St. Martin's House, 1936, New York, Klaus Reprint Co., Millwood, 1974.

Dawson, Carl A. and Eva R. Younge. *Pioneering in the Prairie Provinces : The Social Side of the Settlement Process*, Canadian Frontiers of Settlement, edited by W.A. Mackintosh and W.L.G. Joerg, Vol. VIII, Toronto, The Macmillan Company of Canada Limited, St. Martin's House, 1940, New York, Klaus Reprint Co., Millwood, 1974.

Destrubé, Maurice. *Pioneering in Alberta : Maurice Destrubé's Story*, edited by James E. Hendrickson, Calgary, Historical Society of Alberta, 1981.

Drouin, Éméric. *Joyau dans la Plaine*, Québec, Nicole, 1968.

Durieux, Marcel. *Un héros malgré lui*, Saint-Boniface, Éditions des Plaines, 1986.

Ferrarotti, Franco. *Histoire et histoires de vie : la méthode biographique dans les sciences sociales*, préface de Georges Balandier, Paris, Librairie des Méridiens, 1986.

Flanagan, Thomas. *Riel and the Rebellion of 1885 Reconsidered*, Saskatoon, Western Producer Books, 1983.

Fowke, Vernon C. *The National Policy and the Wheat Economy*, University of Toronto Press, 1957.

Franchère, Gabriel. *Relation d'un voyage de la côte du Nord-Ouest de l'Amérique septentrionale, dans les années 1810, 11, 12, 13 et 14*, Montréal, C.B. Pasteur, 1820, CIHM/ICMH séries de microfiches, #35176.

Frémont, Donatien. *Les Français dans l'Ouest canadien*, Winnipeg, Éditions de la Liberté, 1959.

Friesen, Gerald. *The Canadian Prairies. A History*, University of Toronto Press, 1984.

Gaire, Jean (abbé). *Dix années de missions au grand Nord-Ouest canadien*, Lille, Imprimerie de l'orphelinat Dom Bosco, 1898.

Ginzberg, Carlo. *Le Fromage et les vers : l'univers d'un meunier du XVI^e^ siècle*, trad. de l'italien par Monique Aymard, Flammarion, 1980.

Giraud, Marcel. *Le Métis canadien*, introduction du professeur J.E. Foster avec Louise Zuk de l'Université de l'Alberta, travaux et mémoire de l'Institut d'ethnologie de l'Université de Paris, XLIV, 1945, Saint-Boniface, Éditions du Blé, 1984.

Giscard, Gaston. *Dans la prairie canadienne*, trad. par Lloyd Person, introduction d'André Lalonde, George E. Durocher (dir.), University of Regina, Canadian Plain's Research Centre, 1982.

Gheur, Bernard. *Retour à Calgary*, préface de René Henoumont, Paris, ACE éditeur, 1985.

Gosselin, P.E. *Le conseil de la vie française, 1909-1982*, Québec, Éditions Ferland, 1967.

Haraven, Tamara K. *Family Time and Industrial Time : the Relation between the Family and Work in a New England Industrial Community*, Cambridge University Press, 1982.

Hursey, Roberta. *Heritage Hunter's Guide to Alberta Museums*, Edmonton, Brightest Pebble Publishing Ltd., 1996.

*Institut des Frères de l'Instruction chrétienne de Ploërmel*, Paris, Librairie Letouzey, 1923.

Johnson, Alice M., ed. *Saskatchewan Journals and Correspondence : Edmonton House, 1795-1800; Chesterfield House, 1800-1802*, London, The Hudson's Bay Record Society, 1967.

Kalbach, Warren E. and Wayne W. McVey. *The Demographic Bases of Canadian Society*, 2nd edition, Toronto, McGraw-Hill Ryerson Limited, 1971.

Knowles, Valerie. *Strangers at Our Gates. Canadian Immigration and Immigration Policy, 1540-1997*, Toronto, Dundurn Press, revised edition, 1997.

Ladurie, Emmanuel Le Roy. *Montaillou. Village occitan de 1294 à 1324*, édition révisée et corrigée, Paris, Gallimard, 1975, 1982.

Lagrée, Michel. *Religion et cultures en Bretagne, 1850-1950*, Fayard, 1992.

Laperrière, Guy. *Les congrégations religieuses. De la France au Québec, 1880-1914*, T. I, *Premières bourrasques, 1880-1900*, Sainte-Foy, Les Presses de l'Université Laval, 1996.

Lapointe, Richard et Lucille Tessier. *Histoire des Franco-Canadiens de la Saskatchewan*, La Société historique de la Saskatchewan, 1986.

Le Braz, Anatole. *La Bretagne, choix de textes précédés d'une étude*, Paris, Librairie Renouard, H. Laurens, éditeur, 1925, 1935.

Le Goff, Jacques. *Saint Louis*, Paris, nrf, Éditions Gallimard, 1996.

Le Scouëzec, Gwenc'hlan. *Le guide de la Bretagne*, Spézet (France), Beltan/ Breizh, 1986.

Levi, Giovanni. *Le pouvoir au village : histoire d'un exorciste dans le Piémont du XVIIe siècle*, Paris, Gallimard, 1989.

Mahé, Yvette T.M. *School Districts Established by French-Speaking Settlers in Alberta : 1885-1939*, Vol. I, Identification of Bilingual School Districts (l'auteure), Edmonton, 1989.

Marrou, Henri-Irénée. *The Meaning of History*, trad. *De la connaissance historique* par Robert J. Olsen, Paris, Éditions du Seuil, 1959, Montréal, Palm, 1966.

McCullough, Edward J. and Michael Maccagno. *Lac La Biche and the Early Fur Traders*, Canadian Circumpolar Institute and Alberta Vocational Institute, Lac La Biche, Archeological Society of Alberta, 1991.

Mélançon, Claude. *Nos animaux chez eux*, illustrations de L. Durand, Québec, Au Moulin des Lettres, 1934.

Melnycky, Peter. *A Veritable Canaan : Alberta's Victoria Settlement*, Edmonton, Friends of the Victoria Historical Society, 1997.

*Mémento, cimetière St-Paul Cemetary*, Projet centenaire du Musée de Saint-Paul, 1996.

Mignault, Alice. *Cent ans d'espérance. Les Sœurs de l'Assomption de la Sainte-Vierge dans l'Ouest canadien, 1891-1991*, Nicolet, Éditions S.A.S.V., 1991.

Mitchell, Estelle. *Les Sœurs Grises de Montréal à la Rivière-Rouge*, Montréal, Éditions du Méridien, 1987.

Moberly, William. *When Fur Was King*, London, J.M. Dent and Sons, 1929.

Morice, A.-G. *Histoire de l'Église catholique dans l'Ouest canadien*, Vol. II, Montréal, Granger Frères, 1915.

Morton, Arthur S. *History of Prairie Settlement. Frontiers of Settlement*, Vol. II, *Canadian Frontiers of Settlement*, Edited by W.A. Mackintosh and W.L.G. Joerg, Toronto, The Macmillan Company of Canada Limited, St. Martin's House, 1938, New York, Krause Reprint, Millwood, 1974.

Morton, W.L. *A History of the Canadian West to 1870-71*, 2nd edition, ed. by Lewis G. Thomas, University of Toronto Press, 1939, 1973.

Motut, Roger. *Maurice Constantin-Weyer, écrivain de l'Ouest et du Grand Nord*, Saint-Boniface, Éditions des Plaines, 1982.

Muracciole, Jean-François. *Histoire de la France libre*, Presses universitaires de France, 1996.

Nizan, Édouard (abbé). *Si Guégon m'était conté, la commune et les paroisses de Guégon, Coët-Bugat, Trégranteur*, Guégon, 56120 Josselin, 1978.

Ouellette, J.-A. (abbé). *L'Alberta-Nord – Région de colonisation*, Edmonton, Le Courrier de l'Ouest, 1909.

Owram, Doug. *Promise of Eden : The Canadian Expansionist Movement and the Idea of the West, 1856-1900*, University of Toronto Press, 1980.

Painchaud, Robert. *Un rêve français dans le peuplement de la Prairie*, Saint-Boniface, Éditions des Plaines, 1987.

Palmer, Howard and Tamara, eds. « Peoples of Alberta, Portraits of Cultural Diversity », Saskatoon, Saskatchewan, Western Producer Prairie Book, 1985.

Palmer, Howard. « Les enjeux ethniques dans la politique canadienne depuis la Confédération », Ottawa, Société historique du Canada, 1991.

Papen, Jean. *Georges Bugnet, homme de lettres canadien*, Saint-Boniface, Éditions des Plaines, 1985.

Pearson, Lester B. *Mike, the Memoirs of the Rt. Ho. Lester B. Pearson*, Vol. 1, *1897-1948*, University of Toronto Press, 1972.

Pénisson, Bernard. *Henri d'Hellencourt, un journaliste français au Manitoba (1898-1905)*, Saint-Boniface, Éditions du Blé, 1986.

Prost, Antoine. *Douze leçons sur l'histoire*, Paris, Éditions du Seuil, 1996.

Ray, Arthur J. *The Canadian Fur Trade in the Industrial Age*, University of Toronto Press, 1990.

Regehr, Ted D. *The Canadian Northern Railway : Pioneer Road of the Northern Prairies, 1895-1918*, Toronto, MacMillan of Canada, Maclean-Hunter Press, 1976.

Revel, Jacques. « L'histoire au ras du sol », préface, in Giovanni Levi, *Le pouvoir au village : histoire d'un exorciste dans le Piémont du XVII*e *siècle*, Paris, Gallimard, 1989.

Ringuet. *Un monde était leur empire*, Montréal, Variétés, 1943.

Roby, Yves. *Les Francos-Américains de la Nouvelle-Angleterre, rêves et réalités*, Sillery, Septentrion, 2000.

Roby, Yves. *Les Francos-Américains de la Nouvelle-Angleterre, 1776-1930*, Sillery, Septentrion, 1990.

Roy, Mgr Camille. *Études et croquis*, Québec, Éditions Émile Robitaille, 1936.

Rhys, Isaac. *The Transformation of Virginia, 1740-1790*, Institute of Early American History and Culture, Williamsburg, University of North Carolina Press, 1992.

Rulon, H.-C. et Ph. Friot. *Un siècle de pédagogie dans les écoles primaires (1820-1940). Histoire des méthodes et des manuels scolaires utilisés dans l'Institut des Frères de l'Instruction chrétienne de Ploërmel*, Paris, Librairie philosophique J. Vrin, 1962.

Sahlins, Marshall. *Islands of History*, University of Chicago Press, 1985.

Saint-Exupéry, Antoine de. *Œuvres*, Paris, Gallimard, Bibliothèque de la Pléiade, 1959.

Silverman, Eliane Leslau. *The Last Best West : Women on the Alberta Frontier 1880-1930*, Montréal, Eden Press, 1984.

Stone, Lawrence. *The Past and the Present Revisited*, New York, Routledge and Kegan Paul, 1987.

Taché, Mgr Alexandre. *Esquisse sur le Nord-Ouest de l'Amérique* [1868], 2e éd., Montréal, C.O. Beauchemin et Fils, 1901.

Thomas, Lewis G. *The Liberal Party in Alberta : A History of Politics in the Province of Alberta, 1905-1921*, University of Toronto Press, 1959.

Tosh, John. *The Pursuit of History : Aims, Methods and New Directions in the Study of Modern History*, New York, Longman, 1991.

Trémaudan, Auguste-Henri de. *Histoire de la nation métisse dans l'Ouest canadien*, Montréal, Éditions Albert Lévesque, 1935.

Trottier, Alice et Juliette Fournier. *Les Filles de Jésus en Amérique*, Filles de Jésus, 1986.

Vansina, Jan. *Oral Tradition as History*, University of Wisconsin Press, 1985.

Vidalenc, Jean. *La société française de 1815 à 1848 : le peuple des campagnes*, Paris, Éditions Marcel Rivière et Cie, 1970.

Voisey, Paul. *Vulcan. The Making of a Prairie Community*, University of Toronto Press, 1988.

Weil, François. *Les Franco-Américains, 1860-1980*, préface de Jean Heffer, Paris, Belin, 1989.

Wetherell, Donald G. and Irene R.A. Kmet. *Homes in Alberta. Buildings, Trends and Design 1870-1967*, Edmonton, University of Alberta Press, Alberta Culture and Multiculturalism, Alberta Municipal Affairs, 1991.

Wright, Gordon. *France in Modern Times. From the Enlightenment to the Present*, 3[rd] edition, New York, W.W. Norton and Company, 1981.

Zemon, Nathalie Davis, Jean-Claude Carrière et Daniel Vigne. *Le Retour de Martin Guerre*, Paris, Laffont, 1982.

### Cartes géographiques

*Vannes, Région Nantaise, 89 NE*, 29th Engineers, U.S. Army, 1918.

*Vincent Lake, Alberta*, ouest du quatrième méridien, 73L/3, 1:50,000, Canada, 3e édition, 1978.

*County of St Paul, N° 19*, Melnyck Drafting, Edmonton, April 1978.

*County of Saint Paul, N°19, 1994*, West Edmonton Reprographics.

Cummings Rural Directory, 1927, APA, 74.1/330.

*Map of the Municipal District of St. Paul no. 86*, C.B. Atkins, A.& D.L.S., municipal surveyor and engineer, 505 Agency Building, Edmonton, Alberta, s.d. (env. 1945).

*Map of St. Paul Des Metis District, Province of Alberta*, TSO, 1921, reproduite par la société historique de Saint-Paul, *Du Passé au Présent*, 1990.

### Encyclopédies et livres de référence

Carrière, Gaston. *Dictionnaire biographique des Oblats de Marie-Immaculée au Canada*, T. II, Ottawa, Éditions de l'Université d'Ottawa, 1976.

Degrace, Éloi. *Index du Courrier de l'Ouest, 1905-1916*, Edmonton, 1980.

*Encyclopédie de la musique au Canada*, Helmut Kallmann, Gilles Potvin et Kenneth Winters, 2e édition, Helmut Kallmann et Gilles Potvin (dir.), Fides, 1993.

*Encyclopédie du Canada*, Montréal, Stanké, 1987.

*Historical Atlas of Canada : From the Beginning to 1800*, Vol. 1, R. Cole Harris, ed., Geoffrey Matthews, cartographer/designer, University of Toronto Press, 1987.

## Histoires locales

*An Era in Review : A History of Owlseye, Ashmont, Abilene, Boscombe, Cork, Boyne Lake, Anning and Area*, Owlseye Historical Society, St. Paul, Alberta, 1984.

Chalifoux, Charles. *L'historique de la paroisse de Saint-Vincent, 1906-1956*, Saint-Vincent, 1956.

*Du Passé au Présent and Past, St-Paul, St-Édouard, Alberta 1896-1990*, Société du livre historique de St. Paul Historical Society, 1990.

*Lac La Biche, Yesterday and Today*, Lac La Biche, 1975.

*Precious Memories/Mémoires précieuses, Mallaig-Therien, 1906-1992*, Mallaig Historical Committee, 1993.

*St. Lina and Surrounding Area*, St. Lina History Book Club, Alberta, 1978.

*So Soon Forgotten : A History of Glendon and Districts*, Glendon Historical Society, 1985.

*Souvenirs Saint-Vincent, 1906-1981*, Club historique de Saint-Vincent (s.d.).

## Thèses et mémoires

Champagne, Juliette. *Lac La Biche. Une communauté métisse du XIXe siècle*, mémoire de maîtrise en histoire, Université de l'Alberta, 1990.

Cinq-Mars, Marcelle. *Représentations et stratégies sociales d'un étranger à Québec à la fin du XVIIIe siècle. Analyse du journal personnel du marchand Johann Henrich Juncken (septembre 1788-mai 1789)*, mémoire de maîtrise en histoire, Université Laval, 1990.

Ens, Gerhard. *Kinship, Ethnicity, Class and the Red River Metis : The Parishes of St. François-Xavier and St. Andrew's*, thèse de doctorat en histoire, Université de l'Alberta, 1989.

Hart, Edward John. *Ambitions et réalités, la communauté francophone d'Edmonton, 1795-1935*, thèse de maîtrise en histoire, Université de l'Alberta, 1971, trad. de l'anglais par Guy Lacombe et Gratien Allaire, Edmonton, Le Salon de l'histoire de la francophonie albertaine, 1981.

Jetté, Melinda M. *Ordinary Lives : Three Generations of a French-Indian Family in Oregon, 1827-1931*, mémoire de maîtrise en histoire, Université Laval, 1996.

Lacombe, Guy. *Paul-Émile Breton : journaliste français de l'Alberta*, thèse de maîtrise en lettres, Université Laval, 1966.

Lagrée, Michel. *La presse catholique en Bretagne*, thèse de doctorat d'État, Rennes, Université de Haute-Bretagne, 1990.

Le Gal, Yvette. *La reconstruction rurale en province de Saskatchewan : l'exemple de la paroisse de Saint-Maurice-de-Bellegarde (1898-1970)*, mémoire de maîtrise en histoire, Université d'Ottawa, 1990.

## Journaux et périodiques

*Bulletin de la société historique de Saint-Boniface*
*Le Courrier de l'Ouest*
*Edmonton Bulletin*
*La Survivance*
*St. Paul Journal*
*St. Paul Star*
*Le Travailleur*
*L'Union*

## Autres

Foisy, Suzanne, Yvon Laberge et Marie-Josée Le Blanc. « Alexandre Mahé : des notes biographiques », Travail de recherche, CA FR 322, Edmonton, Université de l'Alberta, Faculté Saint-Jean, 1983.

Van Brabant, Sylvie, réalisatrice. *C'est l'nom d'la game* (vidéocassette), Montréal, Office national du film du Canada, 1977, 53 min.

# Index

## A



## B

# C

## D

## E



## F

## G

## H



## J



## K



## L

## M

## N



## O



## P

## Q



## R



## S

## T



## U

## V



## W



## Z

# Table des matières

Annexes



Tableaux

AGMV Marquis
MEMBRE DE SCABRINI MEDIA
Québec, Canada
2003